A BIOGRAFIA
DE KELLY SLATER

Pipe Dreams

© Jeff Hornbaker

A BIOGRAFIA
DE KELLY SLATER
Pipe Dreams

Kelly Slater com
Jason Borte

© Jeff Hornbaker

Apresentação
Paulo Lima

editora
gaia

© **Kelly Slater, 2003**
Published by arrangement with Harper Collins,
Publishers, Inc., 10 East Street, New York, NY 10022.
Regan Books, an imprint of.

1ª Edição, Editora Gaia, São Paulo 2004
3ª Reimpressão, 2019

Jefferson L. Alves – diretor editorial
Richard A. Alves – diretor geral
Flávio Samuel – gerente de produção
Ana Cristina Teixeira – assistente editorial
Phil Magrath – tradução
Ana Cristina Teixeira e Cláudia Eliana Aguena – revisão
Lúcia Helena S. Lima e Antonio Silvio Lopes – editoração eletrônica

Na Editora Gaia, publicamos livros que refletem
nossas ideias e valores: Desenvolvimento humano /
Educação e Meio Ambiente / Esporte / Aventura /
Fotografia / Gastronomia / Saúde / Alimentação e
Literatura infantil.

Dados Internacionais de Catalogação na Publicação (CIP)
(Câmara Brasileira do Livro, SP, Brasil)

Slater, Kelly, 1972-
    A biografia de Kelly Slater : pipe dreams / com Jason Borte ;
tradução Phil Magrath ; apresentação Paulo Lima. – São Paulo : Gaia,
2004.

    Título original: Pipe dreams : a surfer's journey.
    ISBN 978-85-7555-029-8

    1. Slater, Kelly, 1972- 2. Surfistas – Biografia I. Borte, Jason. II.
Título.

04-2275   CDD-797.32092

Índices para catálogo sistemático:

1. Surfistas : Esportes aquáticos : Biografia   797.32092

Direitos Reservados

editora gaia ltda.
Rua Pirapitingui, 111-A – Liberdade
CEP 01508-020 – São Paulo – SP
Tel.: (11) 3277-7999
e-mail: gaia@editoragaia.com.br
www.editoragaia.com.br

Nº de Catálogo: **2495**

© Jeff Hornbaker.

Parece que entrei na onda de peito
e decidi ficar em pé uma vez que entrei no tubo.

Este livro é dedicado a mais pessoas
que eu possivelmente possa agradecer pelas
contribuições que realizaram em minha vida.

© Jeff Hornbaker.

Uma viagem longa e estranha por um tubo em Grajagan.

Sumário

Apresentação

Como é a mãe de Pete Sampras? Ayrton Senna se dava bem com seus irmãos na adolescência? Pelé tem medo de morrer? Holyfield sofreu quando seus cabelos começaram a cair?

Sabe-se muito pouco sobre a vida real dos grandes mitos do esporte mundial. É verdade que a história, da pele para fora, é amplamente registrada e divulgada com precisão e pormenores. Mas o que realmente importa para se entender a fronteira que separa um simples cidadão comum de alguém capaz de se destacar do rebanho de forma inquestionável, realizando feitos que não deixam qualquer dúvida sobre um certo flerte do protagonista com o reino do sobrenatural, fica guardado, quando muito, para algum confidente mais íntimo, uma namorada, um amante, ou pior, morre junto com o dono, quando a carne sucumbe e a morte mostra que a relação com o outro mundo não passava mesmo de um flerte.

Kelly Slater é um dos maiores fenômenos do esporte no sistema solar em todos os tempos. Se houvesse um termo de comparação aceito internacionalmente, este sujeito bateria com folga qualquer dos exemplos mencionados acima. Para começar, são pouquíssimos os exemplares de mortais que podem ostentar o título de hexacampeão mundial, seja lá do que for. Nosso amigo não só tem os seis cinturões, como um título de campeão do famoso desafio havaiano de ondas grandes, o Eddie Aikau, e ainda, no ano passado, de quebra, depois de um bom tempo fora das competições em ciclo integral, sagrou-se vice do mundo, fazendo Andy Irons, um garotão no auge da forma física, vigor e técnica, suar sangue para garantir sua vitória.

É claro que Sampras, Guga, Ronaldo, Jordan, Spitz e até mesmo um Bob Fischer, são pessoas fenomenais, acima de todos os padrões, presenteados com dons muito especiais e com técnica levada aos limites da perfeição e carisma divino, tudo isso associado a muito treino e dedicação, mas vencer seis vezes os melhores do mundo, quase nu, armado apenas de um objeto flutuante e hidrodinâmico, correndo risco concreto de morte em inúmeras provas, sem grandes aparatos técnicos e, em alguns casos, até sem infra-estruturas de salvamento disponíveis, é, como não diria Shakespeare, um buraco bem mais embaixo...

Perguntem ao próprio Guga, ele mesmo, um surfista amador dedicado e ex-primeiro do *ranking* mundial de tênis: ganhar Roland Garros superando alguns dos mais competentes atletas do mundo é uma façanha impressionante, que gravou seu nome para sempre em anais diversos do tênis mundial, da História do Brasil, entre outros. Mas eu apostaria que o próprio tenista deve concordar que bater seis vezes todos os mais preparados surfistas do mundo, em lugares como G-Land, Teahupoo, Pipeline, Bells Beach e outras arenas nervosas do litoral do planeta, é algo um pouco mais complicado.

E Schumacher, Senna, Tyson, Holyfield, Gracie?, perguntariam os inconformados...

Claro, se comparar gente já é algo questionável, imagine alinhar gênios... são, todos eles, verdadeiros deuses da técnica, da coragem, do controle dos próprios limites, da superação. Todos eles também arriscaram ou arriscam suas vidas para competir. Mas, em favor do garoto da Flórida, além de um vice e de seis, eu disse seis títulos mundiais, ainda há um detalhe: nem o ringue de Tyson, nem o octógono de Gracie, muito menos os autódromos de Senna e Schumacher se movem em sentidos e velocidades imprevisíveis, muitas vezes até dobrando de tamanho e despejando a fúria do desconhecido sobre suas cabeças...

Mas o que mais impressiona, pelo menos a mim, não é a coragem, nem mesmo o dom físico e esportivo sobre-humano de Slater, mas sim sua compreensão do que realmente importa nessa vida.

Gente boa como o guru do esporte das ondas Gerry Lopez já disse: o surfe é uma das mais perfeitas metáforas para a vida. Há um artigo feito pelo mestre Lopez, no qual ele elabora um paralelo entre a dificuldade de enfrentar uma série cabulosa que quase o matou em Pipeline, que merecia estar enquadrado nas paredes de todas as casas. Um verdadeiro tratado sobre os fenômenos cíclicos, a teoria do caos, a dos fractais, as sábias leis budistas que advogam pela paciência e perseverança vencendo a violência e o medo, um lampejo de compreensão do que significa estar vivo, contido numa historinha despretensiosa, que relata algo aparentemente prosaico, que não consumiu mais que alguns minutos na escala do tempo.

Tive a chance de conhecer Kelly Slater em 1999, quando veio ao Brasil para um evento promocional de seu patrocinador. Depois de feito o trabalho, ele seguiu para a praia de Maresias, onde se hospedou numa mansão maravilhosa, de frente para o mar, ciceroneado por um *entourage* de anfitriões que o levou a festas, jantares e principalmente para a famosíssima balada. Quem conhece Maresias e quem conheceu as noites que rolaram por ali nos anos 1990, sabe que a palavra "balada" ganhou contornos e cores mais fortes naquelas paragens. Digamos que a noite de Maresias foi, durante alguns anos, para desespero dos avessos à ansiedade e à muvuca, a Teahupoo das baladas.

Falou-se muito sobre a *performance* de Kelly naquela noite. O que é realmente verdade, quem sabe guardou para si. O fato é que cheguei, com meus parceiros Carlos Sarli e Giuliano Cedroni, na tarde de domingo para a entrevista, uma das poucas que Kelly havia aceitado conceder numa viagem que não previa trabalho além do desempenhado para o patrocinador na feira de surfe.

Depois de aguardar por cerca de uma hora além do combinado, na frente da casa onde se hospedava o campeão, já nos preparávamos para abortar a empreitada, quando enxergamos um desses jipes modernos, com uma porção de pessoas bonitas na cabine e mais algumas na caçamba. A cena lembrava uma propaganda de refrigerantes, daquelas que os publicitários imaginam, quando recebem *briefings* de produtos "jovens".

Kelly vinha na caçamba, e ao ser avisado que estávamos ali para entrevistá-lo, imediatamente desceu, nos cumprimentou com elegância e pediu cinco minutos para vestir uma camiseta. Confesso que esperava um sujeito simpático, mas não muito mais que isso. Talvez até meio frio e burocrático.

Sentamos no terraço da casa, de onde era possível ver o mar e um gramado perfeito fazendo a moldura. Kelly logo apareceu com um *ukelele*, uma espécie de cavaquinho havaiano, que depois ficamos sabendo ser de sua própria lavra. Reclinado na poltrona, dedilhava a violinha enquanto ouvia atentamente as perguntas.

Cansados de ver e saber tudo o que ele tinha para dizer sobre ondas, manobras, baterias e *performances* em competições, concentramos fogo nas perguntas sobre sua vida, seus sentimentos, suas imperfeições, seus medos, suas carências. Era como se procurássemos um ser humano, no meio de tanta exatidão, sorte e competência.

Não precisamos procurar muito. Em minutos veio à tona um sujeito absolutamente conectado com suas próprias perguntas, o que já é muito nesses dias em que imaginar que haja respostas soa quase pueril. Kelly abriu o coração, disse que precisava urgentemente se reconectar, que não era feliz, mesmo com todo o assédio, com a fama e a grana, e que nem as melhores ondas do planeta vinham sendo capazes de aplacar suas angústias.

Nesse livro, não procure literatura intrincada e polida. Seria o mesmo que exigir que Saramago descesse da sacada de sua casa em Lanzarote e se lançasse ao mar, desferindo batidas e *cut backs* perfeitos sobre as famosas ondas da ilha onde vive. O que você vai encontrar, isso sim em quantidades industriais, é um sujeito excepcional, demonstrando que é preciso muito mais do que coragem para se atirar em ondas gigantes ou se meter em tubos do tamanho de catedrais. Slater é um homem capaz de se despir de sua fantasia e de confessar, primeiro para si, depois para o resto do mundo, toda a complexidade de estar vivo, as inseguranças inerentes à vida, os prazeres mais saborosos, a gangorra que oscila entre os momentos mais sublimes e os pavores mais terríveis. A complexidade (e a paradoxal simplicidade) de estar vivo. E que a imperfeição é da condição humana.

Família destruída pelo alcoolismo, frustrações profissionais, passos errados na carreira, amores mal resolvidos, relações confusas com os irmãos, o lado dramático da exposição pessoal, ao lado de noites com Pamela Anderson, seções de gravação de sua banda de rock e de tubos quadrados, são faces da vida de Slater expostas neste livro, que ajudam a compreender um pouco da complexidade de uma existência absolutamente especial.

Um cara aparentemente perfeito revela-se absolutamente humano e prova, neste livro, a tese do mestre Lopez... Que a vida é tão linda, perigosa, imprevisível, difícil, sensual e sublime quanto uma onda forte quebrando firme, inexorável e desafiadora, e que o que nos cabe fazer é entender nossos limites e só então tentar estendê-los, encarando com o melhor *blend* possível de coragem e humildade.

Sem puxar o bico.

*Paulo Lima**

_____

* Paulo Anis Lima, formado em Direito pela Universidade de São Paulo, fundou e edita desde 1986 a revista *Trip*. Atuou como cronista e colunista semanal nos jornais *Folha de S. Paulo* e *Jornal da Tarde*. Edita ainda outras oito publicações e é responsável pela apresentação dos documentários do circuito mundial de surfe transmitidos pelo canal Sportv, da Globosat. Ama o surfe há trinta anos.

Introdução

Um pico secreto com meus amigos – em uma de minhas primeiras viagens para uma ilha externa, no Havaí.

Quando acordei, no dia 3 de dezembro de 1991, estava me sentindo muito bem comigo mesmo. Aos dezenove anos, e apenas seis meses depois de me formar na Cocoa Beach High School, estava nas quartas--de-final do meu primeiro Pipe Masters. O pico, conhecido como Pipeline, havia se tornado o núcleo do surfe de inverno, sendo o epicentro do mundo do surfe. É o palco principal. As ondulações provenientes das tempestades aleutianas, no Alasca, atravessam o Oceano Pacífico e encontram as Ilhas Havaianas com velocidade de mar aberto. Ao se aproximarem da costa, elas se concentram nos recifes, que ampliam seu tamanho e energia. Muitos picos de surfe são mais longos e maiores e alguns até mais assustadores, mas Pipe, que fica no North Shore de Oahu, proporciona os dez segundos mais incríveis da Terra. É referência para medir todos os demais picos.

Quando caminhei pela praia de Pipe pela primeira vez, sete anos antes, fiquei impressionado com o tamanho das ondas e com a proximidade que elas quebravam na praia. À direita, as ondas eram pequenas, mas o recife em Pipe afunila a força da onda perfeitamente. A 36 metros da praia, as ondas de dois andares de altura explodem sobre poucos centímetros de água. Há tanta energia nessas ondas que, se elas não se amontoassem sobre o recife, dissipando rapidamente, arrastariam as casas no litoral. Antes dos anos 1960, Pipeline era considerado perigoso demais para o surfe; portanto, o simples fato de eu estar no Pipeline Masters já era inacreditável.

Desde meus doze anos, vinha ao North Shore durante as férias de Natal e assistia à fase final do Pipeline Masters. Era o *maior* evento do surfe. Organizado pelo ex-campeão mundial Fred Hemmings, em 1971, atraiu a atenção nacional quando o programa *Wide World of Sports,* da ABC, cobriu o evento. Repentinamente, pessoas que nem surfavam passaram a considerá-lo o evento mais emocionante do mundo. Quando garoto, assistia ao evento e me sentia aliviado por não estar dentro da água. Em Cocoa Beach, na Flórida, onde cresci e aprendi a surfar, as ondas perto da praia eram pequenas marolas. Comecei perto da praia e sonhava com o dia no qual conseguiria chegar longe o bastante para pegar as ondas de dois pés que meu pai e meu irmão surfavam. Achei que qualquer coisa além disso seria um sonho inalcançável.

Em Oahu, no último dia do Pipe Masters de 1991, eu estava na primeira bateria do dia. Já era considerado um futuro campeão mundial; portanto, agora que estava competindo no Circuito Mundial da Associação de Surfistas Profissionais, todas as atenções estavam voltadas para mim. Era um dia tropical perfeito, e eu era o único novato que ainda continuava na competição – sendo assim, já sentia que tinha provado algo a mim mesmo.

No North Shore, o oceano precisa de um tempo de manhã para se organizar. Antes de os ventos alísios chegarem, as ondas parecem sentir um enjôo matinal. Pipe pode ser mais perfeito do que qualquer outro lugar, mas, de mau humor, é assustador. Os surfistas consideraram que as ondas tinham de oito a doze pés naquele dia, mas esses números eram enganosos. No Havaí, a altura é medida pela parte de trás da onda – e não pela sua face –; portanto, a escala é notoriamente conservadora, mas a altura não é a questão principal. As ondas são extremamente perigosas, sem contar com as oscilações e o *backwash*/marola, mas eu não tinha escolha. Minha bateria começava às nove horas em ponto.

Eu enfrentaria três australianos – Damien Hardman, Simon Law e Mike Rommelse –, e apenas dois de nós avançariam para as semifinais, que seriam realizadas mais tarde naquele mesmo dia. Na metade da bateria, não tinha conseguido pegar boas ondas. Nas competições, o surfista que executa as manobras controladas mais radicais, com velocidade e estilo, na parte mais crítica da onda, durante a maior distância funcional possível, é considerado o vencedor. É claro que o tamanho da onda também é um fator importante. Enquanto esperava por uma boa onda, os locutores, na praia, anunciaram as notas dos juízes. Eu estava muito atrás.

Uma onda surgiu, e os outros competidores estavam um pouco mal posicionados. Não percebi o quanto poderosa a onda podia ser; sabia apenas que tinha de pegá-la se quisesse ter qualquer chance de avançar. Remei para dentro dela no momento em que a marola a atingiu, e subi na prancha quando a parede da onda se ergueu. Não há muito tempo para pensar quando você se compromete a entrar numa onda como essa; a menor hesitação colocaria tudo a perder. Do alto da onda, dropei reto uns quinze pés. Quase não consegui ficar em pé durante o *drop*, mas, de alguma forma, consegui redirecionar a prancha para a face da onda, passando por dentro do tubo mais grosso que surgiu naquele dia. Em Pipe, as ondas são tão fortes quanto altas. E o *lip* por pouco não arrancou minha cabeça. Dentro do tubo era o único lugar seguro. Em qualquer outra parte, eu teria sido destruído. Não houve tempo para relaxar e aproveitar a onda. Uma vez dentro do tubo, a parte mais difícil havia sido superada. Mas ainda não estava a salvo. Ainda tinha de navegar por dentro daqueles tubos sem ser engolido por aquele monstro. Dei tudo de mim, sabendo no íntimo que, se caísse, marcaria poucos pontos e a onda inteira teria sido inútil. Se saísse ileso, não só conseguiria avançar na bateria como provaria a todos que esse era o meu lugar. Num segundo, estava olhando para uma enorme caverna, que rodava ao meu redor, e, no segundo seguinte, saí voando em meio a um jato de espuma. Ergui meu braço em sinal de vitória por uma fração de segundo antes da marola cruzar meu caminho e me separar de minha prancha. Naquele momento, não fazia diferença. Eu tinha conseguido! Até aquele momento, havia passado minha carreira surfística fugindo de ondas grandes, mas, após conseguir passar aquela, consegui a confiança necessária para pegar qualquer onda.

Eu ainda precisava de uma nota decente, então, voltei a remar em direção à arrebentação. Passei por um fotógrafo e disse: "Nossa! aquela onda foi poderosa, não!?". Ele riu da minha modesta declaração e respondeu: "Você não tem idéia de quanto poderosa ela foi!". Eu sabia que a onda tinha sido intensa, mas, somente anos depois, assistindo a um vídeo, fui me dar conta de que fiquei bem perto de me machucar seriamente. Às vezes, fico imaginando o que teria acontecido se não tivesse conseguido. Se o *lip* tivesse quebrado em cima de mim, teria fraturado minha coluna ou até me matado. No mínimo, teria me mandado para o hospital.

Certamente valeu a pena o dinheiro que gastei para fazer minha carteirinha de membro da ASP, naquele ano.

Não comecei a surfar esperando que viesse a fazer carreira. Era algo que eu gostava de fazer. Entretanto, depois que comecei, não consegui mais parar. Nada se compara à emoção de pegar onda, às amizades e ao estilo de vida. Nunca imaginei que as revistas que estudei de capa a capa se tornariam pastas de recortes de meus amigos, ou que os heróis que pensei que nunca fosse conhecer — e que muito menos competiria contra — se tornariam meus grandes amigos. E nunca pensei que aprenderia a curtir ondas que, um dia, me aterrorizaram.

Cocoa Beach

Em casa, novembro de 2002.

Saindo do Aeroporto Internacional de Orlando, a auto-estrada Beeline Expressway segue a leste em direção a Brevard County. Não há muito para ver no passeio de carro de uma hora de duração, com exceção dos anúncios em 3D, cobertos com macacos gigantes, extraterrestres e montanhas-russas, que atraem turistas para a Universal Studios e as versões menos caras da loja de moda-praia Ron-Jon's Surf Shop, a única loja 24 horas do mundo para pessoas que não surfam, mas que querem comprar camisetas que dizem justamente o contrário. Fora isso, é uma estrada reta, que passa no meio de uma densa vegetação de palmitos e florestas de pinheiros.

Ao chegar em Brevard County, também conhecido como a Space Coast, a Beeline é generosa o suficiente para passar pela cidade de Cocoa, que, em 1925, deu seu nome, originário das palmas nativas de cacau, à

Cocoa Beach, a nova vizinha litorânea. A Beeline também navega em torno do Cabo Canaveral, o lugar que colocou Brevard no mapa. Antes de 1961, a economia local ainda era impulsionada pela produção de produtos cítricos. A praia não era nada mais do que uma estreita faixa de areia branca de dezenove quilômetros de extensão, casinhas e motéis baratos, encaixados entre o Oceano Atlântico e o Banana River. O Cabo, plano, subdesenvolvido, próximo à água e com um clima que permite atividades o ano inteiro, era o local perfeito para os lançamentos de ônibus espaciais. O cerrado tranqüilo foi transformado na principal base de lançamento, e, devido à importância de derrotar a Rússia na corrida espacial, os astronautas eram tão valiosos na cultura norte-americana quanto os astros do cinema. Eles trouxeram uma aura de agitação para a área, que precisava de um pouco de vida. Durante uma década de glória, quando a Nasa embarcou no projeto Apollo, Cocoa Beach foi uma festa ininterrupta, atraindo jovens de toda a nação.

Passando o Cabo Canaveral, a estrada segue ao sul e se transforma na Astronaut Boulevard, e, finalmente, na auto-estrada litorânea conhecida como A1A. Toda vez que retorno para casa, não consigo parar de rir ao ver o letreiro localizado na entrada de Cocoa Beach. "Mundialmente Famosa", afirma, mas não entendo por quê. Acho que foi por causa do seriado dos anos 1960, *Jeannie é um Gênio*, que foi ambientado lá, apesar de não ter sido filmado lá. Podemos notar isso devido às montanhas no segundo plano do programa, já que, na verdade, a única montanha na Flórida é a Montanha Espacial, da Disney World. Pergunte a qualquer morador o que há de tão especial em Cocoa Beach e provavelmente ouvirá que os costumes mais apreciados são os concursos de biquíni, o consumo de cerveja e as punhaladas no píer.

© Cortesia da Slater Family Wall of Shame.

Lançamento de foguete espacial.

Não me entendam mal. Amo minha cidade natal, mas, até agora, ela certamente não tem dado muito apoio ao meu surfe. Em todos os anos em que eu hasteei a bandeira de Cocoa Beach ao redor do mundo, a cidade nunca me deu nem ao menos um telefonema de congratulações, até que comecei a namorar Pamela Anderson. Só então, me convidaram para um encontro na cidade. Deram meu nome a uma das ruas e me entregaram a chave da cidade, mas isso só aconteceu em novembro de 2001, dez anos depois de conquistar meu primeiro título mundial. Apesar de sempre ter havido muitos surfistas na cidade, o esporte não chegou a ser popular o bastante para justificar maior atenção.

Um casal feito numa cidade de festas

Steve Slater, meu pai, nasceu em Ocala, Flórida, mas cresceu em Daytona Beach, também na Flórida. Ele afirmava ser descendente de Samuel Slater, um cara que ficou conhecido como "O Pai da Revolução Industrial Norte-americana", quando chegou da Inglaterra, em 1789, e construiu uma fábrica de tecidos em Rhode Island, mas ainda não pesquisei para saber se isso é verdade. Na escola, meu pai jogou futebol, basquete e praticou atletismo, mas seu maior interesse era por esportes aquáticos. Ele adorava nadar e pescar, e, no final dos anos 1950, tornou-se salva-vidas e surfista.

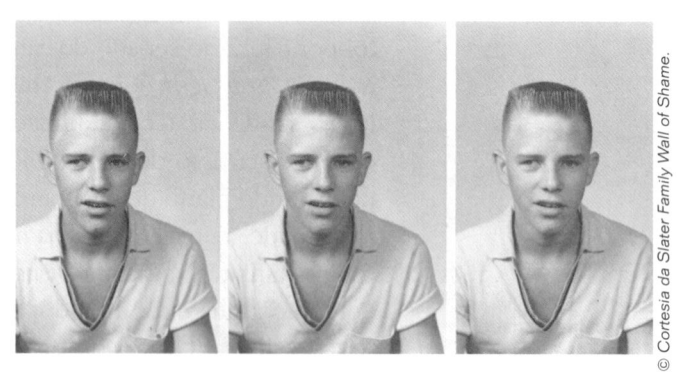

© Cortesia da Slater Family Wall of Shame.

Steve Slater jovem.

O surfe nos anos 1950 estava vivenciando uma explosão de popularidade, graças a *Gidget* e outros filmes de Hollywood ambientados na praia e à inovação das pranchas, que passaram de madeira para as mais leves e mais facilmente manobráveis pranchas de espuma. As pranchas ainda mediam em torno de dez pés de comprimento, eram mais pesadas quando comparadas aos padrões atuais e relativamente perigosas. Tinham o potencial para causar sérios danos a uma pessoa. No final dos anos 1960, as pranchas passariam por uma revolução, diminuindo para a metade do tamanho, uma vez que a filosofia passou do andar para cima e para baixo na prancha com estilo para as manobras radicais para mudar de direção. Durante um *swell* de furação, meu pai saiu remando com seu *longboard* e caiu numa onda bem grande. A prancha voltou e o acertou bem no meio das pernas, o que fez com que elas ficassem roxas da cintura até o joelho. Ele dizia que, se não houvesse outra pessoa no mar para tirá-lo de lá e uma bela garota na praia para conduzi-lo até em casa, ele teria se afogado.

Depois que meu pai terminou o segundo grau, seus pais mudaram-se para Cocoa Beach, a duas horas de distância. Meu pai permaneceu em Daytona. Quando tinha dezenove anos, sua mãe faleceu de câncer na garganta. Após a morte dela, meu avô decidiu permanecer em Cocoa Beach e morar sozinho. Alguns anos mais tarde, ele sofreu um grave acidente de carro e meu pai partiu de Daytona para cuidar dele durante algum tempo. Meu avô recuperou-se bem rápido, porém, àquela altura, meu pai tinha se apaixonado por Cocoa Beach; a área costumava atrair pessoas e mantê-las lá. Ele trabalhou como operário de construção civil e, depois que entrou no esquema do surfe local, não saiu mais. Cocoa Beach era uma cidade em festa, e as ondas feitas sob medida para as pranchas daquela época. A galera local, formada por Claude Codgen, Mike Tabeling, Gary Popper e Dick Catri, era a melhor da Costa Leste. Mas como o alcoolismo corria na família, uma cidade festiva era o último lugar no qual meu pai precisava estar.

Judy Moriarity, minha mãe, era de uma família de classe média irlandesa de Bethesda, Maryland. Sua mãe era dona de casa; e seu pai, vendedor de carros, que cresceu durante

© Cortesia da Slater Family Wall of Shame.

Minha mãe quando era Judy Moriarity, de Maryland.

a Grande Depressão. Devido ao fato de ter vivido com muito pouco quando era mais jovem, ele se certificou de dar à sua família tudo de que ela precisava.

Após o segundo grau, minha mãe decidiu trabalhar como secretária, em Washington D.C., em uma grande firma de desenvolvimento imobiliário. Um ano mais tarde, em 1966, ela e uma amiga tiraram férias merecidas em Cocoa Beach, em princípio, para ficar apenas algumas semanas. Foi tão divertido que elas conseguiram emprego e ficaram por lá. O horário na cidade era rígido: às segundas-feiras, curavam a ressaca;

Sr. e sra. Steve Slater.

© Cortesia da Slater Family Wall of Shame.

às terças-feiras, trabalhavam; às quartas-feiras, esforçavam-se para superar o mau humor; às quintas-feiras, falavam das próximas festas e, nos três dias seguintes, iam para a farra.

Ela tinha dezenove anos e já freqüentava os bares onde os homens mais famosos da América, os astronautas da Apollo, iam para relaxar. Apesar de seus Corvettes dourados, os astronautas tentavam ficar anônimos em público e não queriam atrair muita atenção. Uma vez, quando esbarrou em Alan Shepard, ela fingiu não saber quem ele era e perguntou em que ele trabalhava. Sempre pronto para esse tipo de ocasião, ele afirmou ser um caixeiro-viajante.

Mais tarde, naquele ano, num bar chamado Vanguard Lounge, malconservado, porém da moda, Judy encontrou-se com um capitão das Forças Especiais. Ele tentou convidá-la para caminhar pela praia e, quando ela se recusou, ele a agarrou. O segurança interveio, mandou o cara desaparecer e se ofereceu para acompanhar minha mãe até a sua casa. Esse segurança era meu pai.

Steve e Judy casaram-se em 27 de maio de 1967 e decidiram morar em Cocoa Beach. Se você não pudesse ter o mesmo estilo de vida dos ricos e famosos na elegante South Florida, essa era a segunda melhor opção. A média de idade dos cidadãos era 34 anos, e o sistema educacional era considerado um dos melhores da Flórida. Era um ótimo lugar para criar uma família; então, foi isso o que eles fizeram. Meu irmão Sean nasceu dois anos depois. Em Cocoa Beach, o custo de vida era barato, havia muitos empregos, sempre tinha uma festa rolando e era possível surfar.

Contudo, nos anos 1970, a cidade começou a entrar em declínio. O projeto Apollo estava prestes a desandar, o que levaria a um aumento de desemprego e a um duro golpe no moral da população. Cocoa Beach transformou-se em algo parecido com uma cidade-fantasma e passou a se promover como um refúgio praiano para o recém-construído Disney World, em Orlando. Isso atraiu aposentados que tinham um orçamento doméstico muito baixo, o que elevou a média de idade para cinqüenta anos.

O pequeno Bobby Slater

Quando cruzo Cocoa Beach de carro, hoje em dia, esforço-me para encontrar sinais de mudança além de sua contínua transformação em Terra dos Condomínios, um crescente muro de prédios brancos que bloqueiam qualquer visão do oceano. A população está sempre se aproximando de treze mil habitantes. Do lado oeste da A1A, mais condomínios e pequenos negócios espalham-se na direção do Banana River, que é a nossa ligação com a Intracoastal Waterway. No máximo, a cidade tem poucos quilômetros de um lado a outro, e, em alguns pontos, não chega a ter a largura de um campo de futebol. Seguindo ao sul da A1A, chega-se à única interseção principal da cidade, a Highway 520. Esse era, e ainda é, o local onde se encontra a nossa versão de trânsito, no qual é preciso esperar o sinal luminoso abrir duas vezes durante o horário do *rush*. Continua sendo o ponto central da cidade, mas a loja Ron-Jon's segue sendo o único elo com o passado. Todo o resto, inclusive a Vanguard Lounge, não existe mais. Se percorrermos a Highway 520 um quilômetro a mais para o interior, chega-se ao Hospital Cabo Canaveral, onde eu nasci, em 11 de fevereiro de 1972.

Após dezessete horas de trabalho de parto, os médicos me tiraram com a ajuda de fórceps, e surgi com dois olhos pretos e muito cabeludo. Minha mãe disse que me olhou e sabia instantaneamente que eu era Kelly, mas meu pai insistiu que eu parecia mais com um macaco. Felizmente, os cabelos caíram em poucos dias.

Visando a possibilidade de um dia eu concorrer a um cargo público, minha mãe optou por um nome mais profissional, Robert Kelly Slater, em homenagem ao seu irmão caçula Bobby, mas ela só me informou disso quando já estava no jardim da infância, que, na época, foi a melhor notícia que eu podia ter recebido. Na escola, as crianças gozavam o meu nome e diziam que era nome de menina. Às vezes, me chamavam de *"Kelly Belly Jelly"*/barriga de gelatina ou *"Smelly"*/fedorento, mas o que realmente me aborrecia era quando me chamavam de *"Later Slater"*/atrasado ou retardado. Depois que eu descobri que meu nome verdadeiro era Robert, passei a assinar Bobby em meus trabalhos escolares.

Meu tio Bobby era meu herói. Era grande, calmo e sempre comia as minhas ervilhas. Sempre me defendia quando eu me comportava mal. Independentemente das coisas erradas que eu fizesse, ele sempre dizia

© Cortesia da Slater Family Wall of Shame.

Chamem-me de Bobby (atrás, no centro).

à minha mãe: "Cale-se, Judy, ele é apenas um menino!". Então, eu me tornei um Bobby também, pelo menos por algum tempo. Em 1976, o filme *The Bad News Bears*/Garotos em Ponto de Bala chegou às telas e fez maravilhas para minha imagem. O garoto mais maneiro do filme, que conseguia bater a bola de beisebol mais longe, chamava-se Kelly, e, de repente, meu nome passou a ser legal.

Fiquei dois anos no jardim da infância, já que minha mãe achava que seria uma boa idéia eu permanecer lá para estar com meus amigos da vizinhança. Eu me dava melhor com eles, e o jardim da infância foi mais divertido da segunda vez especialmente porque eu era maior do que os outros. Havia menos gozações, todos faziam o que eu mandava, e eu era um garoto bastante durão.

Graças à minha mãe, eu falava como um caminhoneiro desde cedo. Não sei se alguém se lembra da minha primeira palavra, mas certamente se recordam de mim aos dois anos, quando entrei na cozinha de minha avó, onde estava toda a minha família, e disse: "Que droga!", porque havia derrubado minha mamadeira. Todos pensaram que isso mudaria o modo como minha mãe falava, mas não. Minha avó repreendeu a minha mãe por causa disso durante anos, porém, apesar de o linguajar de minha mãe não ter melhorado, ela se certificou de que o meu melhoraria.

Não me lembro muito dos primeiros anos de minha vida, mas não é mera coincidência que as minhas primeiras recordações girem em torno de meu irmão e de nossa relação competitiva.

Quando eu tinha quatro anos, sabia o que eram livros, mas não sabia ler. Eu me recordo de observar, pasmo, Sean lendo em voz alta *"I... am... Sam; Sam... I... am"*/Eu... sou... Sam; Sam... sou... eu. De repente, quis aprender; sendo assim, como irmão mais velho, ele se sentiu orgulhoso de poder me ensinar. Mal sabia ele que isso acenderia um fogo dentro de mim que não poderia mais ser apagado.

Eu me lembro do dia em que passei a entender o sentido das palavras escritas e parecia que o mundo me pertencia. Conseguia abrir qualquer livro do Sean e, ao juntar as letras, formava palavras. Enchi-me de orgulho. Queria contar para todo mundo: "Eu sei ler!". A sensação da compreensão era fascinante. Um mundo novo se abriu e minha vida passou a ter significado. Esses símbolos já não eram mais estranhos. Lá estavam eles, num pedaço de papel, numa caixa de cereal, na tela da televisão, em todos os lugares para onde eu olhava. Eles significavam algo. Eu juntava-os e entendia seu segredo. Andava pela casa recitando o *Doutor Seuss* em cada cômodo. E, mais tarde, a sensação passou. Eu precisava aprender algo novo.

Amor fraterno

Já fui chamado de muitas coisas, mas, atualmente, a palavra mais comum utilizada para me descrever tem sido "competitivo". Certamente, tenha pego isso de minha mãe. Ela cresceu tentando superar seus dois irmãos, aliás, todos os garotos em geral. Se ela não conseguisse derrotá-los nos esportes, batia neles. Passava a noite planejando como derrotá-los em tudo: queimada, tênis, beisebol, podem escolher. Apesar de ser extremamente competitiva, sua intenção foi tentar nos ensinar a não sermos rivais mortais. Ela não teve a mínima chance.

© Cortesia da Slater Family Wall of Shame.

Sean e eu competindo pelo superestrelato, Halloween, 1975.

© Cortesia da Slater Family Wall of Shame.

Brincando dentro de nosso bote fora d'água com Sean.

Desde o início, tudo era competição entre Sean e mim. Tudo começou com quem ficava na parte mais funda da banheira. Era mais fácil para minha mãe dar banho nos dois ao mesmo tempo, por isso, brigávamos para ver quem sentaria na parte mais funda, o lado mais próximo da torneira. Sean era muito esperto. Ele fingia que me deixaria ficar no lado que queria e, assim que eu entrasse na banheira — feliz da vida por ter conseguido o que queria —, ligava a água gelada do chuveiro ou a água fervendo. Depois, ficava sentado, rindo. Não é preciso dizer que ele sempre ficava na parte funda, mas eu jamais desisti de tentar.

O que mais gerava brigas entre nós era ver quem sentaria no banco da frente do carro. Sean sempre reivindicava o assento do carona antes de mim e depois me hostilizava. Ele inventou várias maneiras de garantir seu lugar, posicionava os braços como se estivesse segurando um rifle, dizendo: "Chikt-chikt". Mesmo quando eu pedia o lugar primeiro, ele corria mais rápido até o carro e pegava o lugar. Como resultado, brigávamos o caminho inteiro até o destino final. Com duas crianças esperneando, é de se surpreender que minha mãe nunca tenha batido o carro. Ela perdia a cabeça às vezes e gritava a plenos pulmões. Quando terminava, eu olhava para ela com a cara mais inocente possível e perguntava: "Águias têm bebês?". Subconscientemente, estava tentando suavizar a situação, mas, na verdade, eu estava perguntando sério. Eu passava muito tempo em meu próprio pequeno mundo, imaginando como as coisas funcionavam, e, às vezes, minhas perguntas não surgiam num momento adequado para minha mãe responder, isto é, ela não achava tanta graça quanto nós.

Sean certamente cumpriu seu dever fraternal de me infernizar. Algumas vezes, era de forma inofensiva: desligava a luz de cabeceira, quando estava pronto para dormir, só porque sabia que aquilo me aborrecia. Ele me fitava do outro lado do quarto só para me enfurecer. Eu choramingava: "Pai, ele está olhando para mim de novo!". Em outros momentos, porém, suas brincadeiras me machucavam, como na vez em que fechou a tampa do vaso sanitário nas minhas partes íntimas, enquanto fazia pipi. Não tínhamos dinheiro para ir ao médico, portanto, tive sorte de não ter ficado desfigurado.

Ele não hesitava em mostrar quem é que mandava; sendo assim, senti necessidade de soltar toda a minha agressividade em cima de outras crianças, primeiramente, os amigos dele. Minha mãe costumava me levar para buscar Sean no jardim da infância, e rapidamente percebi que a grande vantagem de ter dois anos é que eu tinha a altura exata para bater no "saco" de todos os colegas dele. Então, foi isso o que eu fiz. O melhor de tudo é que eu era pequeno para eles revidarem. Mas o carma acabou se voltando contra mim. Um dia, eu estava correndo no meio de uma poça d'água para escapar de uma vítima enfurecida e acabei escorregando, batendo com a cabeça no concreto e desmaiando. Nunca mais soquei outro menino.

Sean me ajudou a ficar mais forte e eu não me importava quando me machucava brincando ao ar livre. Eu e ele destruíamos o bairro e nossos próprios corpos. Apesar de as ruas de Cocoa Beach não serem tão ásperas quanto as de outros lugares, quando caíamos, doía. E eu caía muito. Muitos pensavam que era uma criança que sofria abuso físico, porque ficava com olhos roxos, cortes e hematomas, causados por minhas estripulias infantis.

Eu vivia me acidentando. Assim que aprendi a andar de bicicleta, tive a brilhante idéia de olhar para trás. É claro que acabei caindo. Voltei a desmaiar e ficar com dois olhos roxos. Se isso não fosse o bastante, quando tinha oito anos, bati com a minha motoneta direto numa árvore do quintal. Muitos amigos meus estavam me olhando quando aconteceu; dessa forma meu orgulho ficou mais machucado do que qualquer outra coisa. Mas meu principal meio de transporte e de cortes foi meu *skate*. Era um *skate* de metal, mas eu o achava incrível. Era usado para tudo. Uma vez, aos cinco anos, Sean e eu o usamos para transportar pedras da casa do vizinho para a nossa para construir uma pilha. Eu estava usando minhas novas botas de caubói e macacão, e estava andando de joelhos no *skate* pela rua, com ambas as mãos apoiadas na ponta. Minha preciosa pilha de pedras estava sob mim, e estava usando minha perna direita para me impulsionar para frente. Eu estava a meio metro do chão; portanto, não era fácil ser visto. O único carro que veio na minha direção pertencia a uma senhora de noventa anos de idade, que vivia ali perto. Ela talvez tenha me visto no último segundo, mas seus reflexos não foram rápidos o suficiente. Quando ela parou, eu estava embaixo da frente do carro. Estava amedrontado demais para me mexer. Meu vizinho saiu correndo para a rua, dizendo que havia chamado uma ambulância. Sofri apenas um arranhão nas costas, mas imaginei que, se uma ambulância estava a caminho, eu havia me machucado mais do que pensava. O cara me tirou debaixo do carro e me carregou até minha mãe. Eu continuava assustado demais para me mover; então, os paramédicos acharam mais prudente me levar para o hospital. Andar de ambulância foi muito legal. Eles queriam tirar minhas botas de caubói para terem certeza de que não havia me ferido, mas pensei que eles queriam roubá-las. Eu não queria deixá-los tirar minhas botas por nada nesse mundo. Briguei até eles desistirem, e concluíram que um garoto com tanta energia estava ótimo.

Alguns dias depois, toda a minha família foi para Gaithersburg, Maryland, para visitar a família de minha mãe. Quando éramos pequenos, passávamos o Natal e algumas semanas de verão lá. O tio Bob e a tia Sally tinham quatro filhos e brincávamos todos juntos num bosque atrás da casa. Pegávamos vaga-lumes, atirávamos pedras em morcegos, brincávamos no riacho e passeávamos pelo bosque. Após meu "acidente", o tio Bob perguntou-me o que havia acontecido com minhas costas, e eu respondi: "Fui atopelado por um calo!".

© Cortesia da Slater Family Wall of Shame.

Sean, Stephen e eu.

No ano seguinte, nascia meu irmão menor, Stephen. Felizmente para Stephen, ele era tão mais novo do que Sean e eu, que ficou de fora de nosso domínio competitivo. Eu me recordo de quão emocionados ficamos no dia em que ele nasceu. Eu estava no quintal, brincando com Sean e seus amigos Johnny e Davey, quando chegou a notícia. Nós nos demos as mãos e ficamos saltitando, dizendo: "Minha mãe teve um bebê. Minha mãe teve um bebê!".

O lar dos Slater

A Minuteman Causeway determina o centro da cidade, separando a área empresarial e os condomínios de praia, ao norte, das comunidades residenciais, ao sul. Se percorrermos a Causeway um quilômetro e meio para o interior, chegamos ao Cocoa Beach Country Club. Mas, antes de chegar lá, passamos por um conjunto de casas de concreto atarracadas, que foram construídas para abrigar os engenheiros da Nasa, nos anos 1960. Lá, na esquina com a Aucila Road, ficava o lar dos Slater.

Morei naquela sombria caixa de três quartos até os onze anos de idade. Na frente da casa, o galpão servia para guardar de tudo: de varas de pescar, equipamento de mergulho, caixas de equipamentos, puças para camarões, bicicletas, ferramentas e pranchas de surfe a vários projetos inacabados de meu pai, como um barco de fundo de vidro, que ele abandonou no meio da construção.

Não havia muito mais do que um sinal de "pare" e algumas palmeiras entre a rua principal e a lateral de nossa casa. Pode não ter sido um imóvel de luxo da Flórida, mas proporcionou muita diversão para a família. Uma noite, numa cena típica de filme de segunda categoria, uma mulher bêbada colidiu de carro contra a parede do quarto ao lado do meu. Minha mãe conhecia primeiros socorros e saiu de casa com meu pai para ajudá-la, encontrando vários amigos bêbados da mulher que estavam furiosos, porque tínhamos tido a audácia de colocar nossa casa próxima demais da via pública. A confusão aumentou, assim, quando a polícia chegou, teve de separar uma briga entre a mulher bêbada, seus amigos, meus pais e o motorista do guincho.

Eu tinha sono pesado e não acompanhei nada, mas meu irmão me contou tudo no dia seguinte. Durante algum tempo, não se falou de outra coisa na cidade.

Dentro, nossa casa também era divertida. Parecia o OK Corral*. A arma de chumbinho do meu pai ficava montada sobre um tripé dentro da sala de estar, apontada direto para um buraco de camundongo do lado oposto do sofá. Se quiséssemos entrar ou sair da sala, era preciso cruzar a linha de fogo — por falar em riscos para crianças. Alternávamos a vez, vigiando o buraco por vinte minutos, e, assim que o camundongo botava a cabeça para fora, blam! Boa noite! Era tão divertido que Sean e eu torcíamos para haver mais para que pudéssemos ficar acordados até tarde atirando

Os Slaters balançando.

neles. Eu não me incomodava com os camundongos da sala, mas os ratos no sótão era algo bem diferente.

Crianças em geral acreditam que existem monstros no armário, mas Sean e eu realmente tínhamos. Dividíamos o quarto principal, que tinha uma porta que levava para o sótão, localizada no alto do armário. Os ratos corriam em cima da porta de acesso durante a noite. Eu temia que encontrassem o caminho de descida; portanto, tinha pavor de abrir a porta do armário. De vez em quando, meus pais levavam a arma de chumbinho para o sótão para atirar neles, mas os ratos sempre voltavam.

Numa noite fria, tomei coragem para entrar no armário para pegar um cobertor, e, tão logo abri a porta, alguém bateu na janela e disse: "Olá, garoto!", quase me mataram de susto. Eram apenas adolescentes

---

(*) Local em Tombstone, Arizona, onde aconteceu o famoso tiroteio entre Wyatt Earp, Doc Holliday, Virgil e Morgan Earp contra os Clanton e MacLaury.

arruaceiros que passavam pelo jardim, mas eu fiquei com fobia de armários depois daquilo.

Felizmente, tínhamos nosso pastor alemão Hondo para nos proteger. Ele fazia parte da família, inclusive, há mais tempo do que eu, e nos vigiava constantemente. Meus pais trabalhavam muito, e a babá que ficava conosco não era muito mais velha do que Sean; então praticamente tomávamos conta de nós mesmos. Se a babá não estivesse por perto, lá estava Hondo. Ele era mais esperto e barato do que todos as adolescentes da cidade. Atrás de nossa casa havia um canal, e, cada vez que chegávamos perto da água, Hondo ficava parado diante de nós para nos proteger. Se fossemos nadar, ele ficava bem perto. Por morarmos tão próximos da água, ficávamos em contato com todo tipo de criatura, de peixes e peixes-boi a jacarés. Os jacarés, que chegavam a medir quatro metros, tomavam banho de sol na relva atrás de nossa casa, e Hondo fazia de tudo para afugentá-los. Todos os nossos vizinhos o conheciam. Ele corria pela cidade toda, e sempre encontrava o caminho de volta para casa, às vezes dando uma passada pelo veterinário para beber água e se dar um trato.

Quando tinha sete anos, eu estava comendo um prato de cereal quando minha mãe começou a gritar. Hondo estava morto. Foi minha primeira experiência com a morte e perder meu guardião de longa data foi traumático. Voltar da escola e não encontrá-lo à minha espera era pesado demais, por isso, ganhamos outro pastor alemão, que chamamos de Hondo II, o que veio a ser um terrível erro. Nunca dê a um cão o nome de outro que já morreu, pois ele nunca estará à altura do verdadeiro. Ele era o cão mais burro do mundo; por isso, trocamos o seu nome para Mo. Ele era bobo demais para nos

© Cortesia da Slater Family Wall of Shame.

Meu primeiro exemplo a seguir, Hondo.

proteger, mas chegou a pular em cima de uma senhora idosa inocente que acabou fraturando o quadril.

Bom menino

Pescar foi a nossa primeira paixão, e tínhamos todo o equipamento que possam imaginar. Meu pai realmente curtia pescar, e nos ensinou a fazer nossas próprias varas quando éramos bem pequenos. Além de ser um operário de construção civil, era dono de uma loja de iscas, chamada Cocoa Beach Bait and Tackle, que ficava a alguns quarteirões de nossa casa. O grande dia da semana era quando o entregador de camarões trazia sua mercadoria. Adorava ver seu caminhão chegar, lotado de camarões. Tirávamos o camarão dos viveiros para meu pai e fazíamos a contagem. Era um dia especial, quase um feriado. Mesmo depois que comecei a surfar — independentemente de quão boas estavam as ondas —, sempre esperávamos o entregador de camarões.

Eu gostava tanto de pescar quando era menino que chegava a dormir com minha vara de pesca. Ficava tão ansioso para ser o primeiro a sair de casa que deixava tudo pronto do lado de minha cama na noite anterior. Eu chegava no canal bem cedinho, mas sempre havia outro cara lá. Ele pegava alguns peixes e voltava para casa assim que eu chegasse. Sean e eu pescávamos a manhã inteira e quase nunca pegávamos nada. Se não pegasse nada, voltava para casa aborrecido, pensando por que não tinha gasto meu tempo fazendo outra coisa.

A minha primeira foto publicada foi pescando. Aos quatro anos, um jornal local mostrou uma seqüência de página inteira, mostrando toda a minha rotina de pescaria. Acho que estavam desesperados por uma história. O texto não era lá essas coisas, e o fotógrafo entendeu meu nome como Kevin Salter. Foi assim que saiu na legenda, mas eu não me incomodei. Eu tinha minha foto no jornal, e Sean, não.

Meu pai gostava de atirar tanto quanto pescar. Ele comprou armas para toda a família — para seus filhos e sua esposa. Graças a meu pai,

Cuidado com os jacarés.

quando eu tinha seis anos, sabia desmontar uma arma, limpá-la e fazer minhas próprias balas.

Nos finais de semana, entrávamos na caminhonete e partíamos para Merritt Island, do outro lado do rio, na Highway 520, para atirar. Meu pai praticava tiro aos pratos, e Sean e eu atirávamos em garrafas enfileiradas ou nas dunas de areia. Um dia, fomos lá com alguns amigos da família, os Townsend. Estávamos armados até os dentes quando chegou outra caminhonete — grande, escura e assustadora. De dentro saiu um grupo de ciclistas desordeiros. Bebiam cerveja e atiravam em todos os pássaros que apareciam. O lugar era um santuário de pássaros, pelo amor de Deus! Meu pai ficou furioso e foi pedir para que eles parassem. Tinha uma cerveja em uma mão e uma arma na outra, e exigiu que eles não continuassem atirando nas aves. Mas esses caras não queriam seguir ordens de um pai de família. O Sr. Townsend deu vários tiros para o ar para mostrar que ele e meu pai estavam falando sério. Ele carregou o pente e disse ao ciclista: "Não fique ao meu alcance, senão vou apontar na sua direção". Meu pai e o Sr. Townsend voltaram e continuaram a praticar tiro aos pratos. O restante ficou na caminhonete, mantendo nossas posições e apontando nossas armas para fora da janela. Finalmente, o dono do terreno chegou e expulsou os ciclistas. Nem é preciso dizer que nunca mais voltamos lá.

Depois, aconteceu o incidente na Patrick's Air Force Base, que não era o local indicado para um grupo de pessoas saírem de uma caminhonete empunhando armas. Assim que saímos, a polícia militar nos abordou e perguntou: "Que diabos estão fazendo?". Achamos tudo muito legal, porque fazíamos esse tipo de coisa o tempo todo. A polícia não pensou da mesma forma e nos escoltou para fora da área. Eles devem ter dito algo para meu pai, porque nunca mais saímos para atirar em família.

Agradeço ao meu pai por tudo que ele me ensinou quando eu era menino, mas sempre me pergunto se crescer em meio a varas de pescar, armas e jacarés não pode ter me transformado num caipira. No meu modo de ver, ser caipira é um estado de espírito, e não penso como um. Por outro lado, Sean é questionável. Sua vida é pescar, mascar tabaco e beber cerveja.

© Cortesia da Slater Family Wall of Shame.

Meu melhor amigo, Johnny, e eu ficávamos nessa árvore horas a fio.

Grommet*

Minha primeira prancha que não era descartável, Cocoa Beach, 1990.

© Cortesia da Slater Family Wall of Shame.

As ondas da Flórida são horríveis. Detesto dizer isso de forma tão rude, mas, comparadas às ondas da maioria das praias do planeta, é a mais pura verdade. Visualize uma onda perfeita em sua mente, e ela não será nada parecida com as ondas que eu cresci pegando.

Há muitos tipos diferentes de onda. Os *beach breaks*/fundo de areia são ondas que quebram ao longo da costa sobre um banco de areia, ao contrário do que acontece num recife ou num cabo. Nos *pointbreaks*/fundo de pedras ou coral, as ondas abraçam e quebram ao entrar na baía. A maioria dos destinos de surfe, Califórnia, Austrália, Havaí, oferece um pouco de cada variação de fundos. Na Flórida, quase não há variedade na costa; então, tive de me contentar com os picos de areia

---

(*) Termo afetivo usado para identificar surfistas de zero a doze anos. O mesmo que iniciante.

comuns. As ondas não variam. Meus amigos e eu costumávamos dizer: "Vou surfar na Décima Terceira Rua, Terceira Rua ou Vigésima Sétima Rua". Mas para que procurar outro lugar? Tudo era igual. Além disso, a maioria dos *swells* que seguem na direção de Cocoa Beach é bloqueada pelo Cabo Canaveral.

Ao longo da Costa Leste, a largura da plataforma continental, com exceção do Cape Hatteras, estraga qualquer chance de ondas poderosas. Os nossos *swells* se arrastam ao longo de uma área rasa de oceano por milhas e milhas, fazendo com que percam sua força.

Eu tenho um condomínio em Cocoa Beach; fica a menos de uma milha da casa onde passei minha infância. Quando vou lá, dirijo até a praia da Terceira Rua para fazer uma verificação obrigatória das ondas, sabendo com certeza que nada me deixará muito excitado. Olhando para ela, você jamais imaginaria que, nos anos 1970 e 1980, esse foi o local onde todo surfista de Cocoa Beach passou seus anos de formação. Agora, é apenas mais um condomínio cheio de aposentados, mas, à época, era o lugar onde ficava uma pequena lanchonete de hambúrgueres, chamada Islander Hut, que era o meu segundo lar.

No decorrer de minha carreira, as pessoas me perguntaram como consegui me tornar um surfista profissional de elite tendo saído da Flórida. É uma pergunta tola. Para um jovem iniciante, era um ótimo lugar para começar. Proporcionou ao meu surfe uma boa base. As ondas são lentas e fáceis de serem surfadas. Eu podia pensar nas minhas manobras em câmera lenta, antes de tentar enfrentá-las a toda velocidade. Sempre achei fácil executar as manobras que eu tinha aprendido lá em ondas maiores.

Bebês de praia

A praia perto da minha casa era longa e compacta e, quando éramos pequenos, minha mãe estacionava o carro na areia para montarmos nosso acampamento. Pessoas faziam pegas ao longo da praia nos anos 1960, mas, aparentemente, nos anos 1970, uma garota foi atropelada por um carro, e a cidade proibiu automóveis na praia.

© Cortesia da Slater Family Wall of Shame.

Mamãe e eu.

Não éramos religiosos, mas pode-se dizer que a praia era nossa igreja. Minha mãe venerava o sol, e, desde o momento em que aprendemos a engatinhar, já éramos muito bronzeados, com exceção de nossos bumbuns completamente brancos. Minha mãe conseguia ficar no sol eternamente e era isso o que ela fazia. Após algumas horas na praia, Sean e eu já estávamos prontos para andar de *skate* ou pescar, tudo menos construir mais um castelo de areia. Choramingávamos, dizendo: "Mãe, podemos ir para casa agora?". Mas ela nunca estava satisfeita, e tínhamos de ficar. Mesmo hoje, quando sinto o aroma do óleo bronzeador com perfume de coco, eu me recordo de sair do nosso bugue para passar o dia inteiro na praia.

Como minha mãe não saía de sua cadeira de praia, tínhamos de achar algo para nos manter ocupados. Éramos bons nadadores, porque nossa mãe nos inscreveu em aulas de natação quando bebês, mas, na verdade, ela costumava nos jogar dentro da água. Acho que o tédio nos fez começar a pegar ondas.

Quando eu tinha cinco anos, e Sean já surfava há dois, entrei com ele e meu pai no Oceano Atlântico. Segundo minha mãe, eu ficava sentado na praia durante horas, estudando o mar. Eu usava uma prancha de isopor, do tipo bem frágil e barata, dessas que se encontram em lojas para turistas. Ela quase não flutuava e a única garantia que me dava era de que, cedo ou tarde, ela se quebraria como um palito de dentes, mas, como eu pesava apenas dezoito quilos, não me importava.

O islander Hut

O estilo de vida dos surfistas gira em torno da camaradagem. O passatempo real havaiano, que quase foi banido por missionários, durante o século 19, porque promovia uma diversão seminua, renasceu em Waikiki, por volta de 1900. Os garotos de praia havaianos locais viviam a vida em meio ao oceano, à música, às garotas e roupas casuais. Os californianos aderiram nos anos 1920 e 1930 e somaram viagens a essa mistura ao subir e descer a Costa Oeste, procurando ondas mais desafiadoras. Nos anos 1960, Hollywood entrou no cenário e o surfe explodiu em toda a costa norte-americana. Todos queriam viver na praia, ou pelo menos ficar na área, fingindo que surfavam.

A praia atrás do Islander Hut, apesar de essencialmente não ser diferente de qualquer outra praia da cidade, era onde todos pegavam onda. Dunas cercavam a praia de ambos os lados, e, atrás, sacos de areia desciam em direção à praia, protegendo-a do vento nordeste de inverno e das ocasionais tempestades de furacão. O Hut era uma pequena lanchonete que servia cerveja. Havia um toca-discos automático no canto, que sempre tocava Doobie Brothers ou Steely Dan, e uma máquina de fliperama bem ao lado, onde era comum encontrar meu pai segurando uma cerveja. Hurricane, uma banda local, tocava lá, e ainda vejo o guitarrista na cidade de ano em ano.

Sean e eu íamos à praia mesmo no inverno, quando a temperatura matinal costumava ficar em torno de 10°C, e a temperatura da água ficava um pouco acima dos quinze graus. Nos finais de semana, vestíamos nossas roupas de borracha assim que acordávamos e ficávamos com elas o dia inteiro. Entre as baterias, quando soprava o vento frio do norte, todos os surfistas se aglomeravam ao longo da parede sul do restaurante, onde era mais quente. Ficávamos enfileirados, de um lado ao outro, olhando a paisagem e nos aquecendo no sol. Ao lado, ficava o prédio Apollo, um escritório abandonado, cujo estacionamento se transformava num pátio de festas à noite, depois que o Islander Hut fechava. Fogueiras ardiam, barris de cerveja ficavam nos porta-malas, e casais apareciam em seus carros para namorar.

Como o Hut ficava a poucas quadras de nossa casa, raramente íamos a outro lugar. Todos os melhores surfistas locais, Matt Kechele, Joe Doyle, Tom Black, Scott Robinson, George e Sam Drazich, Mark e Steve Sponsler, Allen Vulmer, Tommy Sharpe, Greg Taylor, Tony Graham e Jim McLaren, freqüentavam o lugar. Esses eram os caras que venciam as competições locais, conseguindo patrocínios e viajando a lugares distantes para surfar. Eles nos mantinham atualizados e nos inspiravam.

Minha mãe conseguiu um emprego no Hut, fritando hambúrgueres, principalmente para pagar nossa conta que era muito alta. Comíamos muitos cachorros-quentes e tomávamos bastante refrigerante, e, no final de cada semana, ela deixava todo o seu pagamento e ainda ficava devendo quarenta dólares.

Surfe suave

Tive a sensação de que poucas pessoas surfavam numa prancha de peito de isopor, já que me olhavam de forma estranha e me perguntavam: "Como consegue ficar em pé nesse troço?". Podia até ser um pedaço de isopor barato e deformado, mas, na minha opinião, era minha prancha de surfe. Eu era perfeitamente feliz com ela e não via motivo para surfar em outra coisa.

Como meu pai também trabalhava com construção, tínhamos muitas ferramentas na garagem. Um dia, quando estava entediado, esperando os outros se prepararem para ir à praia, saí e fiz alguns buracos na minha prancha com um martelo. Meu pai ficou furioso porque significava que teria de parar na Ann-Lia's Gift Shop para pegar uma nova. Sempre havia três ou quatro no estoque, e, como eu quebrava uma a cada duas semanas, era o melhor cliente.

Muitas vezes, as ondas não estavam grandes o suficiente para serem surfadas; então, Sean e eu improvisávamos, surfando no balanço do quintal. Pegávamos uma tábua de madeira compensada e a transformá-

Se eu pudesse esticar minha prancha de isopor como estou esticando minha cara, ela se partiria ao meio.

vamos em algo que parecia uma prancha de surfe e depois usávamos uma corda para amarrá-la ao tronco de uma árvore grande. Parecia que estávamos surfando, mas com conseqüências mais sérias. Quicávamos nos fios elétricos e nos galhos e, se algo desse errado, colidíamos com a árvore. Uma vez, fui o mais alto possível, chegando a atingir quase três metros, e caí de costas. Fiquei completamente sem ar, mas não sofri nenhuma contusão mais séria: parecia que eu era feito de borracha.

Um ano depois, meus pais se cansaram de entregar seus salários à Ann--Lia's Gift Shop, mas ainda não estavam prontos para pagar por uma prancha de fibra; portanto, passei de uma prancha de isopor para uma verdadeira de

Andando de skate durante a parada natalina em Cocoa Beach.

bodyboard. Eu a havia visto numa revista de surfe e tinha de ganhar uma. Era bastante atarracada, tinha uma rabeta em forma de W e duas quilhas. Nunca vi uma parecida com aquela.

O *bodyboarding* tem ajudado as pessoas a pegar muitas ondas rapidamente. Um construtor de pranchas de surfe do Havaí, chamado Tom Morey, inventou o *bodyboard* em 1971. Ele registrou o nome Morey Boogie em 1973, mas isso não impediu uma enchente de cópias falsificadas. Em pouco tempo, havia *bodyboards* por toda a parte. O conceito do *bodyboarding* é bastante simples: você deita de barriga o tempo todo, com seus pés pendurados para fora da prancha, enquanto rasga e bate na onda. É impossível cair, mesmo se tentar. Aquele estilo de surfe não era para mim. O *bodyboarding* era algo que os turistas faziam por diversão; não era considerado um esporte. Como eu queria surfar, pegava onda em pé, o que tornava o equilíbrio um pouco mais difícil, mas já que eu ficava em pé na minha "rolha de isopor", meu *bodyboard* era um avanço.

Eu andava de *skate* pela vizinhança todos os dias, algo que me ajudou a aperfeiçoar minhas habilidades surfísticas. Eu treinava manobras de *skate*, e, em breve, passei a fazê-las dentro d'água. Aprendi a dar pequenos *off-the-lips*/batidas na crista da onda e 360° no meu *bodyboard*. Minha mãe percebeu o quanto eu adorava fazer aquilo e, já que usava qualquer desculpa para ir à praia, ela me deixava matar aula para ir surfar, mas, como eu ainda estava no jardim de infância, não pegava onda tão bem assim.

Entrei na minha primeira competição de surfe em 1980, quando tinha oito anos de idade, e tive de usar meu *bodyboard* já que não tinha outra coisa. A competição se chamava Salick Brothers Surf Contest e foi realizada em frente ao Islander Hut. Phil e Rich Salick, dois irmãos que tinham uma loja a um quarteirão dali, patrocinaram o evento. Depois, tornou-se um evento gigantesco, chamado National Kidney Foundation Pro-Am, que, agora, é realizado no fim de semana do Dia do Trabalho, em Cocoa Beach. Havia quatro meninos em minha categoria, e as ondas estavam pequenas — perfeitas para mim. Eu venci, e meus adversários devem ter ficado arrasados, pois perderam para um garoto num *bodyboard*.

Matt Kechele, um fera local que estava prestes a se profissionalizar, lembra-se de quando ia surfar e me via no meu *bodyboard*: "Havia esse garoto pequeno, de seis ou sete anos, que dropava numa onda pequena e dava três backsides 360° em seqüência. O 360° era a grande manobra da época, e ver alguém dar três deles de *backside* me chocou. Não dava para acreditar como Kelly surfava com aquele troço. Eu estava começando a fazer pranchas e pensei comigo mesmo: 'Tenho de fazer uma prancha para esse garoto'". Mas ainda passariam alguns anos antes de ele ter a sua chance.

Uma prancha de verdade

Fazer pranchas sob medida é uma arte. São necessárias habilidade, paciência e atenção para detalhes. O processo não mudou muito desde os anos 1950. Antes, as pranchas eram feitas de madeira: primeiro, partir de uma única tábua sólida e, depois, com tiras coladas umas às outras. Depois que os fabricantes descobriram materiais que estavam sendo usados na Segunda Guerra Mundial, pararam de utilizar madeira e começaram a usar blocos de espuma cobertos com tecido de fibra de vidro e resina de poliéster. Um *shaper* de pranchas começa com um bloco de espuma denso. Usando uma plaina, ele corta a espuma até conseguir a forma desejada, tal qual um escultor que trabalha num pedaço de pedra. Uma vez estabelecida a forma, a prancha é coberta com tecido de fibra de vidro e resina. As quilhas são colocadas na base, e a prancha é lixada para conseguir um polimento suave. Pranchas de fibra de vidro são mais duras e mais perigosas do que os *bodyboards*. Quando Sean tinha nove anos, ele ganhou uma prancha de surfe verdadeira porque era mais velho e surfava há mais tempo. Era uma monoquilha com uma rabeta pontiaguda perigosa. Usava uma corda elástica como estrepe, portanto, quando caía, o estrepe esticava até seu limite, e a prancha voltava, voando em alta velocidade. Eu pegava a prancha emprestada toda vez que Sean descansava, e uma vez foi quase fatal. Eu caí, e a prancha voou na minha direção, errando minha cabeça por muito pouco. Em vez de me assustar, e me fazer voltar à minha esponja, fiquei convencido de que estava pronto para graduar para a fibra de vidro.

Mais tarde, naquele ano, depois de implorar muito, meu pai cedeu. Encomendamos pranchas novas a Phil e Rich Salick. Teríamos comprado uma direto da prateleira, mas, na época, ninguém estocava pranchas para garotos, porque não havia muitos deles dentro d'água.

Demorou mais de seis meses para eles terminarem nossas pranchas, que é um tempo muito longo para se esperar, especialmente para um iniciante de oito anos. Na época, pareceu uma eternidade. Naquele verão, quando não estávamos dentro d'água ou comendo na Islander Hut, freqüentávamos a loja. Passávamos lá todos os dias para ver se estavam prontas, mas as pobres pranchas pareciam não estar progredindo. Eu queria desesperadamente colocar um logotipo de equipe nela, uma maneira instantânea de mostrar que eu era fera, mas, após muito debate, e considerando o fato de que não estava em nenhuma equipe, decidimos não colocá-lo.

Rick Salick era um grande *airbrusher*/artista que trabalha com aerógrafo, então, pensamos muito no *design* de nossas pranchas. A prancha de Sean tinha uma cena de *Guerra nas Estrelas,* e a minha tinha o *Tubarão* nadando atrás de uma garota nua, como no pôster do filme. Dava quase para perceber os seios da garota, e eu ficava envergonhado de olhar para ela, quando havia alguém por perto. Não queria que pensassem que eu era pervertido.

Um breve momento de descanso durante
os treinos da Equipe Catri.

Minha prancha nova tinha apenas cinco pés de comprimento. Quase não tive tempo de tirar uma foto dela antes de sair remando. Foi um ano antes de Simon Anderson lançar a última grande inovação nas pranchas de surfe, o conceito da *thruster*/triquilha — do verbo *thrust*, em inglês, que significa impulso —, mas minha prancha já tinha três encaixes. A *thruster* provou ser a prancha perfeita, oferecendo muito da estabilidade da monoquilha, aliada à capacidade de manobra da biquilha. Não estou dizendo que minha prancha era revolucionária; ela foi concebida para ser utilizada como uma monoquilha ou biquilha em vez de ter três quilhas ao mesmo tempo. Às vezes, eu a usava sem quilhas; assim, a prancha deslizava solta e eu conseguia dar um 360° com facilidade.

Sean e eu participamos de algumas competições na cidade ao longo do ano seguinte, e quando setembro chegou, ouvimos dizer que havia algumas vagas abertas para o Campeonato da Eastern Surfing Association (ESA) de 1981, no Cape Hatteras, na Carolina do Norte. Essa organização para amadores realizava competições em toda a costa, inclusive nos Grandes Lagos, e, todos os anos, os melhores dos melhores se reuniam em Hatteras. Naquela época, era difícil encontrar meninos pequenos em número suficiente para formar uma bateria, mas, agora, a categoria sub-12, chamada Menehune (nome derivado de uma tribo mítica de duendes polinésios) havia crescido e se tornado um dos eventos mais populares e esperados.

Meu pai, Sean e eu fizemos uma viagem de doze horas de carro até o Hatteras Lighthouse, um ponto de referência no Estado, que marcava o local de um dos melhores picos de surfe da Costa Leste. As ondas eram maiores do que qualquer uma em que eu já tinha surfado ou desejava surfar. *Tubarão* e eu tomamos uma surra e tanto, e decidi ficar antes da arrebentação, procurando as ondas que sobravam perto da areia. Alguns garotos conseguiam ir mais longe, onde as ondas realmente quebravam, por isso, minhas chances de vitória eram muito pequenas. Fiquei em último lugar na minha bateria, o que me rendeu a sétima colocação na categoria Menehune da Costa Leste. Nada mal até você se dar conta de que havia apenas sete competidores.

Depois de viajar pelo mundo afora, dirigir até Hatteras para ficar uma semana parece um pulo até a esquina para comprar leite. Contudo, na época, foi minha primeira viagem de surfe para fora de Brevard County, e a variedade e a intensidade das ondas superaram tudo o que eu havia visto antes. Percebi que havia muito mais nesse esporte do que a minha mente de nove anos pudesse imaginar e, se eu fosse prosseguir nele, tinha de arrumar uma maneira de lidar com um pequeno problema: eu queria minha mamãe.

Surgem problemas

Houve, talvez, um momento durante o qual meus pais tiveram um relacionamento saudável, mas não me recordo. Em 1981, o casamento deles estava em sérios apuros. Meu pai bebia constantemente, e minha mãe percebeu que não era uma boa idéia continuarem juntos. Ela ameaçou partir muitas vezes, dizendo: "Sinto vontade de entrar no carro e não voltar nunca mais!". Três crianças reclamando e um marido bêbado eram demais para ela suportar. Tinha medo de perdê-la de vista, pois achava que nunca mais a veria. Toda vez que ela tentava mandá-lo embora, eu chorava até ela desmoronar. Relutantemente, ela o deixou ficar, mas seus problemas persistiram.

© Cortesia da Slater Family Wall of Shame.

Eu, Sean e Stephen.

Não diria que tive uma infância problemática, mas me recordo de noites nas quais saímos de casa ou íamos para nossos quartos colocar os travesseiros sobre nossos ouvidos para não escutar o barulho. Uma noite, dormi fora da casa, no concreto da entrada da garagem. Tínhamos planejado ir ao *shopping*: então, Sean e eu saímos após o jantar para entrar no carro, obviamente brigando pelo assento dianteiro. As portas do carro estavam trancadas, mas decidimos esperar lá fora em vez de entrar. Ouvimos nossos pais gritando, e minha mãe não saía. Sean deve ter entrado em casa, mas eu preferi deitar no concreto e dormir. Naquela época, eu tinha muitos amigos, cujos pais estavam enfrentando os mesmos problemas matrimoniais, então, não me parecia grande coisa. Meus pais não se agrediam fisicamente, mas havia muita gritaria. Minha mãe berrava com meu pai durante horas até que ele finalmente desmaiava.

Meu pai bebia muito. Ele podia estar completamente bêbado, mas continuava dizendo: "Não, bebi apenas duas cervejas". Toda vez que perguntávamos quantas cervejas ele havia bebido, ele sempre dizia duas. Não sei dizer quantas vezes ouvi da boca dele "duas cervejas". Passou a ser uma piada corriqueira na família.

Sua bebedeira tornou-se um problema tão grave que eu tinha medo de andar de carro com ele. Uma vez, um amigo meu tinha de voltar para a casa dele depois de surfar, mas como meu pai havia bebido, meu amigo não queria pegar carona com ele. Infelizmente, não havia outra pessoa para levá-lo, e meu pai se recusava a dar ouvidos à razão, ou a qualquer pessoa com razão, quando estava embriagado. Então, "duas cervejas" depois, saímos da Terceira Rua e entramos na A1A, seguindo em direção a duas faixas de trânsito. No meio da rua, meu pai decidiu frear e tentou voltar de ré para sair do caminho. Eu pensei que íamos morrer. Os carros estavam buzinando e se esquivando para evitar bater na gente, e lá estávamos nós, num pequeno bugue sem cintos de segurança. Foi um milagre termos sobrevivido. Como prêmio, consegui meu primeiro patrocínio.

Finalmente, um adesivo de equipe

Dick Catri foi um legendário surfista local e fabricante de pranchas, que viajava pela Costa Leste com sua equipe de surfistas de Brevard County, participando e vencendo competições. Ele havia se cansado de caras mais velhos, que considerava muito entediados e, em 1981, decidiu montar um grupo de Menehunes para excursionar por Brevard County. Primeiro, ele escolheu Todd Holland; depois, Sean, David Speir, Sean O'Hare, Troy Popper e Randy Sanders. Eram os garotos que venciam as competições na cidade, e Dick foi a primeira pessoa a notar isso. Eu não estava no mesmo nível deles, mas permitiram que eu os acompanhasse por ser irmão do Sean. Sendo assim, passei a fazer parte da equipe à revelia. Eles surfavam em todas as ondas que a costa oferecia, enquanto eu ficava perto da costa. Qualquer onda maior do que eu, que media apenas quatro pés (1,21 m), era grande demais.

Campeão da Costa Leste de 1982.

© Cortesia da Slater Family Wall of Shame.

Éramos jovens demais para viajar para fora de Brevard County, mas toda a Equipe Dick Catri Surfboards reunia-se em Indiatlantic, uma cidade vizinha, para treinar aos domingos. Fora isso, por ser membro da equipe, eu conseguia um desconto nas pranchas e a quantidade de adesivos da equipe que eu quisesse. Os garotos julgavam uns aos outros nas baterias, permitindo que víssemos as coisas de perspectivas diferentes. Dick nos passou todo tipo de conselho sobre técnicas de surfe e competição, muitos dos quais ainda sigo. Duas coisas que sobressaíram para mim foi como remar mais rápido, puxando meus braços sob a prancha em cada braçada, sempre mantendo meus olhos abertos dentro do tubo.

Os treinos eram amigáveis e divertidos, mas não pude deixar de sentir um forte desejo de superar meus companheiros de equipe. Eles eram os melhores surfistas da Costa Leste, e, como eu podia acompanhá-los, estava progredindo.

Acho que fui um aluno rápido porque, em 1982, já ganhava a maioria das competições locais da categoria Menehune. Dick nos levou a uma feira de comércio, na Flórida, na esperança de encontrar um patrocinador de roupas. Havia vários profissionais de primeira linha lá, portanto, o nosso principal objetivo foi conseguir autógrafos, e muitos deles. Foi lá que encontrei Tom Curren pela primeira vez. Um amigo meu conhecia Tom da época em que competiram juntos como amadores e nos apresentou. Eu fiquei fascinado. Consegui dar um olá tímido e ganhei o autógrafo do Tom, mas ao se virar, ele riu de quão pequeno eu era. (Ele não se lembra disso, mas eu nunca esqueci.)

Naquele dia, também fomos apresentados a Jeff Hakman, o licenciado norte-americano da Quiksilver, e Danny Kwock, o treinador da equipe.

Eles estavam julgando um concurso de biquínis, e Dick nos levou até Danny e disse: "Quero que conheça os irmãos Slater. Esses garotos serão os melhores surfistas do mundo um dia". Danny estava ansioso para voltar ao seu serviço e falou: "Claro, rapazes, peguem esses calções". Sean e eu ganhamos calções Quiksilver de graça, coberto de estrelas e pensamos que fazíamos parte da equipe.

Dick também fechou um negócio para todos nós com uma companhia chamada Arena, que fabricava agasalhos para adultos. Eu era o menor de todos, e não fabricavam agasalhos do meu tamanho. Para a foto de nossa equipe, Dick me vestiu com um agasalho gigante e a enviou para a companhia para mostrar que precisavam fabricar tamanhos menores.

Finalmente, conseguimos um patrocinador legítimo quando Dick convenceu Bill Yerkes, dono da marca de roupas Sundek, situada na Flórida, a fornecer roupas para a equipe inteira. Foi um grande relacionamento; ficamos íntimos da família Yerkes e permaneci com a Sundek durante a maior parte de minha carreira amadora.

Inspiração no telão

Os vídeos de surfe ainda não tinham sido inventados, mas, a cada poucos meses, um novo filme era mostrado numa única noite no Surfside Playhouse, em Cocoa Beach. Era um grande acontecimento, pois atraía os melhores surfistas da cidade. Meu pai, Sean e eu éramos os primeiros na porta, e esperávamos impacientemente para entrar. Faminto por surfe, eu passava entre as canecas de cerveja e atravessava penosamente a fumaça de maconha, determinado a encontrar um lugar onde pudesse assistir ao filme sem interrupção.

Antes mesmo da fita começar a rodar, eu estava no céu. Eu ficava admirado e cutucava Sean cada vez que via um dos feras locais entrar no cinema. "Não acredito, lá está Matt Kechele. Lá está Tommy Black." Na cidade, era um grande acontecimento.

Os filmes mostravam os melhores surfistas do mundo; caras do Havaí, Austrália, África do Sul e Califórnia, fazendo coisas inacreditá-

Uma lembrança estimada da Surf Expo de 1984.

veis em ondas maiores do que eu imaginava. Assim que apagavam as luzes e o filme começava, eu entrava num mundo intocável, totalmente hipnotizado pelos surfistas, pelas ondas e pelo fato de eles surfarem sobre recifes. Eu me recordo de ter encontrado um pedaço de coral na praia uma vez, e fiquei fascinado porque não havia recifes onde eu surfava na Flórida. Era como um tesouro de um lugar longínquo.

Se tivessem me contado naquela época, no Surfside Playhouse, que os lugares daqueles filmes passariam a ser como um lar para mim um dia, eu teria morrido de rir.

Os surfistas nos filmes eram ainda melhores do que os caras locais, e meu favorito era Buttons Kaluhiokalani. Ele e um companheiro havaiano Larry Bertlemann conseguiam fazer qualquer coisa numa onda, davam 360° dentro de um tubo, derrapavam com a rabeta, mesmo batendo no *lip* e trocavam de base, manobras que os surfistas tentam até hoje. Não havia limitação para a imaginação deles. Eu juro que vi Buttons ficar de cabeça para baixo e dar um *flip*/volta completa num dos filmes. Assisti ao filme anos depois e não encontrei o *flip*, mas, naquele momento, já não fazia diferença.

Saí daquele cinema com um alvoroço constante, real e imaginário, com adrenalina bombeando dentro de meu pequeno corpo. O surfe recheava meus sonhos, se é que eu conseguia dormir. O sol não nascia rápido o suficiente.

Comecei a tentar as manobras do Buttons, e meu pai me dizia: "Por que tentou ficar de cabeça para baixo lá fora? Você caiu em todas as ondas". Eu pensava: "Um dia vou conseguir uma manobra daquelas".

Sebastian Inlet

Brevard County sempre foi o celeiro de talentos na costa leste da Flórida, e desde os anos 1970, tudo tem se concentrado em Sebastian Inlet, uma hora ao sul de Cocoa Beach. É um lindo parque estadual, com muita vegetação e muito poucas construções, com exceção do longo quebra-mar de rochas. Eu já havia acampado e pescado lá com meu pai e Sean, mas surfar era outro lance. Mesmo quando era um garoto protegido de Islander Hut, ouvi pessoas dizerem que Sebastian era um território sagrado. Caras trocavam socos por causa das ondas lá. Era um pico de surfe mundialmente conhecido, e Cocoa Beach não era nada.

Sebastian era a resposta para as preces dos surfistas da Flórida. As ondas batem no quebra-mar e se formam com bom tamanho e força. É uma onda curta, porém bem mais íngreme do que aquelas de qualquer outro lugar. É claro que é para onde todos os bons surfistas vão quando há ondas; por isso, não é fácil para um recém-chegado causar impressão. Certamente, há uma hierarquia, ao contrário do clima "ondas-para-todos" que encontramos nos demais picos da Flórida. O Primeiro Pico, numa posição mais próxima do quebra-mar, é onde os melhores surfistas pegam as melhores ondas. Caras que não sabem o que estão fazendo são rabeados, levam broncas, apanham e são expulsos.

A primeira vez que eu surfei em Sebastian foi quando a equipe Catri estava sendo filmada para aparecer no noticiário vespertino. As ondas tinham dois pés e estavam perfeitas, não havia um único pingo de água fora do lugar. Eu queria muito surfar, mas o cinegrafista estava determinado

Sean, David Speir e eu descobrindo que há ondas boas, na Flórida.

Minha primeira foto de surfe publicada, 1983.

a preparar uma tomada, na qual apareceríamos caminhando nas dunas com nossas pranchas. Foi minha primeira experiência com as dificuldades do estrelato, e eu tinha só dez anos e não era famoso. Finalmente, nos deixaram surfar e, desde a minha primeira onda, fiquei amarradão.

Toda vez que conseguia uma carona para Sebastian com meu pai, Matt Kechele ou qualquer outro, ia para lá. Eu era tímido e tinha muito respeito pelos surfistas mais velhos; por isso, os locais me deixavam pegar algumas ondas. Ao contrário, meu amigo Alex Cox não sabia quando ficar calado. Ele falava tanto que apanhava rotineiramente e era jogado dentro das caçambas de lixo. Eu peguei um pouco de seu sarcasmo, mas ele sempre foi mais irritante. Como resultado, sofria as conseqüências. Eu também recebi minha porção de tapas na barriga e cascudos, mas tive a sorte de ter um amigo como Alex, que sempre apanhava mais. O abuso contra iniciantes pode ser muito sério. Na Austrália, costumam deixar os meninos nus e os prendem em postes com fita adesiva; portanto, eu me safei com facilidade.

Apesar de nunca ter dado uma de metido com os surfistas mais regulares, quando um rosto novo aparecia na arrebentação, começava a temporada de caça. Sabia que os caras mais velhos estavam na minha retaguarda; portanto, se um novato ficasse no meu caminho, eu não tinha nenhum problema em chamá-lo de "mané" ou "maluco" e mandá-lo para outro ponto da praia em que as ondas não eram tão boas. Para eles, deve ter sido traumático ser ofendido por um pirralho e não ter podido fazer nada a respeito.

Atualmente, quando surfo em Sebastian, vejo o mesmo olhar nos olhos dos garotos que eu tinha quando olhava para caras como Jeff Crawford, Matt Kechele, Charloe Kuhn e Pat Mulhern. Sabendo que eles tinham competido contra, e até derrotado, alguns dos melhores surfistas do mundo, ficava contente em poder observá-los e aprender. Isso teve um enorme impacto na minha confiança, sabendo que, apesar de serem da Flórida, eles surfavam bem o bastante para competir em nível internacional.

Menino patinador

Quando eu estava crescendo, havia um lugar que era dominado pela criançada, o Starlite Skating Rink, em Merritt Island, que ficava na próxima cidade. Era o único local onde um garoto de dez anos de idade podia se divertir livremente. Freqüentar esse lugar tornou-se um ritual de fim de semana. Ao final da noite, estávamos exaustos, mas rezávamos para nossos pais não estarem esperando do lado de fora para que pudéssemos ficar mais tempo conversando com as garotas. Eu era tímido demais para conversar, mas, pelo menos, podia ficar olhando.

Havia sempre garotas de quatorze ou quinze anos no Starlite, que adoravam brincar comigo. Elas vinham até mim e diziam: "Sabe de uma coisa? Acho você uma gracinha". Parecia uma conspiração para me deixar encabulado: então, preparei um plano. Assim que eu ouvia: Sabe de uma coisa?, eu falava abruptamente: "Eu sei, você me acha uma gracinha, certo?". Elas ficavam mudas.

Eu tinha estilo. Por que não poderiam se sentir atraídas por mim? Minha maneira de me vestir incluía calças Sundek vermelhas e amarelas reluzentes, que eram um calção de surfe apertado, que descia até a altura de meu tornozelo. Toda vez que eu caía no rinque, as calças roçavam contra minhas pernas, deixando terríveis queimaduras, mas eu não me importava. Eu tinha um visual maneiro, e isso era o que importava.

Como qualquer turma de pré-adolescentes desordeiros, fazíamos travessuras em todo lugar. Voávamos pelo rinque a toda velocidade e, às vezes, patinávamos na direção contrária, sendo expulsos por alguns minutos. Um cara chamado Tony, que foi expulso do colégio católico por lançar uma cadeira para fora da janela e jogar livros nas freiras, era o líder da gangue. Todos patinávamos em grupo, e Tony adorava nos empurrar na direção de grupos grandes de pessoas como bolas de boliche humanas. É claro que as pessoas que atingíamos achavam que tínhamos feito aquilo de propósito e queriam nos bater, e então, nos perseguiam o resto da noite.

Algumas vezes, o centro do rinque era isolado com cones para competições de *break-dancing*. *Break-dancing* era o grande lance (fora o surfe), e eu ficava chateado por não ser bom o bastante para participar.

**Se eu pareço excitado (atrás, terceiro da esquerda) é provavelmente
porque eu tinha comido um quilo de açúcar no café da manhã.**

De vez em quando, encontrava alguém que não me fazia parecer tão
bobo, mas essas noites eram raras.

Patinar de costas, que era uma necessidade quando precisávamos
patinar lentamente com as meninas, era mais um de meus pontos fracos.
Uma noite, eu estava patinando com minha primeira namorada da escola,
Kelly, que era a irmã de um de meus amigos da equipe Catri, e eu já era
tímido demais para segurar a mão dela, imagine tentar beijá-la. Ficamos
juntos alguns meses, e só coloquei o braço em torno dela uma vez, no
encosto de seu assento no cinema. Eu queria dar o passo seguinte, primeira fase, mas era medroso demais. Achava que ela terminaria comigo
se eu tentasse. De qualquer forma, estávamos patinando lentamente uma
noite, quando consegui tropeçar nos próprios patins enquanto andava
de costas, o que acabou nos derrubando. Ela caiu em cima de mim, e
parecia que estávamos nos abraçando. Todos riram, e meu rosto ficou da
cor de minhas calças Sundek vermelhas reluzentes. Ela se levantou, saiu

do rinque e se sentou. Eu fiquei sentado no meio do rinque, pensando: "Muito bem, creio que acabou a nossa dança".

Quero a minha mamãe

O Campeonato da ESA de 1982 aconteceu em setembro. A competição foi realizada novamente no Cape Hatteras, e meu pai se ofereceu para levar Sean e meus amigos da equipe Catri em sua caminhonete e *trailer*.

Quando chegou a hora de partir da Flórida, não quis largar a minha mãe. Eu ficaria longe durante uma semana, talvez duas, e, por algum motivo, achei que ela aproveitaria a oportunidade para nos deixar enquanto estivéssemos lá. Eu finalmente consegui me soltar dela e entrei na caminhonete. Havia três pessoas andando na cabine e cinco no *trailer*. Quinze minutos depois, a caminhonete quebrou. Eu estava cansado e fui dormir atrás, e, quando acordei, ainda estávamos no mesmo lugar, a poucas milhas de casa. Não dava para acreditar. Eu poderia ter ido para casa, mas não, fiquei dormindo à beira da estrada. Não foi uma maneira legal de começar a viagem. Seguimos em frente por algum tempo, quebramos novamente e esperamos um pouco mais. Demorou uma eternidade para chegar lá, e ninguém nunca descobriu o que havia de errado com a caminhonete.

Os Menehunes competiam no início da semana — o que era bom, considerando que não dava tempo para sentir saudades de casa. Eu tinha progredido muito desde o ano anterior e, desta vez, cheguei à final. Na minha melhor onda, não percebi que David Speir estava atrás de mim e acidentalmente cortei seu caminho. Por não querer arriscar me desclassificar por interferir na onda dele, ele saiu de sua prancha e deixou a onda para mim. Conseguir a desclassificação de alguém não era o nosso modo de pensar naquela época; queríamos apenas nos divertir. David voltou em nossa caminhonete e, para nós, tudo não passou de uma exótica viagem de surfe. A competição implacável veio em seguida.

Depois da competição da ESA, aconteceria o Campeonato de Surfe Amador dos Estados Unidos, e os melhores colocados das competições do Leste seguiriam em frente. Mas, no final de uma semana, depois de ver meu pai se embriagar todas as noites, passei realmente a sentir muita falta de minha mãe. Era assustador estar longe de casa há tanto tempo; então, decidi, que, mesmo se conseguisse uma vaga no Campeonato Norte-americano, queria retornar a Cocoa Beach. No percurso de vinte minutos, do acampamento até a cerimônia perto da Hatteras Lighthouse, a caminhonete quebrou novamente. Meu pai conseguiu uma carona para nós e ficou para trás, na caminhonete, colocando seus dois primeiros filhos no carro de um completo estranho, dando mais um exemplo do fator Slater de segurança. Felizmente, chegamos a Lighthouse bem na hora que estavam chamando o quinto colocado da Categoria Menehunes. A cada finalista que era chamado, eu esperava ouvir meu nome, e, ao final, eu era o último menino que restava. Eu tinha apenas dez anos e não conseguia acreditar que tinha derrotado garotos de doze. Quando David Speir contou-me da oportunidade que teve para me desclassificar, me deu vontade de vencer tudo de novo, só para mostrar a todos que eu conseguiria.

Naquele momento, porém, a única coisa que queria era voltar para casa. Eu abri mão de minha vaga no Campeonato Norte-americano e arrumamos a caminhonete. Meu pai teve a brilhante idéia de achar que a caminhonete não voltaria a quebrar se deixássemos o *trailer* para trás. Ele achava que voltaria para pegá-lo assim que a caminhonete estivesse consertada. Infelizmente, estava chovendo e cinco de nós tínhamos apenas uma lona para nos proteger. Eu queria tanto chegar em casa que não me importei com a chuva. Paramos numa festa no centro de atividades da competição, na saída da cidade, para que meu pai pudesse beber "duas cervejas". Ele estava se divertindo, e nós estávamos enchendo a paciência dele para irmos embora. O tempo todo, ficamos choramingando: "Pai, vamos logo!". Finalmente, ele explodiu e começou a gritar conosco para que parássemos de reclamar. Foi a primeira e única vez que ele se tornou agressivo comigo, e minha vida deu uma freada estridente.

Fiquei sentado chocado e acabei adormecendo. Chegamos em casa no dia seguinte, mas as coisas haviam mudado dentro de mim. Na próxima vez que minha mãe me dissesse que queria que meu pai saísse de casa, decidi que a apoiaria.

Refugiado

Campeão dos Menehunes da ESA, Cape Hatteras Lighthouse, Carolina do Norte.

Muitos dos grandes atletas, artistas e pessoas de todo tipo que sobressaem vêm de famílias imperfeitas. Isso constrói caráter. Não podemos escolher o tipo de vida doméstica que recebemos quando crianças, mas isso desempenha um papel importante em nossa formação. Quanto mais difíceis as coisas são, mais provável será que nós nos liguemos a algo fora de casa. O meu algo era o surfe, mas, infelizmente, em muitos casos, esse algo é negativo.

Apesar de ter lutado muito para unir minha família, em 1982, os problemas aumentaram. O alcoolismo é uma doença, e meu pai se recusava a admitir que ele tinha um problema. À época, eu o culpava por nossa situação difícil, mas não era culpa dele. As pessoas tendem a acusar o alcoólatra, mas é um problema da família e deve ser tratado em família. Além disso, naquele tempo, dentro da comunidade do surfe, se seu pai bebesse ou fumasse maconha, não era algo fora do normal, dados os estilos de vida dos anos 1960 e 1970.

Não tínhamos uma família perfeita, que brincava junto na areia, mas encontrávamos meios de conviver bem. Sean e eu surfávamos, meu pai bebia cerveja ou jogava fliperama, Stephen construía castelos de areia nas dunas e minha mãe ficava sentada na cadeira ao sol. Não parecia muita coisa, mas era o último verdadeiro elo que tínhamos.

O oceano era o meu refúgio. O surfe era a única coisa que sempre estava lá para me ajudar; ele me fazia sorrir. Em vez de enfrentar as questões de casa, eu me fechava dentro de minha pequena concha, deixando todos fora de minha vida. Sean costumava tomar o partido de meu pai quando havia uma briga familiar, e a nossa rivalidade se incendiou, até dentro da água, apesar de tentarmos fingir que não. Conquistar o título da Costa Leste trouxe confiança para minhas habilidades e minha pessoa. Eu não fiquei convencido, mas sabia o que eu queria. Enquanto eu continuasse a melhorar e a vencer competições, nossos problemas em casa não me afetariam.

Remédio bom

O surfe me tirou de casa e me manteve ativo e saudável. Como a maioria das crianças, nós não tínhamos consciência do que comíamos. Queríamos apenas a comida mais doce e mais bem-conservada que pudéssemos encontrar.

O produto principal no lar dos Slater eram batatas fritas e biscoitos. Tínhamos uma jarra de biscoitos repleta com uma variedade de biscoitos e uma lata de *Frito-Lay*, lotada de Doritos, o lanche dos campeões. A lata foi feita para guardar saquinhos individuais de salgadinhos, mas minha mãe jogava dentro meia tonelada de batatas fritas de uma só vez. Tínhamos uma rampa de *skate* na entrada da garagem e, entre andadas, engolíamos um punhado de batatas fritas. Onde quer que fôssemos, a lata de *Frito-Lay* nos acompanhava.

Como era de se esperar, sempre tinha algum tipo de doença, de dores de ouvido, infecções de garganta a bronquite. Minha falta de fôlego não era grave o suficiente para requerer uma visita ao hospital, mas era normalmente ruim o bastante para me manter acordado à noite. Na manhã seguinte, eu voltava a comer a mesma besteira. Nunca pensamos que a minha dieta era parte de meu problema. Meus pais saíam para trabalhar antes de eu ir para a escola; então, eu fazia meu próprio café da manhã: *milk-shake*, batido com leite, bolinhos, biscoitos, sorvete e cobertura de chocolate. Eu adorava cereais açucarados, como Fruit Pebbles, Boo Berry e Count Chocula, e costumava comê-los no café de manhã, almoço e jantar. Se comesse algo menos doce, como *Rice Krispis*, tinha, antes de mais nada, de cobrir a tigela com uma camada de açúcar para que cada colherada tivesse metade cereal, metade açúcar. Depois, quando estava na aula, me contorcia de dor de estômago.

Quando pegávamos um resfriado, em vez de nos levar ao médico, minha mãe nos mandava surfar. O ar salgado era o melhor remédio, ela insistia. Nós não discutíamos.

Apenas diga não

É fácil ficar acomodado em Cocoa Beach. Não há muitas oportunidades de emprego, e as pessoas vivem farreando sem ir a parte alguma. É como um rodamoinho: ficam sendo sugados de volta. Deve ser alguma influência do mar.

Sem querer, meus pais me influenciaram a ficar longe das drogas. Minha mãe sempre me disse que, se eu quisesse fumar maconha, ou qualquer outra coisa, ela o faria comigo, mesmo se ela nunca o tivesse feito antes. Esse pensamento em si foi o bastante para me tirar a vontade de experimentar. Observar meu pai sempre me deixou consciente. Eu via como agia quando estava embriagado e sentia vergonha dele. Eu me recordo de uma vez, em 1984, depois de vencer uma competição, quando ele subiu para receber seu prêmio durante a cerimônia, e estava tão bêbado que tropeçou na frente de todo o mundo. Algumas pessoas riram dele, e meu pai tentou fazer uma piada, dizendo: "Quem colocou aquele cabo no meio do chão?". Eu fiquei tão envergonhado que cobri meu rosto. Não queria que as pessoas achassem que toda a minha família era um bando de alcoólatras; então, decidi ficar longe das bebidas.

Quando era adolescente, tive a oportunidade de experimentar drogas na minha cidade. As más influências na praia eram maiores do que as boas, mas eu já tinha visto os resultados de quem tinha tomado o caminho errado. Muitos dos locais, cujo surfe eu admirava, tornaram-se completos derrotados. Eu pegava carona para a praia e acabava me encontrando dentro de um carro cheio de caras fumando maconha. É difícil não entrar na onda, mas nunca vi o barato de ficar doidão. Em breve, a notícia se espalhou de que eu estava certo em não querer me envolver com drogas. Quando tinha dezesseis anos, estava numa festa da escola e precisava escrever o número de telefone de uma pessoa; então, virei-me para pedir aos caras do lado um pedaço de papel. Um deles disse: "Ah, sim, só um minutinho" e voltou com alguns tabletes de ácido lisérgico em sua mão. Eu não pude acreditar e o xinguei. "Tire essa porcaria da minha frente", gritei! "Se você me oferecer isso mais uma vez, vou pegar um bastão de beisebol e arrebentar sua cabeça!". O cara entendeu meu recado. Ao ficar mais velho, passei a escolher amigos que pensavam do mesmo jeito em relação às drogas.

O surfe é o meu barato. As drogas podem ser divertidas à noite, mas o estrago que causam a longo prazo, e os sonhos que elas roubam, dura mais tempo. Sinto necessidade de promover uma imagem limpa de mim, e o mais importante é não querer destruir meu corpo ou minha família.

Abandonando todo o resto

Quando cheguei na casa de Hatteras, após conquistar o título da Costa Leste, assinei o meu primeiro autógrafo. Rita Granger, cujo marido, Don, era proprietário da Islander Hut, pediu-me para autografar um guardanapo para ela, porque insistia que eu seria um surfista famoso um dia. Se não tivesse achado aquilo tão engraçado, teria sido embaraçoso. A maioria dos meus bons amigos em Cocoa Beach nem surfava, e poucas pessoas na minha escola sabiam algo sobre o surfe; assim, conquistar um título não era grande coisa.

Alguns meses depois, li uma entrevista com Sean Mattison, um garoto de Jacksonville, Flórida, que era alguns anos mais velho do que eu e que tinha chegado em segundo lugar no Campeonato Norte-americano daquele ano, a competição que eu perdi porque tinha sentido saudade de casa. Quando perguntado se havia alguma outra coisa que ele gostaria de realizar, ele respondeu: "Quero ser campeão mundial". Eu pensei: "Poxa! Caras… caras da Austrália são campeões mundiais. Você é da Flórida". Jeff Crawford ganhou o Pipe Masters de 1974, e alguns outros caras estavam causando uma boa impressão no Havaí, mas um campeão mundial? Saído da Flórida? Nem pensar!

Eu continuava jogando beisebol-mirim e futebol americano, principalmente para me entrosar com meus amigos. Apesar de ser o maior garoto do jardim da infância, todos ficaram maiores do que eu no ensino fundamental. Nasci com uma estrutura troncuda e musculosa, mas era baixinho. Se eu não era o mais baixo da turma, era um dos mais baixos. No futebol americano, eu utilizava minha desvantagem vertical ao meu favor, jogando como defensor e freqüentemente mergulhando entre as pernas do centroavante adversário para derrubá-lo. Jogávamos contra garotos enormes das cidades vizinhas de Cocoa e Rockledge, cuja população era a oposta daquela de maioria branca de Cocoa Beach.

© Cortesia da Slater Family Wall of Shame.

**Deixa que Kelly resolve.
Seleção de Cocoa Beach.**

Meu pai era o técnico de minha equipe de beisebol-mirim, quando eu tinha oito anos, e não ganhamos um único jogo. Ele era um treinador bastante tolerante. Não tínhamos uma programação estabelecida, e ele nunca reclamava ou excluía alguém por não ter se esforçado. Minha altura excluía qualquer carreira além da categoria Mighty Mite (para meninos de até sete anos) da liga de futebol americano, mas a essa altura, já surfava todos os dias. Eu faltava aos treinos para ir à praia, e, às vezes, ele treinava o time sem a minha presença.

Fiquei praticando beisebol por mais alguns anos. Além dos muitos outros empregos que minha mãe tinha (que variavam de bombeiro, garçonete e enfermeira de primeiros-socorros a funcionária da Sundek, da Ron-Jon's, de um transatlântico, de uma companhia telefônica e de uma firma de engenharia), ela era juíza de beisebol-mirim. Era tão rígida quanto qualquer outro juiz, talvez ainda mais. Numa partida, Sean foi atingido no rosto por uma bola rebatida e acabou desmaiando. Minha mãe considerou que foi uma legítima jogada dupla e mandou o batedor ficar parado na segunda base, enquanto a mãe dele mandou que ele continuasse correndo. Ninguém podia ousar desobedecer minha mãe. Ela se voltou para essa mãe e disse: "Cale a sua maldita boca. Foi uma jogada dupla!". Nem é preciso dizer que a mulher não disse uma única palavra.

Quando estava na sexta série, o beisebol começou a me prejudicar. Os sábados eram difíceis, pois tinha de lidar com competições de surfe e de beisebol. Eu jogava na posição de interbase e, ocasionalmente, de arremessador, mas não tinha muito controle. Ninguém estava seguro comigo no monte do arremessador. Na primeira partida do ano, após lançar a primeira bola, a equipe adversária reclamou que estava rápida demais. Eu não os culpo; por causa de meus lançamentos errados, eles corriam risco de vida. Após uma discussão de quarenta minutos entre os treinadores, minha mãe me perguntou se já estava de saco cheio. Quando disse sim, ela falou: "Kelly, tire seu uniforme. Vamos para casa". Foi minha última partida.

Abandonar esportes coletivos foi legal; comparado ao surfe, todo o resto era tedioso. Talvez possamos dizer isso de outros esportes, mas o surfe é mais um estilo de vida e uma atitude. E a melhor parte é que eu não precisava depender de ninguém. Há indivíduos, como Michael Jordan, que realmente brilham num time, mas a *performance* de uma pessoa, independentemente de quanto ela seja espetacular, não necessariamente garantirá a vitória de toda a equipe. Mesmo algo que você faça individualmente, como tênis, envolve diretamente outra pessoa. No surfe, você não precisa se preocupar com outra coisa a não ser a onda. Você só pode culpar a si próprio se sua *performance* não for a melhor.

Meus pais sempre deixaram eu e meus irmãos escolhermos nossas atividades extracurriculares. Eles sempre apoiaram o nosso surfe, mas não berravam conosco na praia quando perdíamos. Eles sempre se certificavam de que chegaríamos às competições e que tínhamos pranchas e roupas de borracha; depois, saíam de cena e nos deixavam à vontade. Minha mãe ficava nervosa demais para assistir e tinha de ir embora, e meu pai ficava feliz só em ver que fazíamos algo que amávamos. Me incomoda ver os pais vivendo seus sonhos por meio dos filhos ou colocando pressão demais para eles serem bem-sucedidos. Eu me lembro de quando estava jogando futebol americano e ouvi uma mãe dizer ao seu filho: "Se você não marcar um gol, você não vai ganhar comida esta noite. É melhor nem voltar para casa".

Já vi isso acontecer no surfe também. Eu tinha um amigo na Califórnia, cujo pai ficou conhecido pelas broncas que dava nele diante de todos nas competições. Quando pegávamos onda apenas por diversão, seu pai o chamava e dizia: "Essas ondas são boas demais. Você precisa treinar em ondas ruins". Como as competições são programadas com muita antecedência e são tipicamente realizadas com ondas péssimas, seu pai achava que surfar em ondas boas não era a melhor preparação. O filho ressentia-se dele por isso, e aquilo tirou a sua alegria de surfar.

Os pais sempre vêm me perguntar: "Quanto dinheiro meu filho deveria estar ganhando? Como posso conseguir patrocínio para meu pequeno Johnny?". Eu os mando dar o fora. Se o garoto for bom o bastante, vencerá as competições certas e os patrocinadores aparecerão. Quando se tem quatorze anos, os dólares não importam; é mais importante ganhar experiência e gostar do que se faz. Quando se tem dezoito ou vinte anos e ainda não se consegue bons resultados, chegou a hora de procurar outra carreira.

Lar dividido

Em 1983, após três anos tentando manter a nossa família unida, nós finalmente desistimos. Sabíamos que meu pai não ia parar de beber, e isso estava criando um ambiente doentio. Meus irmãos e eu finalmente concordamos que tudo seria melhor se ele partisse. Um dia, após minha mãe expulsá-lo de casa, senti uma sensação de alívio. O clima em casa já parecia mais leve.

Apesar de algumas coisas terem ficado mais difíceis em certos aspectos, sabíamos que tinha sido a melhor decisão. Meu pai morava a poucas quadras de distância, bem na praia, próximo ao Islander Hut, portanto, nós o víamos com freqüência. Até eu fazer dezesseis anos, ele nos levava de carro para todas as competições de surfe do Estado. E, apesar de nunca ter faltado apoio emocional de meus pais, quando o assunto era surfe, financeiramente, a história era outra.

Nunca tivemos dinheiro de sobra, mas, depois que meu pai partiu, as coisas apertaram. Minha mãe fez muitos sacrifícios para colocar comida na mesa e manter um teto sobre nossas cabeças. Ela não podia pagar a hipoteca da casa, então, fomos forçados a passar de um condomínio de aluguel baixo a outro. Ela ia de um emprego a outro, mas nunca conseguia ganhar o suficiente para que sobrasse algo. Por fora, parecia que tudo estava ótimo; ninguém sabia que enfrentávamos problemas. Aliás, as amigas de minha mãe a procuravam para buscar apoio e conselhos, sem perceberem o estresse que ela suportava.

Não passamos fome, mas coisas como aquecimento e água quente no chuveiro eram uma loteria. Cocoa Beach não está localizada na região polar, mas, no inverno, pode fazer bastante frio. Tínhamos um aquecedor a óleo na sala, que ligava e desligava durante dez minutos. Sean e eu nos alternávamos diante dele para nos aquecer. Stephen era jovem demais para participar dessa divertida atividade e, na maioria das vezes, ficava com minha mãe. Quando desligava, esperávamos que esfriasse o bastante para não nos queimar e encostávamos nele para sentir seu calor. A cada manhã, antes da escola, repetíamos esse ciclo umas cinco ou seis vezes antes de tomarmos coragem o suficiente para entrar no chuveiro. Minha mãe armava o aquecedor de água somente em determinados momentos para economizar dinheiro. Às vezes, tínhamos água quente; às vezes, não. Rapidamente, descobri como ajustá-lo para que funcionasse sempre. Se pudéssemos usar nossas roupas de borracha e ficarmos limpos, teríamos tentado.

Chegando às revistas

Para um garoto de Cocoa Beach do início dos anos 1980, surfar era a coisa mais excitante que se podia imaginar. Ler revistas de surfe e sonhar com viagens de surfe, podendo pegar todo tipo de ondas diferentes e conhecer pessoas diferentes era uma aventura e tanto. Eu verificava os mapas meteorológicos e, quando sabia que as ondas estariam boas no dia seguinte, não conseguia dormir. Ficava acordado a noite toda, colocando

Com troféus e espingardas para o Sun News, *1983.*

parafina na prancha e me preparando para pegar onda ao amanhecer. O oceano era minha confiança líquida. Proporcionava-me uma zona de conforto, que me permitia sair de minha concha, e as pessoas começaram a notar isso.

Em 1983, o *Sun News*, um pequeno jornal local, escreveu uma história sobre mim, depois que eu ganhei o campeonato da Costa Leste. Eu tinha onze anos e ainda era tímido demais para falar sobre surfe; então, não foi fácil me entrevistar. O repórter não sabia nada sobre o esporte, mas na minha mente, todos surfavam. Eu respondi algumas de suas perguntas mais bobas, olhando para ele como se ele fosse um louco. Provavelmente, não foi sua melhor matéria. O fotógrafo me fez posar dentro de casa com meus troféus e, em seguida, no quintal, com minha prancha. Senti calafrios. Tinha orgulho de minhas conquistas, mas me sentia retraído quando davam atenção a elas. Quero dizer, por que alguém se importaria em ler algo sobre mim? Minha mãe sempre se preocupou para que eu não ficasse metido, dizendo-me para não me gabar ou agir de forma arrogante.

Depois, a *US Surf*, uma pequena revista de surfe da Flórida, usou-me num anúncio. Não tinha nada a ver com minhas habilidades; serviu mais para dizer: "Ei, assine *US Surf*, cobrimos de iniciantes bonitinhos a veteranos de praia!". Eu era o surfista mais baixinho que puderam encontrar.

Tiraram uma foto de mim, apontando para um velho surfista alto, chamado Wayne Coombs, que ficou famoso por esculpir *tikis* de madeira, que são pequenas estatuetas de deuses polinésios. Eu me lembro que, quando minha mãe me levou ao escritório da revista para ser fotografado, me senti muito emocionado porque ia sair na revista. Não me pagaram nada, mas acho que posso dizer que foi meu primeiro trabalho como modelo.

Minha primeira foto surfando foi publicada na *Waverider* mais tarde, naquele ano. Era preciso usar uma lente de aumento para ver minha foto. Não era maior do que um selo de correio, mas fiquei alucinado ao ver uma foto em que saí surfando numa revista dedicada ao meu esporte. Na mesma página, havia uma foto enorme de Todd Holland, outro garoto de Cocoa Beach, que veio a se tornar um grande rival para Sean e mim.

Tom Dugan foi quem me fotografou. Anos depois, quando perguntei por que, ele me disse que Matt Kechele se aproximou dele e disse: "Você deveria tirar fotos daquele garoto. Ele será o melhor". Tom disse que achou Matt um louco. Hoje, o surfe dá muita importância aos mais jovens; entretanto, naquele tempo, os surfistas de vinte anos eram os feras. Nem havia a Categoria Menehune na maioria das competições. Ele tirou três fotos de mim e entregou uma delas à revista local. Eu era uma novidade na época. Eles estavam mais interessados em meu irmão, Sean. Ele tinha quatorze anos e estava ganhando competições na altamente competitiva Categoria Meninos.

Seleção da Costa Leste

Meus únicos adversários na Flórida Central eram David Speir e Alex Cox, mas estavam ficando cansados de perder para mim. Nos eventos amadores, muitos de nós competíamos ao mesmo tempo, o que significava que havia poucas ondas para todo o mundo. Como éramos os únicos três Menehunes do evento, sempre surfávamos uns contra os outros. Antes de um evento em Sebastian, eles prepararam um plano para unir forças contra mim (apesar de David só ter me dito isso mais tarde naquele dia). Eles se revezavam, impedindo que eu pegasse ondas, enquanto o outro surfava, e como as ondas em Sebastian costumam quebrar sempre no mesmo local, foi fácil me manterem fora de ação. A estratégia deles funcionou durante os primeiros quinze minutos da final de vinte minutos; não consegui pegar nada. Nos últimos cinco minutos do evento, finalmente entendi o truque deles. Eu remei até o Segundo Pico, assim que, por mágica, as ondas pararam de quebrar onde estavam quebrando antes. Na Flórida, quando você surfa ao longo de uma praia reta, as ondas surgem em lugares aleatórios em vez de desmancharem de forma ordenada ao longo de um pico ou recife, e você aprende a caçar sua presa em vez de esperar que ela venha até você. Graças à orientação que recebi de Dick Catri em nossos treinos semanais, minha competitividade estava tomando forma.

A viagem a Hatteras era o ponto alto do meu ano. Eu estava ansioso para defender meu título da ESA. Como amador, era o maior objetivo que alguém pudesse almejar na Costa Leste, e as ondas eram melhores do que aquelas que eu encontrava em casa. Muitos garotos temiam o final do verão porque significava o fim da diversão. Para mim, setembro significava Hatteras.

Nem tudo era ótimas ondas e competição no campeonato da ESA. Além dos mosquitos devoradores de humanos, havia o temido *swirlie*. Dependendo de onde você se encontrava na cadeia alimentar, sempre havia um cara maior que colocava sua cabeça na privada e puxava a descarga. De alguma forma, eu consegui evitar esse ato hediondo, apelando para meu amigo de confiança e chorando como um bebê. Meu velho amigo Alex Cox recebeu sua parte de *swirlies* — e merecidamente diga-se de passagem —, mas eu berrava e chorava até eles me soltarem. Outro amigo meu de Cocoa Beach, David Glasser, deu um *swirlie* nele próprio uma vez, só para não ser forçado a fazê-lo.

Como mais e mais garotos começaram a competir e a participar da ESA, eu precisava ficar à frente da competição. David Speir, Danny Melhado e Alex Cox estavam me dando muito trabalho, e certamente não venci todas as baterias. Entretanto, minha dedicação e determinação foram o suficiente para me manter em vantagem, proporcionando-me o primeiro lugar em Hatteras todos os anos, de 1982 a 1987.

No início de 1984, a ESA montou uma seleção com os 22 melhores classificados em Hatteras. A seleção da ESA viajou junto e competiu contra a seleção do Oeste e outras equipes do Caribe. Um cara de aparência estranha, de Connecticut, chamado Colin "Doc" Couture, estava encarregado da Federação de Surfe dos Estados Unidos, da qual a ESA era uma afiliada. Ele estava acima do peso, tinha cabelo pegajoso marrom, e usava óculos de cdf, mas, de qualquer forma, dirigia a seleção da ESA.

Aprimorando minhas habilidades em ondas pequenas.

Como outros da equipe, tinha receio dele. Ele não era como qualquer um de nós e, provavelmente, nem sabia nadar.

Doc era uma pessoa muito generosa e constantemente ajudava os surfistas amadores sem querer reconhecimento pelos seus feitos. Não percebi a extensão de sua generosidade até bem mais tarde. Se eu não pudesse pagar para ir a um evento, ele dizia: "Deixe-me ver o que consigo e, depois, eu te conto". Ele ligava para meus patrocinadores, Sundek e O'Neill Roupas de Borracha, e conseguia arrecadar o suficiente para me levar aos lugares, às vezes, tirando dinheiro de seu próprio bolso. Antes de me dar conta, eu já estava no avião, indo participar das competições ao redor dos Estados Unidos. Exatamente um ano após o campeonato da ESA, ele fretou para mim um avião que partiu de Hatteras, só para que eu não perdesse nenhuma aula.

Infelizmente, não pude agradecer Doc por tudo o que ele fez por mim. No verão de 1986, eu estava na Califórnia quando ele sofreu um aneurisma e faleceu. Ele foi meu primeiro treinador de equipe e fez mais pelo meu início de carreira do que qualquer outra pessoa. A ESA ergueu o Doc Rock em sua homenagem, que é uma grande pedra que fica do lado de fora do Motel Hatteras, com uma placa, explicando algumas das muitas contribuições que fez para o surfe amador. Se você estiver na Outer Banks alguma vez, pare e visite a Doc Rock.

Viajante

**Poucas crianças aprendem
a falar em público aos doze anos.**

Aprendi cedo na vida que um peixe grande num lago pequeno fica entediado, estagnado e inchado. Ele nada em círculos, sem evoluir e cheira muito mal. Quanto mais eu aprendia sobre novos lugares, mais queria viajar. Filmes e revistas me mostravam o que havia lá fora. Em 1984, ganhamos um videocassete. Sean e eu pegávamos vídeos nas lojas de surfe locais e, repentinamente, imagens de ondas perfeitas e competições profissionais entraram na minha sala de estar. Já que as coisas tinham se acalmado na minha casa, eu me senti seguro para me aventurar além da fronteira de meu condado. O surfe era o caminho que eu havia escolhido, e eu não podia esperar para ver o que o mundo tinha a oferecer.

Toda a indústria do surfe norte-americano sempre ficou baseada no sul da Califórnia, e segundo as revistas de surfe dos anos 1980, os surfistas bem-sucedidos vinham de lugares próximos ao Oceano Pacífico, de terras mais distantes, como a Austrália, ou de qualquer lugar, menos do litoral leste. Os surfistas da Costa Leste não deveriam ser bem-sucedidos. Éramos estranhos, cidadãos de segunda classe, e a indústria colocou um teto de vidro sobre nossa extremidade do país. Tínhamos a mesma quantidade de surfistas e de lojas de surfe na Costa Leste, mas em termos de ondas, publicidade, patrocinadores e talento, parecia que o resto do país pensava que não tínhamos nada.

Bem-vindos à selva

Então, isso é surfe profissional, eu pensei ao pegar minha prancha, abaixei a cabeça e me preparei para atravessar a confusão de cerveja, ciclistas, bêbados, estudantes, brigas, polícia e garotas mostrando os seios das varandas dos hotéis. Era o auge do recesso de primavera no Holiday Inn, em Melbourne Beach, Flórida, e o único caminho para a praia era atravessar uma gigantesca festa que não tinha fim.

© Roger Scruggs Films.

Fazendo palhaçadas na praia, com Ken Bradshaw, Dick Catri e amigos.

69

O recesso de primavera provavelmente não era o melhor ambiente para um garoto de doze anos, mas o meu único foco era o surfe. A Sundek pagou minha inscrição na competição profissional, mas eu tinha de recusar qualquer premiação em dinheiro para manter meu *status* de amador. Eu não estava preparado para me profissionalizar, mas achei que uma competição profissional seria uma ótima experiência de aprendizado. E foi. Muitos nomes famosos compareceram. Por sorte, as ondas eram as típicas marolas da Flórida, na altura do joelho. Passei pelas triagens e tive de enfrentar um australiano chamado Mike Newling, na primeira rodada do evento principal. Ele era um cara grande, de uns 100 quilos. Eu estava acostumado com as competições amadoras, nas quais quatro ou seis pessoas competiam ao mesmo tempo; portanto, ser lançado homem a homem contra um gigante australiano me deixou à beira de um ataque de nervos, só para dizer o mínimo. Fiquei impressionado quando o derrotei. Se todas as competições fossem realizadas com ondas de um pé, eu poderia ter me profissionalizado imediatamente. Perdi a bateria seguinte, mas o fato de ter vencido um profissional, e não apenas um profissional qualquer, mas um australiano, mostrou que eu estava progredindo.

Pesadelo na Califórnia

Naquele verão, em 3 de julho de 1984, meu pai, Sean e eu saímos de Cocoa Beach e pousamos em Los Angeles, Califórnia, para que eu e os outros integrantes da seleção da ESA pudéssemos tentar a seletiva para a equipe norte-americana. Tínhamos esperança de representar nosso país no Campeonato Mundial Amador, que seria realizado na semana seguinte.

O primeiro Campeonato Mundial foi realizado em 1964. Desde então, todos os melhores surfistas da história da competição deixaram sua marca nesse evento, do australiano Nat Young, em 1966, aos californianos Rolf Aurness e Tom Curren, em 1970 e 1980, respectivamente. Quando o circuito mundial profissional conhecido como International Professional Surfing (IPS) nasceu, em meados dos anos 1970, o Campeonato Mundial passou a ser conhecido como o Campeonato Mundial Amador. Como amador, era preciso vencer esse evento antes de se tornar profissional. Era o sonho de todo jovem surfista e, como o evento só era realizado a cada dois anos, era muito importante. Esse evento foi perdendo a importância gradualmente devido às brigas políticas dentro da indústria do surfe em relação a quem teria o direito de escolher a equipe que representaria os Estados Unidos. Como a indústria não apóia o campeonato, atualmente os melhores surfistas não comparecem. Com esperança, um dia isso irá mudar.

A ESA cobriu as despesas de quarto durante a maior parte da viagem; sendo assim, tínhamos recursos para ficar algumas semanas na Califórnia. Eu estava amarradão, porque, até então, minha viagem mais longa tinha sido até a Carolina do Norte; portanto, eu me sentia como Balboa descobrindo o Pacífico. A Califórnia tem inúmeros picos de surfe: quebra-mares de pedra, píeres, *pointbreaks*, recifes e *beach breaks*, tudo o que se possa imaginar.

A ESA, a Western Surfing Association (WSA) e a National Scholastic Surfing Association (NSSA) ganharam vinte vagas cada na seletiva para a equipe. Nós éramos 22 na seleção da ESA e isso infelizmente significava que dois de nós não teríamos chance de competir. Tivemos dois dias para surfar antes da seletiva, e, baseado em como nós nos saíssemos, o técnico Bruce Walker escolheria quem seguiria em frente. Bruce é uma lenda nas comunidades do *skate* e do surfe. Sua companhia, Ocean Avenue, tem fabricado pranchas de surfe e *skates* na Flórida há mais de trinta anos e, desde os anos 1970, tem patrocinado e treinado alguns dos melhores skatistas e surfistas, entre os quais, o skatista de rua Rodney Muller e o surfista Matt Kechele. Era um grande treinador e todos respeitavam sua opinião.

No primeiro dia, as ondas eram as maiores que eu já havia visto. Surfamos em Salt Creek, um pico em Orange County, que banha o penhasco do Ritz-Carlton, em Dana Point. Todos os outros caras já tinham viajado mais e surfado em ondas maiores; então, para eles, as condições estavam perfeitas, mas, para mim, era assustador. Por acaso, tinha ouvido um de meus companheiros de equipe falar que as ondas eram muito mais poderosas na Califórnia do que na Flórida e isso não ajudou a minha confiança. Durante horas, fiquei sentado na praia, tentando criar coragem para entrar no mar. Quando finalmente consegui, tomei a precaução extra de usar dois estrepes para ter certeza de que não perderia a prancha.

Cheguei no *lineup*/área onde os surfistas esperam as ondas após a arrebentação e continuei remando, para não ser arrastado por uma onda maior. Aos poucos, fui me aproximando da praia para poder pegar uma onda. Vi um de meus companheiros surfando em uma onda bem atrás de mim, mas não me importei. Eu dropei na frente dele e segui em linha reta para a praia. Eu não teria cortado o caminho de alguém, especialmente não numa praia estrangeira, mas eu só queria sair de lá. A onda desmanchou, e eu não tinha a mínima intenção de ficar esperando por outra. Peguei uma onda pequena na espuma, desesperado para chegar à praia. Normalmente, pegar duas ondas me deixaria aborrecido, mas, naquele dia, foi mais do que o suficiente. Sentei na praia e não me levantei até a hora de partir.

No dia seguinte, surfamos a uma hora ao sul dali, em Oceanside, e as ondas também estavam grandes. Oceanside tem um quebra-mar longo, que proporciona uma forma boa às ondas, mas isso era a última coisa que me passava pela cabeça. Eu estava no módulo sobrevivência e voltei correndo para a praia após duas ondas. Dois dias de surfe na Califórnia e tudo o que eu tinha conseguido foi pegar quatro ondas no total.

Naquela noite, Bruce entregou a lista de surfistas da ESA que competiriam na seletiva. Ele não teve de pensar muito: Sean e eu estávamos fora. Bruce não sabia se as ondas voltariam a ficar grandes. Se ficassem, ele não podia se arriscar conosco, uma vez que Sean e eu tínhamos menos experiência em ondas grandes. Para compensar, ele nos ofereceu um prêmio de consolação, uma vaga na seletiva de *kneeboard*/prancha para pegar onda de joelhos. É o mesmo que colocar um garoto do lado direito do campo de beisebol, na esperança de que ninguém rebata a bola na sua direção. Desanimado como eu estava, fiquei ainda mais determinado a melhorar.

É claro que, no dia da seletiva, as ondas estavam com três pés e transparentes, perfeito para mim, mas eu estava preso na praia. Não me qualifiquei na competição de *kneeboard*, mas dei meu primeiro *barrel roll*/um giro dentro de um tubo. Girei na crista da onda e segui em frente. O problema foi que ninguém viu.

Uns vinte surfistas se classificaram para a seleção norte-americana, incluindo Todd Holland e Bill Johnson, de Cocoa Beach. Sean, meu pai e eu comparecemos todos os dias para assistir ao Campeonato Mundial e torcer para os norte-americanos. Ficamos impressionados com o nível do surfe. Gary Elkerton, um jovem australiano arrogante, era o favorito ao título mundial. Era apelidado de Kong e usava uma luva preta, como Michael Jackson (quando Michael Jackson ainda era maneiro). Todos achavam Elkerton um cara metido. No primeiro dia da competição, meu pai e eu estávamos comendo um saco de rosquinhas salgadas na praia e, quando olhei para cima, lá estava Kong. Eu quase engasguei. Ele olhou para mim e perguntou: "Cara, será que eu posso comer uma dessas rosquinhas?". Eu fiquei amarradão. Durante dias, contei aos meus amigos que Gary Elkerton havia me pedido uma rosquinha. Foi o ponto alto de minha viagem.

Durante os últimos dias na Califórnia, ficamos em Ventura com um amigo de meu pai. Surfamos num lugar chamado C Street, e foi a primeira vez que surfamos num *pointbreak*. Os *pointbreaks* oferecem ondas mais longas porque elas entram na enseada e afunilam perfeitamente em vez de fecharem de uma só vez. A diferença entre essa e a maioria das ondas da Costa Leste é como o dia e a noite.

Depois de passar duas semanas na Califórnia, chegou a hora de partir. Sean combinou de ficar mais uma semana com o amigo de meu pai; então, meu pai e eu fomos ao aeroporto juntos, mas subestimamos o trânsito e perdemos o vôo. No dia seguinte, fizemos a mesma coisa. Dirigimos até LAX/aeroporto de Los Angeles, perdemos nosso vôo e voltamos a Ventura. Meu pai não aprendeu a lição, porque, no terceiro dia, ficamos presos no trânsito novamente. Estávamos tão atrasados que meu pai estacionou o carro de aluguel na calçada e deixou as chaves no guichê da locadora. Corremos até o avião, mas quando chegamos ao portão, a porta estava fechada. Depois de três dias de vôos perdidos, meu pai não agüentou mais. Ele teve um ataque de nervos, do tipo que esperamos que nossas mães tenham. Ele se jogou no chão e começou a soluçar como um bebê. Foi a primeira vez que o vi chorar e fiquei aterrorizado. Lá estava eu, com doze anos, vendo meu pai tendo um ataque no aeroporto. Deve ter funcionado, porque o agente de bilhetes sentiu pena dele e nos colocou num avião.

Para completar a viagem, quando cheguei na Flórida, descobri que minhas pranchas não tinham sido embarcadas. Rapidamente, aprendi que viagens de surfe não são só diversão e esporte, mas estava feliz porque minha primeira viagem tinha chegado ao fim.

Um bilhete para viajar

Alguns meses depois, meu pai nos levou em uma competição de surfe em Jacksonville, Flórida, chamada Hart's Birthday Bash. Dave Hart era o dono de uma loja de surfe em Jacksonville e comemorava seu aniversário com uma grande festa todo ano. O vencedor de cada categoria competia numa superbateria, e o campeão geral ganhava uma passagem para o Havaí. As ondas estavam boas, em torno de três pés e lisas. Eu venci a categoria Menehune; portanto, era o surfista mais jovem da superbateria, e enfrentei caras como Bill Johnson. Ele tinha dezenove anos e era o melhor amador da Costa Leste. Eu tinha certeza de que não poderia ganhar, mas o segundo prêmio era um som estéreo novo; dessa forma, tinha algo a almejar.

Surfar contra competidores vitoriosos fazia com que eu me esforçasse mais, e, como não achava que pudesse vencer, não sentia nenhuma pressão. Surfava sem me importar com o mundo. Eu me lembro de pegar uma onda um pouco maior do que aquelas com as quais estava acostumado. Enquanto a onda quebrava, eu subia e dava um *off-the-lip*/batida. Quando pousei sem cair, senti que meu surfe tinha avançado para um outro nível. Venci a bateria e estava pronto para dançar o *hula-hula* a caminho do Havaí.

Bill foi à loucura porque perdeu a bateria. Meu pai sentiu tanta pena dele que prometeu fazer de tudo para conseguir o dinheiro para que Bill fosse ao Havaí. Minha mãe disse: "Que diabos está acontecendo com você, Steve?". Não tínhamos dinheiro para mandar Sean ao Havaí, mas meu pai insistia que Bill merecia ir. Ele queria dar festas para arrecadar fundos para Bill, mas as pessoas olhavam para ele como se fosse louco. Eu fiquei pensando: "E eu?". Não conseguia acreditar que meu pai estava tão preocupado com o Bill, e fiquei um pouco magoado por não ter tomado o meu partido.

Derrotar Bill e ganhar a passagem foi um pouco demais para eu agüentar e comecei a berrar incontrolavelmente: "Vou ao Havaí i-ii-ii". Sabia que o North Shore era o epicentro do surfe e fiquei extasiado com a idéia de estar lá. Era assustador e excitante e me dava a sensação de estar seguindo em direção ao desconhecido.

Todo pico de surfe tem seu nome. Alguns são classificados pelo nome da praia onde as ondas quebram, mas outros, como Pipeline, recebem títulos que descrevem o tipo de onda. Pipeline fica no North Shore de Oahu, e é o foco principal do surfe havaiano. Repleto de perigosas cavernas submarinas, o recife já matou mais surfistas do que qualquer outro pico. Sean e eu tínhamos um pôster de Pipeline pendurado na parede, e passei anos olhando fixamente para ele. A foto tinha sido tirada num dia perfeito, com ondas enormes e apenas quatro surfistas na água. No primeiro plano, havia um surfista nadando em direção à sua prancha. Ele não tinha estrepe, e uma grande onda azul estava prestes a esmagá-lo. Eu pensava comigo mesmo que não podia ser tão grande todos os dias, podia? Quando uma marola de quatro pés da Flórida te deixa assustado, é difícil conceber surfar em Pipe. Viajar ao Havaí dava a sensação de estar saltando da borda do mundo. Mas eu sabia que, se eu quisesse ser realmente bom, tinha de ir.

Quando terminaram as aulas na Thoedore Roosevelt Middle School para o recesso de Natal, arrumei minhas pranchas 4'9" e 5'1" e me preparei para passar duas semanas nas ilhas. Não só estava rumando em direção ao desconhecido como estava deixando para trás a minha namorada. Na noite antes de partir, uma garota chamada Kathy ligou e disse que estava vindo à minha casa para me entregar um presente de Natal. Eu estava louco por ela, mas tentei fingir que não era algo importante na frente dos meus familiares. Não me recordo do presente, mas ela me deu meu primeiro beijo. Corri até Sean e me gabei: "Eu a beijei bem na frente do papai. Que tal?". Como ele era mais velho, não achou grande coisa.

Havaí

Na noite de 17 de dezembro de 1984, Sean e eu chegamos a Honolulu. Matt Kechele, que também competia pela Sundek, e tinha se tornado o nosso *shaper* de pranchas e mentor, convenceu a companhia a cobrir as despesas de Sean, assim, eu não teria de viajar sozinho. Matt não era pago para nos ajudar, mas viu que tínhamos potencial e fez de tudo para desenvolvê-lo. Ele já estava no Havaí e nos buscou no aeropor-

© Cortesia da Slater Family Family Wall of Shame.

Um típico garoto da Flórida dos anos 1980 – cabelo oxigenado, pele bronzeada e um calção havaiano estampado da Sundek.

to. Dirigimos até o North Shore para ficar com ele num quarto alugado no Mark Foo's Backpacker's Lodge, uma pousada. Mark era original da Costa Leste e um famoso surfista de ondas grandes. Ele construiu sua pousada perto de Waimea Bay, onde milhares de surfistas e visitantes se hospedaram no decorrer dos anos. Infelizmente, em 1994, ele se afogou num pico de ondas grandes no norte da Califórnia, chamado Maverick's.

No início daquela tarde, Joey Buran, o garoto da Califórnia, tinha se tornado o primeiro californiano a vencer o Pipe Masters. Até aquele dia, tinha sido vencido apenas por havaianos, australianos, sul-africanos e até por um floridiano, Jeff Crawford. Assim que acordamos na manhã seguinte, fomos dar uma olhada em Pipeline. Joey estava subindo a passarela e parou para cumprimentar Matt. Era o nosso primeiro dia no Havaí, e lá estava o campeão do Pipeline Masters conversando com a gente. Era bom demais para ser verdade.

Durante uma hora e tanto, ficamos sentados, observando as ondas, que estavam com o tamanho duas ou três vezes acima de nossas cabeças, muito maior do qualquer coisa que eu teria coragem de pegar naquela época. Vi um cara desaparecer completamente dentro de um tubo em Backdoor, a onda do lado oposto de Pipeline. Eu pensei: "Por que aquele cara está dropando para a direita em Pipeline?". As ondas são descritas como sendo de "direita" ou de "esquerda", dependendo da direção em que elas quebram, vistas de uma posição na praia, olhando-se para a arrebentação. Nas revistas, todos iam para a esquerda em Pipe, porque era mais fotogênico. Eu pouco sabia que a direita viria a se tornar a minha onda favorita e que proporcionaria o cenário de muitas de minhas vitórias.

O pico seguinte, depois de Backdoor, era um lugar chamado Off the Wall, e estávamos andando pela trilha quando vimos Tom Curren dentro d'água. Ele estava a caminho de se tornar o surfista norte-americano mais popular da história, depois que pôs fim a uma era de domínio australiano ao conquistar três títulos mundiais. Ficamos pasmos ao ver Tom dropar e dar uma batida inacreditável no topo da onda, dando um tapa na água com sua prancha, enquanto aterrissava na base da onda. Uma foto desta onda saiu na revista *Surfer* naquele inverno, e a pendurei na parede da minha casa. Todos que entravam no meu quarto tinham de ouvir como eu tinha visto aquela manobra e ouvido ela da praia.

Por sorte, havia lugares no Havaí que não me davam medo de entrar no mar remando. Em muitos picos, existem canais fundos, por onde é possível chegar até o *lineup* sem ser atingido por uma onda. Há ondas

Em Rocky Point, no North Shore, com Charlie Kuhn, Matt Kechele e Alex Cox.

enormes quebrando em uma certa área, e, bem ao lado, o oceano parece um lago. Somente quando eu cheguei no *lineup* foi que eu me dei conta que tinha ido além de minha capacidade.

Minha primeira sessão foi num lugar chamado Chun's Reef que é bastante calmo para os padrões do North Shore. Matt percebeu que eu estava com medo e me aconselhou a não atravessar o recife remando para voltar à praia. Ele me disse para contorná-lo, mas estava amedrontado demais para dar ouvidos a ele. Remei reto em direção à praia, e fui arrastado sobre o coral por uma onda. Fora alguns arranhões nos nós dos dedos, eu estava bem fisicamente. Foi o meu primeiro dia no Havaí, e a única coisa que tinha conseguido provar era a minha covardia.

Não esperava me aventurar em Pipe, mas queria surfar lá, mesmo se estivesse pequeno, só para poder dizer aos meus amigos: "É, eu surfei em Pipe". Um dia, Sean e eu estávamos no Ehukai Beach Park, um banco de areia tranqüilo na praia, quando decidi remar até Pipe. As ondas não estavam maiores do que eu, e consegui pegar algumas ondas curtas com um outro cara que estava lá fora. Na Flórida, ficaríamos fora de controle com aquelas ondas, mas para o Havaí, era considerado *flat*/ mar liso, sem ondas.

Lá estava eu, pensando: "Estou surfando em Pipeline. Não é tão difícil assim". Então, repentinamente, lá estava eu, olhando para o que parecia uma grande montanha azul prestes a quebrar em cima de mim. A onda tinha poucos pés a mais do que eu, mas parecia com aquela que estava no pôster na minha parede. Ela explodiu bem na minha frente, me pegou e me revirou como se eu fosse um boneco de pano. Bati no recife e fiquei tão assustado que voltei remando para Ehukai o mais rápido que meus braços curtos conseguiram remar. Não me machuquei, mas fiquei longe de Pipe durante o resto da viagem.

Após uma semana no North Shore, Sean e eu nos preparamos para partir para o lado oeste de Oahu, no dia de Natal. Mas, antes, tínhamos de acertar nossas contas com Mark Foo. A diária custava cinco dólares por pessoa: Sean e eu tínhamos uma conta de 70 dólares. Achávamos que a Sundek cobriria as despesas de acomodação, e nós não tínhamos 70 dólares. Matt também tinha um orçamento apertado e não podia gastar nada, por isso passamos a noite de Natal ouvindo Mark e sua namorada discutindo sobre quanto eles deveriam nos cobrar. Ela queria nos deixar ir embora sem problemas, mas Mark dizia: "Porra nenhuma! São negócios!". Estávamos no quarto ao lado e ouvimos tudo. Eu me senti mal ao perceber como Mark estava furioso. Acabamos pagando, juntos, 2,50 dólares por noite, portanto, a conta saiu 16,50 dólares pela semana. Não se encontram diárias como essa no North Shore hoje em dia.

Campeão norte-americano

Passamos a segunda semana no Havaí em Makaha, competindo no Campeonato Norte-americano de Surfe Amador. Tudo o que sabia sobre Makaha era que lá Greg Noll supostamente tinha pego a maior onda da história em 1969. Cada manhã, eu cruzava os dedos ao contornar a última curva, rezando para as ondas não estarem gigantes. Graças a Deus, alguém me ouviu.

Sean e eu ficamos na casa de alguns amigos, Shawn e Tony, que haviam se mudado da Flórida para Oahu com suas famílias. Eles viviam perto da base aérea naval Barbers Point, a poucas milhas ao sul da competição.

Makaha era um lugar assustador para um garoto de doze anos do continente. Há muita pobreza por lá, e alguns moradores locais não eram gentis com os visitantes. Um dia, durante uma competição, Sean e um amigo foram caminhar nas montanhas próximas. Um garoto local me contou que havia uma enorme plantação de maconha onde Sean estava caminhando e, se o dono o pegasse, ele estaria em sérios apuros. Eu estava convencido de que meu irmão ia ser morto, portanto, não consegui me concentrar na minha competição. Felizmente, nada aconteceu a Sean.

As ondas em Makaha não davam medo, mas a competição em si era intimidadora. Lá estavam os melhores surfistas do país, e todos estavam arrepiando. Matt Archbold, um garoto de San Clemente, Califórnia, realmente se sobressaiu. Ele surfava mais rápido e radicalmente do que qualquer outro. Os demais batiam no *lip* e voltavam, mas ele já estava atravessando o *lip* e voando no ar. Felizmente, ele é alguns anos mais velho do que eu e competia numa outra categoria.

Surpreendentemente, avancei algumas baterias e me encontrei na final. Não sabia quem era Shane Dorian, Keoni Watson ou qualquer outro Menehune que teria de enfrentar, mas como eram do Havaí, achava que eram bons. Quando terminou a final, eu me senti confiante, mas não achava que tinha pego ondas o suficiente para vencer. Os juízes contaram nossas quatro melhores ondas nas primeiras rodadas, mas na final, seriam consideradas as cinco melhores, que podem ser difíceis de pegar em vinte minutos. Eu havia pego cinco ondas no total. Teria me contentado com o terceiro lugar, mas quando anunciaram os resultados, só sobraram um garoto chamado Keone Gouveia e eu. O locutor, tentando fazer graça, disse: "Em segundo lugar, o nome começa com a letra 'K'.", então, comecei a subir para pegar meu troféu. Quando ele falou o nome Keone, parei no ato. Eu era o campeão norte-americano dos Menehunes. Achei que haviam cometido um erro. Ninguém sabia quem eu era. Não deveria ter vencido.

Os organizadores do evento realizariam uma superbateria, na qual os vencedores de cada categoria competiriam. Eu rezei para que decidissem não realizá-la. Teria de competir contra Matt Archbold e um bando de surfistas famosos, e eles me trucidariam. Felizmente, eles a cancelaram. Fiz muitas amizades em Makaha, que continuam desde então: Shane Dorian, Keoni Watson, Matt Archbold, Sunny Garcia, Matty Liu, Brock Little, Todd Chesser, Ronald Hill e sua família e muitos outros. Eu era bastante tímido, mas todos vieram falar comigo. Ao final de minha estada, já me sentia confortável na presença deles.

Após duas semanas no paraíso, chegava a hora de voltar à realidade. As aulas iam começar, e eu queria ver Kathy para dar prosseguimento à minha vida amorosa. Quando cheguei em casa, ela havia decidido que não queria continuar sendo minha namorada. Ela havia entrado em outra e, de uma certa forma, eu também.

Fugindo da falta de ondas

Conquistar o título norte-americano aumentou minha determinação para melhorar; então, voltei do Havaí para a Flórida com a intenção de não fazer outra coisa a não ser surfar. No entanto, na Flórida, isso é impossível. Podemos ficar inúmeras semanas sem ver uma onda surfável; portanto, precisamos improvisar. Meu melhor amigo, Johnny Ross, tinha um barco, e costumávamos passear pelo Banana River, rebocando um ao outro em cima de nossas pranchas ou *hydroslides*, que eram basicamente *kneeboards*/pranchas para pegar onda de joelhos. Dávamos batidas na esteira do barco e ainda saltávamos no ar. Ocasionalmente, mergulhávamos de frente a toda velocidade, quase quebrando nossos pescoços, mas era divertido. Era a melhor coisa depois do surfe.

Estávamos tão envolvidos nisso que decidimos fazer as nossas próprias pranchas. Eu queria fazer uma mais curta e mais fácil de manobrar do que as que já tínhamos; sendo assim, ajoelhei-me em cima de uma folha de papel e tracei o contorno dela ao redor de minhas pernas. Usei isso como um projeto para minha nova prancha e levei-o à escola no dia seguinte para mostrar para todo o mundo. Johnny, alguns amigos e eu compramos um bloco de espuma igual àqueles usados para fazer pranchas de surfe e pegamos todas as ferramentas que encontramos pela frente: pregos, lixas e serrotes. Usamos os pregos para lascar a espuma, jogamos tinta sobre ela e a levamos para a fábrica de pranchas Quiet Flight para fazer a laminação.

No primeiro dia em que testamos a prancha, eu estava rebocando Johnny ao redor de uma ilha no canal. Não sei se existe uma idade legal para pilotar um barco, mas eu provavelmente não tinha chegado lá ainda. Minha idéia era fazê-lo contornar a curva para que pudesse lançar água nas árvores; portanto, me aproximei da ilha e virei com muita força. Joguei água nas árvores com a esteira de meu barco, e quando olhei para ver como estava Johnny, ele tinha desaparecido. Eu havia virado rápido demais, e ele perdeu o controle e foi voando para dentro dos arbustos perto do litoral. Ele surgiu com cortes por toda parte e não quis mais andar. Isso significava que a minha vez duraria o resto do dia, e eu achei ótimo.

Quando nosso irmão menor, Stephen, tinha sete anos, Sean e eu pedimos a Matt Kechele para fazer uma prancha pequena de 4'7" para ele. Sean e eu levamos Stephen para Sebastian e o empurramos numa pequena onda perfeita no Primeiro Pico. Ele vacou e não sabia qual lado ficava para cima. Ele surgiu chorando, foi à praia e não surfou durante

anos. Queríamos muito que ele apren-
desse a surfar e acho que foi por isso que
ele não quis. Às vezes, eu oferecia 20
dólares para ele remar comigo, mas ele
se recusava. Ele preferia nadar e pescar.
Ele costumava sair no barco de alguns
amigos no Banana River para explorar as
pequenas ilhas ao longo do rio. Na praia,
passava o tempo brincando nas dunas.

Portanto, os únicos Slater competindo em eventos eram Sean e eu. Durante
o Festival de Surfe de Páscoa, em Cocoa
Beach, que é um evento Pro-Am, Matt
veio até nós e disse: "Ei, Kelly e Sean,
venham até o carro comigo. Tenho algo
para vocês". A caminho do carro, ele
ficou elogiando sua arma secreta e como
teria uma vantagem na competição. Na
metade do caminho, fiquei desconfiado
e com medo que ele tentasse nos oferecer drogas. "Espere um minuto!", eu

**Outro momento constrangedor
diante dos holofotes.**

disse. "Isso não fará mal a você, certo?" Ele nos assegurou que estava
tudo bem e entramos em sua caminhonete para descobrir qual era seu
segredo. Era um pequeno tanque de oxigênio.

Ele explicou que nenhum dos profissionais sabia sobre aquilo e que
poderia levá-lo para qualquer lugar. O tanque tinha um pequeno tubo
ligado a uma máscara, e nós nos revezamos, respirando nele por alguns
minutos. Matt disse que era o melhor investimento que já tinha feito, e
a chave para ficar mais energizado durante as baterias. Ele não possui
um desses hoje em dia, mas jura que teve um. Eu venci a competição,
mas não acho que tenha sido por causa do oxigênio. Nunca mais o usei
e me saí bem.

Naquele ano, a Sundek usou Sean e eu em anúncios nas principais
revistas de surfe, o que nos proporcionou nossa primeira exposição fora
da Costa Leste. Para nos fornecer algum tipo de receita, já que era ilegal
pagar salários a amadores, a Sundek apresentou modelos de pranchas

assinadas por Sean e Kelly Slater, que foram shapeadas por Tony Chanin, na Califórnia. Eu não gostava da aparência das pranchas e nunca surfei com elas, mas isso não impediu que outros garotos quisessem um modelo Kelly Slater. Independentemente da quantidade de pranchas vendidas, eu ganhava 105 dólares por semana. Sean ganhava 120 dólares; portanto, eu tinha um novo incentivo para me esforçar mais. Apesar de ganhar dinheiro, a idéia em si não me agradava. Antes de darmos conta, estávamos recebendo centenas de cartas de fãs do mundo todo. Fiquei impressionado quando uma chegou de um menino da Indonésia, endereçada apenas a Kelly Slater, Cocoa Beach, EUA. Não li todas elas. Tentei selecionar aquelas que continham fotos dentro delas, esperando que tinham sido enviadas por meninas bonitas.

A Sundek organizou sessões de autógrafos em *shoppings* por toda a Flórida, e Sean, que tinha acabado de fazer dezesseis anos, nos levava de carro até elas. Às vezes, estávamos tão no interior do Estado, fazendo promoções, que nos encontrávamos nas montanhas, a centenas de milhas do litoral mais próximo. Era algo muito além de nossa compreensão entender por que alguém desejava nos conhecer. Algumas pessoas nos reconheciam por causa das revistas, mas, para a maioria delas, éramos apenas dois garotos que distribuíam pôsteres de surfe de graça nos *shoppings*.

A companhia também nos mandou em viagens, na caminhonete da Matt, pela Costa Leste, da Flórida até Nova York, no verão de 1986. Conseguimos escapar da falta de ondas da Flórida por algumas semanas, parando em várias cidades para surfar e distribuir adesivos. Ao longo do caminho, Matt nos ensinava estratégias de bateria, *design* de pranchas e saúde. Era um grande motivador. Toda vez que eu pegava uma onda, ele gritava: "Vamos lá!" ou "*Big Air*"/manobra na qual o surfista decola da onda, saltando muito alto. Como ele competia no circuito mundial todos os anos, nos contava tudo o que os profissionais faziam e como aperfeiçoar nosso surfe. Toda vez que precisávamos dele, o chamávamos para nos aconselhar. Ele sempre estava lá para nos ajudar, cuidando de nossas carreiras como um irmão mais velho.

Graças à nossa excursão pela Costa Leste, aprendemos muito sobre viagens e como lidar com os fãs, e, como qualquer pessoa enfurnada numa caminhonete durante semanas, ocasionalmente batíamos de frente.

Eu não sei se foi porque a Sundek não estava dando a Matt um bom orçamento para as viagens, mas o fato é que passávamos quase todas as noites na caminhonete. Raramente tomávamos um banho: quase sempre apenas uma enxaguada ocasional com a mangueira no chalé em frente à praia, e sempre saíamos à procura de cafés da manhã promocionais de 99 centavos. O fato de termos apenas uma fita para ouvir durante toda a viagem também serviu para piorar as coisas. Devemos ter ouvido *She Blinded Me With Science*, de Thomas Dolby, mil vezes. Sean tinha um pavio mais curto do que eu, por isso, ele e Matt sempre discutiam. Sean gritava: "Deixe-me no próximo aeroporto. Vou voar para casa", mas acabava se acalmando.

Numa dessas viagens, quando chegamos a Long Island, planejamos acampar na praia, em Montauk. Enquanto surfávamos, conhecemos um cara que tinha uma pousada ali perto e nos ofereceu um quarto. Achamos que seria de graça. "É!", vibramos. "Uma cama!". Fomos na pousada do cara, e ele disse a Sean e eu que podíamos subir para o quarto para desfazer as malas. Enquanto isso, ele disse a Matt que custaria 75 dólares por noite. Sean já estava dormindo quando Matt apareceu e disse: "Vamos cair fora. Vamos pegar nossas coisas e partir". O dono se sentiu tão mal que decidiu não nos cobrar. Foi algo legal porque foi a primeira cama que Sean tinha visto em semanas e estava totalmente apagado.

Na volta para casa, decidimos passar alguns dias em Cape Hatteras, mas acabamos ficando quase duas semanas. Todas as manhãs, caminhávamos até a praia, dizendo: "Não é possível! Está bom de novo!". Em 3 de julho de 1986, num local chamado Frisco Pier, surfamos nas melhores ondas que eu já tinha visto na Costa Leste. Quando uma onda é poderosa e oca, a compressão faz a água sair como um jato no final do tubo, um fenômeno chamado *spit*/cuspe. Ser cuspido para fora de um tubo é o lance mais incrível no surfe, e consegui fazer isso algumas vezes naquele dia. Matt me viu saindo de um deles e foi à loucura. Ele gritou: "Deus, aquilo parecia o Havaí!", mas havia uma grande diferença: eu estava surfando em cima de areia e não de um recife, portanto, não tinha nada a temer.

Mas não estávamos lá apenas para surfar; tínhamos outro motivo para ficar tanto tempo em Cape Hatteras naquele verão. Matt estava paquerando a recepcionista, uma garota local bonita, e queria sair com ela. Ela saiu com ele algumas vezes, mas, uma noite, eu me lembro que ele voltou em pânico. Apagou as luzes, pulou na cama e nos mandou ficar em silêncio. Aparentemente, a garota tinha um namorado, um caipira grande e feroz, que ficou sabendo que Matt estava se aproximando da namorada dele. Durante toda a noite, pensamos que o cara bateria na nossa porta para nos matar. No dia seguinte, arrumamos nossas malas e seguimos para casa.

Uma pequena ameaça

Apesar de surfar em eventos profissionais de tempos em tempos, eu constantemente vencia campeonatos amadores ao longo de ambas as costas. Conquistei o título norte-americano de 1984 a 1987. No Festival de Surfe de Páscoa de 1986, Todd Holland e eu, apesar de sermos amadores, chegamos à final homem a homem do evento profissional. As ondas estavam na altura de nossas cabeças e perfeitas – foi provavelmente o melhor evento que já tínhamos visto. Vencer esse Festival significava ter o direito de se gabar em Cocoa Beach o resto do ano. Para mim, era tão importante quando o Op Pro, em Huntington Beach, Califórnia. As pessoas (embriagadas, é claro) se aglomeraram ao longo do Canaveral Pier, gritando para nós a plenos pulmões. Foi uma bateria equilibrada (eu inclusive achei que Todd tivesse vencido), mas conquistei minha primeira vitória profissional.

Depois disso, parece que os melhores profissionais locais passaram a me olhar de forma diferente, como se eu fosse uma ameaça e não apenas um garoto que surfava. Nunca senti hostilidade por parte deles, mas creio que se sentiam um pouco frustrados. Eu sei que, se um garoto com metade da minha idade me derrotasse em ondas boas, eu enlouqueceria. Eles ainda não me consideravam parte da elite do Primeiro Pico, então, fiquei determinado a provar que eu merecia o meu lugar no *lineup*.

Mais tarde naquele ano, em outro evento Pro-Am, o Excalibur Cup, em Sebastian, eu queria causar uma impressão duradoura. Todos os principais profissionais locais estavam lá, as ondas estavam perfeitas e na altura de nossas cabeças, quebrando ao longo do píer. Enfrentei Sean numas das primeiras baterias homem a homem e o derrotei. Foi difícil para mim, especialmente por ser adolescente, porque eu estava me saindo bem, mas as coisas não estavam tão boas para ele. No fundo, ele era o meu maior incentivador, mas nem sempre as coisas funcionavam assim. Passávamos grande parte de nosso tempo juntos, mas houve vezes em que ele me disse diretamente que me odiava. Ambos queríamos as mesmas coisas no surfe, mas eu é que estava saindo nas fotos das revistas e recebendo toda a atenção. Quanto melhor eu me saía, pior era para Sean, e isso começou a nos separar.

Na final, enfrentei Bill Johnson novamente. Naquela época, Bill já estava pegando ondas grandes. Eu havia visto fotografias dele surfando em Pipeline, quando estava grande; para mim, ele era como um deus. Ele tinha bem mais experiência em competições e me intimidou com sua agressividade. Não havia modo de manter o mesmo ritmo que ele na remada, mas consegui pegar ondas o suficiente para derrotá-lo. O primeiro prêmio foi uma espada verdadeira, feita por alguém da Inglaterra, que supostamente era o melhor fabricante de espadas do mundo. Na praia, a espada estava cravada numa rocha feita de espuma. Eu tinha de tirá-la de lá, como na lenda de Excalibur, mas não percebi o quanto era pesada e não consegui movê-la. Minha mente reproduziu a cena do filme *Excalibur*, na qual apenas uma única pessoa conseguiria retirar a espada da pedra. Por um breve instante, achei que era a pessoa errada, mas coloquei meu pé na rocha para conseguir mais força de alavanca e consegui retirá-la de lá. Tendo conseguido provar quem era, nunca mais tive problemas para surfar em Sebastian.

Naquela noite, Heather Thomas, do programa de TV dos anos 1980, *The Fall Guy*, foi à cerimônia de premiação. Ela era uma das loiras mais lindas de Hollywood, e estávamos ansiosos para vê-la. Ela estava dançando com as pessoas para ajudar uma obra de caridade, e um cara comprou uma dança com ela por eu ter vencido. Não me lembro qual era a instituição de caridade, mas fiquei muito envergonhado porque todos estavam olhando. Uma foto nossa dançando saiu na edição seguinte da revista *Surfing*, e as pessoas no meu colégio achavam que eu era algum tipo de celebridade.

Quanto mais competições vencia, mais percebia que precisava surfar em ondas maiores. Queria evitar o rótulo de surfista de ondas pequenas. Depois de fugir de Pipe com o rabo entre as pernas, eu não tinha a mínima pressa para voltar à arena do North Shore. Não havia necessidade de viajar seis mil milhas até o Havaí sem antes me formar na minha própria praia. Decidi encarar ondas maiores com tranqüilidade e no meu próprio ritmo.

Degraus

O Caribe não oferece o tamanho nem a força das ondas do North Shore, mas é um degrau a mais do que a Flórida. Desde minha viagem ao Havaí, em 1984, eu visitava Barbados no recesso da primavera, com Sean, Todd Holland e alguns outros amigos. Quando estava lá, surfei a maior onda de minha juventude (quase seis pés). Ondas maiores do que dois

Esses são Sean e eu (da esquerda para a direita), Walter Cerny, Todd Holland, Jay Bennett e Chuck Graham. Essa é nossa equipe, em Porto Rico, durante a Copa do Caribe, em 1987. Eu era tão pequeno...

pés eram tão estranhas para mim que eu não sabia o que fazer assim que ficasse em pé. Em todos os filmes de surfe que assisti, os caras não faziam qualquer manobra, porque pegar a onda até a praia já era excitante o suficiente. Para mim, essas ondas eram grandes; assim, adotei a posição de sobrevivência na prancha e lutei pela minha vida numa mera onda de seis pés. Para todos na água, devo ter parecido um tolo, descendo reto na parede de uma onda tão pequena. Os caras que estavam comigo faziam manobras na onda toda, como se fosse um parque de diversões.

Sean e eu passamos o Natal de 1985, em Rincon, Porto Rico, e ganhamos experiência em ondas maiores. Havia rochas virtualmente em quase todos os picos onde surfamos e fiquei estressado em pensar que, se eu perdesse minha prancha de forma acidental, ela seria destruída. Eu só tinha duas pranchas comigo; portanto, mais uma vez, pensei em usar dois estrepes, mas acabei decidindo não fazer isso. As ondas, três vezes maiores do que nós, em Rincon, estavam definitivamente além de minha capacidade. Não ataquei as ondas, mas não fugi delas também. Apenas desci nelas reto, torcendo para que não me achassem um bobo.

Fiz várias viagens a Porto Rico e Barbados quando era adolescente para competir nos eventos, e a Sundek ajudou nas despesas de viagem. Essas experiências foram o empurrão suave que eu precisava para me sentir mais confortável. Elas aumentaram minha experiência no surfe e me deram a sensação de tamanho e força, uma vez que ondas maiores se movem mais rapidamente e com maior força. O mais importante, depois de algumas viagens ao Caribe, foi que perdi o medo de surfar sobre um pedaço de recife.

Surfar nessas ilhas serviu de ótimo degrau, e Sean e eu tiramos vantagem disso durante quase todas as férias escolares. Perdemos alguns dias de aula de vez em quando, mas não era um grande problema porque sempre conseguimos nos recuperar.

Menino observador

O Circuito Mundial da Associação de Surfistas Profissionais, antiga Associação Internacional de Surfistas Profissionais, não realiza muitos eventos na Flórida. Ocasionalmente, um patrocinador arruma algum dinheiro para trazer os profissionais para a cidade, mas depois que viam como as ondas eram ruins, não costumavam retornar. Em 1984, quando eu tinha doze anos, o circuito veio a Singer Island, na Flórida, para um evento chamado Wave Wizards (mas não havia ondas, e num determinado momento, os patrocinadores da competição tiveram de alugar uma lancha para passar de um lado ao outro para tentar produzir uma marola). Eu estava excitado porque tive a chance de surfar com Tom Carroll quando não estava competindo. Ele olhou para minha prancha e me disse que não conseguia acreditar como era pequena. Ele falou comigo! Tom Carroll, meu herói e futuro campeão mundial, realmente gastou um pouco de seu tempo para dizer algo para mim. Foi um grande empurrão para meu ego, apesar de que, para ele, eu era apenas mais um garoto tonto. Sean e eu também assinamos nossa porção de autógrafos no Wave Wizards, mas, no ano seguinte, ficamos ansiosos para ver mais surfe profissional.

Em meados dos anos 1980, se quiséssemos ver os profissionais em ação, tínhamos de viajar para um lugar todo verão, a Califórnia. O Circuito Mundial fazia paradas anuais em Huntington Beach e Oceanside, na Califórnia, e Sean e eu íamos para lá todo ano para observar e aprender com os profissionais. Ficávamos em Huntington para podermos ir ao Op Pro, e conseguir carona para Oceanside, para ver o Stubbies Pro.

O público em Huntington era enorme, chegando facilmente a vinte mil pessoas. Ao longo do píer, ficavam amontoadas em até oito fileiras de profundidade. Poder ver os profissionais em pessoa era uma experiência mágica. Era como ir a outro tipo de evento esportivo qualquer, ao contrário de assisti-lo pela televisão. Mas como o surfe é tão menor que os demais esportes, você pode realmente sair a campo para dar uma olhada mais de perto, ou nesse caso, remar até o *lineup* para dar uma observada antes da competição. Eu retornava à Flórida e me gabava para todos meus amigos: "Eu estava lá. Eu vi Tom Curren fazer isso, eu ouvi Gary Elketon dizer isso".

O Stubbies Pro ficava lotado de meninos como nós, sem mencionar o grande número de fãs enlouquecidas, por isso a segurança era muito rígida. Meu amigo Matt Liu, do Havaí, conhecia alguns dos profissionais e os convenceu a pedir aos seguranças que nos deixassem entrar na área de competição. Uma vez lá dentro, eu reconhecia todos os caras pelas revistas. Eu estudava tudo: as pranchas, as roupas de borracha e o equipamento. Eles provavelmente me achavam um estranho, que queria roubar suas pranchas ou algo assim. Mas eu só queria ver o que acontecia nos bastidores da vida dos verdadeiros surfistas profissionais. Sean e eu não estávamos lá em busca de autógrafos. Naquela época, já éramos adolescentes e nos achávamos bons demais para isso.

Em 1986, Sean e eu sentimos o gosto do estrelato quando a Sundek nos mandou para uma exibição de surfe numa piscina de ondas, no Wavepark, USA, em New Braunsfels, no Texas, perto de San Antonio. As ondas, se é que podemos chamá-las assim, eram desprezíveis, mesmo para os padrões de Cocoa Beach, talvez chegando a altura de nossos joelhos e quase não quebravam. Não podíamos fazer muito mais do que ficar em pé e andar alguns metros antes de afundar. Poucas pessoas naquela parte do Texas tinham visto alguém surfar sobre uma prancha e, felizmente, não foi difícil causar uma boa impressão. Fomos tratados como astros de surfe. Porém, com ondas como aquelas, foi fácil entender por que o interior dos Estados Unidos não adotou o esporte.

Quase pronto para o mundo

Se meu progresso na seletiva para a equipe norte-americana, em Ventura, Califórnia, fosse indicador de algo, então o tempo gasto no Caribe e na Califórnia parecia ter valido a pena. Em 1986, dois anos depois de ter sido deixado de fora da seleção, não só me qualifiquei para a equipe como ganhei o evento. Eu estava indo para a Inglaterra representar meu país no Campeonato Mundial Amador.

Por outro lado, Sean não teve a mesma sorte. Numa batalha pela última vaga com Todd Holland, ele foi vítima de politicagem. Uma grande rivalidade estava se desenvolvendo entre a Eastern Surfing Associação (ESA), que Sean e eu apoiávamos, e a National Scholastic Surfing Association (NSSA), da qual Todd fazia parte. No final dos anos 1970, a NSSA foi criada na Costa Oeste, e as organizações continuamente brigavam pelos surfistas que representariam os Estados Unidos na Competição Mundial.

No último evento da seletiva, Sean estava em oitavo lugar na classificação geral, que o qualificaria para a equipe. Tudo seria decidido numa semifinal com seis competidores. Se Todd terminasse em primeiro ou segundo, ele eliminaria meu irmão na luta pela última vaga. Todos

A seleção norte-americana de 1986,
no Campeonato Mundial, em Newquay, Inglaterra.

os surfistas da bateria de vinte minutos, com exceção de Sean, eram
da NSSA e já tinham se classificado para o time ou não tinham mais
chance. Parecia que o diretor deles, Ian Cairns, os havia instruído a
deixar Todd vencer, porque todos voltaram depois de terem pego três
ondas em vez das quatro a que tinham direito. Isso abriu o caminho
para Todd na bateria e na equipe, enquanto Sean foi rebaixado para
uma vaga alternativa. Eu vi um dos caras sair cedo e corri até ele para
perguntar por que havia feito aquilo. Ele respondeu com uma ameaça,
dizendo que me bateria se eu me metesse onde não era chamado. Na
cerimônia de premiação, havia tanta tensão entre os surfistas e técnicos
da ESA e os surfistas e técnicos da NSSA que eu achava que uma briga
iria acontecer a qualquer momento. Não era culpa dos garotos, apenas
fizeram o que tinham sido mandados. Fui à Inglaterra sentindo raiva de
Todd e do resto da NSSA.

A Inglaterra é muito diferente dos picos tropicais de surfe. Não tinha
idéia de que havia ondas por lá, mas o esporte é surpreendentemente

forte. Em Newquay, onde estava sendo realizada a competição, existe um pequeno trecho de litoral com algumas ondas de temporal congelantes e tempo nublado. O surfe fica tão deslocado num ambiente tão digno de Velho Mundo que a comunidade de surfe tornou-se um grupo muito fechado. Não há muitos surfistas, mas todos se unem para ter voz ativa em relação à questão ambiental no âmbito governamental. Eles se esforçam muito para manter o oceano limpo e seguro.

Assim que a equipe norte-americana chegou a Newquay, o golpe dado por Ian acabou saindo pela culatra. Estávamos todos esperando as pranchas saírem do avião quando a de Todd caiu da esteira e foi esmagada em três pedaços pelo caminhão de bagagem. Ele teria de surfar com uma prancha reserva.

Não havia dinheiro o suficiente no esporte naquela época para nos acomodar num hotel barato; assim, todas as equipes foram colocadas num parque para *trailers*. Cada *trailer* era grande o bastante para quatro pessoas; Sean e eu ficamos com nosso amigo Chris Brown e seu pai, ambos da Califórnia. Era setembro, e não sabia que clima esperar. Eu havia levado poucas roupas quentes, e aquele era o lugar mais frio e mais tempestuoso que já tinha visitado. Dentro dos *trailers*, havia aquecedores operados com moedas. À noite, eu vestia cada peça de roupa que tinha, camisetas, suéteres, calça jeans e dois pares de meia, e o pai de Chris nos colocava na cama e inseria um punhado de moedas na fenda do aquecedor. Após uma hora, acabava o tempo e congelávamos o resto da noite.

Na Categoria Aberta do evento, avancei pelas primeiras rodadas e estava a caminho da final quando fui lesado pela parcialidade da equipe. Quando os surfistas terminam sua bateria, não podem ficar em pé na prancha para retornar à praia porque isso atrapalha os juízes que estão tentando julgar a bateria seguinte. Ao voltar à praia em uma de minhas baterias, eu estava de joelhos na prancha, o que é perfeitamente legal, quando caí da prancha. Um dos juízes, de outro país, me viu cair, achou que eu estivesse em pé e me desclassificou. Foi um roubo escancarado, mas eu ainda tinha chances de vencer a Categoria Júnior.

No último dia, as ondas estavam muito grandes. Aos quatorze anos, eu era o segundo garoto mais jovem da competição. O primeiro era Shane Dorian, que era alguns meses mais novo do que eu. Sua estatura era menor do que a minha, mas ele era destemido: ele rasgava as maiores ondas e arrebentava. Eu estava com medo e não conseguia me imaginar na minha melhor forma. Fiquei com medo de ser pego por uma série; então, fingi não conseguir remar tão longe. Fiquei próximo à praia e peguei ondas menores. Era um evento enorme, e pessoas do mundo todo estavam me vendo surfar pela primeira vez e certamente pensaram: "Cara, aquele garoto Slater é um maricas!".

Mais assustador do que as ondas era Nicky Wood, da Austrália. Ele era uma lenda de quinze anos, afilhado do tetracampeão mundial e surfista profissional Mark Richards, e já tinha derrotado alguns dos melhores surfistas do mundo. Na manhã de nossa bateria, Sean disse: "Acho que você vai derrotar Nicky hoje. Eu o vi num bar ontem à noite até duas da madrugada e ofereci algumas cervejas". Sean pode não ter conseguido a vaga para a equipe, mas tornou-se o jogador mais importante do time, pois manteve Nicky bebendo até tarde. Eu ganhei a semifinal, mas tive de enfrentá-lo novamente na final.

Naquela tarde, a maré entrou, e as ondas diminuíram o suficiente para que eu me divertisse. Eu teria de enfrentar Nicky, um havaiano chamado John Shimooka e um taitiano chamado Vetea David na final. Vetea era um cara de dezessete anos, apelidado "Poto". Ele não falava uma palavra de inglês, e ninguém fora do Taiti havia ouvido falar dele. Ele cresceu surfando em picos de recife perigosos e tinha arrepiado o evento todo. Poto dominou e Nicky terminou em segundo. Eu caí em duas ondas e fiquei em terceiro.

Por não ganhar o Campeonato Mundial, não me considerei um competidor bem-sucedido. Apesar de ter sido minha primeira tentativa, eu estava convencido de que vencer aquele evento seria o único modo de assegurar uma carreira profissional no surfe.

Uma lição de humildade no Havaí

Independentemente do que um surfista conquiste no restante do ano, ele não é respeitado de forma total se não desempenha um bom surfe no Havaí. Todos que surfam sabem disso. Depois de ficar um ano longe, voltei ao North Shore em 1986. Desde então, nunca mais perdi um inverno lá.

Naquele ano, e nos anos seguintes, Sean e eu ficamos com outro patrocinador da Sundek, Ken Bradshaw, um famoso surfista de ondas grandes, que cresceu jogando futebol americano no Texas. Ele aprendeu a surfar em Galveston quando estava no segundo grau e se apaixonou pelo esporte. Ele parou de estudar em 1969 e se mudou para a Califórnia para surfar. Em 1972, ele foi ao Havaí para pegar ondas grandes e lá permaneceu desde então. Ele foi um de meus mentores quando aprendi a surfar ondas grandes e levava seu trabalho muito a sério. Eu não tinha escolha a não ser melhorar. Caso contrário, teria de encontrar outro lugar para ficar.

A missão de Ken era fazer com que eu surfasse em Sunset Beach, um pico de onda grande popular, bem atrás de sua casa. A onda quebra a quatrocentos metros da praia e, quando você está lá, parece que o oceano inteiro se levanta a cada onda. Eu disse a ele que não estava pronto para Sunset; então, ele me disse: "Tudo bem, vou te levar para Little Sunset", que é um pico semi-secreto a algumas milhas dali. Como nunca tinha ouvido falar de Little Sunset, não podia discutir.

Quando chegamos nas ondas, estava tão cansado e assustado que queria voltar à praia. Ken não era um cara muito piedoso e me disse: "Quer voltar? Reme de volta, AGORA!". Havia uma série chegando no recife externo, mas ele não se importava. Remei direto para a zona de impacto, quando uma onda enorme preparou-se para me esmagar. A voz explosiva de Ken ordenou que eu olhasse para a praia e me segurasse. Quando a onda me atingiu, rodopiei duas vezes para frente e, de alguma forma, consegui segurar a prancha e ser arrastado até a praia. Eu havia escapado da morte, mas não da humilhação, porque, quando olhei para trás, todos estavam descendo as ondas com a mesma facilidade com a qual se desce uma encosta de esqui para iniciantes. Foi uma lição de humildade.

Apesar de não poder continuar ao lado de Ken, havia uma enorme quantidade de ondas pequenas e de qualidade ao longo do North Shore para ajudar a construir minha confiança sem ter de arriscar minha vida. Então, um dia, fui surfar com Adam Repogle, um amigo de Santa Cruz, na Califórnia, que tinha aproximadamente a minha idade e nível de experiência. As ondas em Sunset eram grandes; passamos direto por ela e fomos a um pico mais distante no litoral, chamado Velzyland, que combinava mais com nosso gosto. As ondas eram menores, mas o recife era afiado como navalha. Na minha última onda, tentei entrar no tubo e perdi o equilíbrio. Estiquei a mão na esperança de amaciar a queda e bati no recife. Um pequeno pedaço de coral ficou alojado na palma da minha mão. Não havia percebido que estava lá até algumas semanas depois, quando estava sentado na escola. O corte havia cicatrizado por

© Cortesia da Slater Family Wall of Shame.

Minha primeira vez na Austrália, 1987.

cima, quando, de repente, um pedaço de coral pulou para fora de minha mão. Mostrei-o para uma menina que estava sentada ao meu lado e expliquei a história, mas ela não ficou impressionada.

Fiz quinze anos no ano seguinte, e Ken finalmente me arrastou para o verdadeiro Sunset. Era um dia que hoje chamo "um divertido Sunset de seis pés", mas, na época, parecia mais com o Monte Everest. Fiquei observando do *lineup*, enquanto Ken, Sean e meu amigo Alex Cox pegavam cada um sua onda. Eles estavam remando de volta pelo canal, quando um pico perfeito veio na minha direção. Eu os ouvi berrando: "É, é, é... ahh!". Fiquei paralisado de tão nervoso e recuei. Ficaram desapontados comigo, mas não tanto quanto eu fiquei comigo mesmo. Eles remaram mais para fora e pegaram um monte de ondas, enquanto eu sentei no *inside*/zona antes da arrebentação, pegando algumas marolas, mas nenhuma tão boa quanto aquela que eu havia deixado passar. O tempo todo, eu remava para o canal para evitar ser esmagado por uma série. O que não percebi até anos depois foi que, na verdade, em Sunset, é mais perigoso pegar onda no *inside*. Lá, as ondas são mais poderosas devido à curvatura do recife, ao contrário das ondas mais distantes, que desmancham.

O fato de eu ter entrado em Sunset já tinha sido uma grande proeza, e eu estava com pressa de ultrapassar o limite. Competir e sobressair nas ondas grandes do Havaí era um objetivo a longo prazo. Em relação às competições, eu estava no topo da escada, mas como não me sentia confortável em ondas maiores, era como se estivesse no degrau mais baixo. Tinha de subir muitos degraus antes de chegar ao topo.

Naquele verão, ganhei minha primeira competição no exterior, o Pacific Cup de 1987, que era um passo na direção certa. O evento colocava, frente a frente, os melhores surfistas amadores dos Estados Unidos e os melhores amadores da Austrália e da Nova Zelândia. Eu havia visto os melhores amadores na Inglaterra, mas o nível do talento em cada praia na Austrália me deixou perplexo. Fomos a Duranbah, na Gold Coast, onde havia tubos perfeitos por toda a parte. O *lineup* estava lotado e havia um ótimo surfista em cada onda. Fiquei impressionado e intimidado, mas, de alguma forma, ganhei tanto a categoria Júnior quanto a Aberta naquele evento.

© Cortesia da Slater Family Wall of Shame.

Meu próprio cartão para troca.

Eu me senti o maior do mundo. Mas ainda não queria deixar de comer minhas três refeições diárias no McDonald's para arriscar experimentar os pratos prediletos locais, como bolinhos de carne e sanduíches de *Vegemite*/um extrato vegetal australiano, utilizado como tempero ou pasta, mas minha mente estava aberta para outras coisas. Jason Buttenshaw e Josh Palmateer, dois dos melhores jovens surfistas australianos da época, ofereceram-me cerveja e fiquei bêbado na praia pela primeira vez. A maioria dos adolescentes bebia, pelo menos ocasionalmente, e eu queria saber qual era a "onda" que dava. Após algumas cervejas, fiquei sentado com um sorriso bobo, olhando fixamente para as pessoas que passavam. Não era uma sensação que eu curtia, e evitei beber durante muitos anos depois.

Minuteman

Em setembro de 1987, estava voltando de um campeonato da ESA, em Cape Hatteras, com Sean e um amigo nosso, Brett Gardner. Eu tinha acabado de conquistar meu sexto título consecutivo da Costa Leste, mas esse assunto não chegava a ser tão excitante quanto ouvir os contos das façanhas sexuais de Sean e de Brett. De repente, percebi a única coisa que eu estava perdendo. Eu nunca tinha feito sexo e deixei escapar: "Cara, se não fizer sexo dentro de um ano, vou enlouquecer".

Felizmente, não tive de esperar muito. Vou preservar os nomes para proteger os inocentes, mas havia uma garota, vamos chamá-la Darla, com a qual estudei na escola, que estava namorando um amigo meu. Darla e eu nos beijamos numa festa uma noite, e ela me disse que queria ir à minha casa no dia seguinte. Avisei meu amigo Drew que ela estava vindo e ele me assegurou: "Vai acontecer, com certeza". Eu morria de medo de contatos íntimos, mas, agora, não havia saída.

No dia seguinte, bateram na porta da frente. Minha mãe estava no trabalho, e Sean não estava por perto; sendo assim, Stephen e eu estávamos no comando da casa. Ele estava num sofá, assistindo à televisão, e Darla e eu ficamos no outro. Ela subiu em cima de mim, e eu pensei: "Nossa, meu irmão não tem nem dez anos. Não posso fazer isso na frente dele". Levei-a até meu quarto. Quando as coisas estavam realmente começando a acontecer, a festa acabou. O apelido de nossa escola (cada escola norte-americana escolhe um símbolo ou animal que será usado como apelido para suas equipes) era *Minuteman* – um míssil balístico intercontinental norte-americano, com três estágios, impulsionado por motores de foguete –, e eu seria um cara de sorte se estivesse à altura dessa publicidade. Tive vergonha de minha *performance* veloz e tentei esconder as provas, balbuciando: "Não posso fazer isso. Preciso parar". Pensei ter dado uma de esperto, mas ao se vestir, ela colocou a mão sobre algo molhado ao lado da cama. "Eca!", ela gritou, confirmando que meu disfarce tinha sido descoberto. Não tinha conseguido expulsá-la de casa rápido o bastante.

Dois minutos depois, meu telefone tocou. "Rolou?", perguntou Drew. Tentei desconversar, mas ele sabia que eu estava mentindo: "Tudo bem. Eu conto tudo se você prometer não contar para ninguém". Eu dei a ele todos os detalhes e, na manhã seguinte, teria sido o mesmo que colocar um pôster no mural da escola. Todos ficaram sabendo que eu tinha transado, e deixei de ser o garoto tímido e inocente que era no dia anterior. Eu achava que tinha um conhecimento abrangente sobre o sexo feminino. Obviamente, não tinha.

Brincando com Texas

Assim que Tom Curren começou a perder o interesse por competições, depois de ter conquistado o seu segundo título mundial em 1987, a mídia do surfe norte-americana estava buscando novos talentos. Naquele mesmo ano, eu tinha vencido um evento profissional bastante importante (uma das paradas do Circuito Norte-americano da Associação de Surfe Profissional), realizado numa piscina de ondas, em Irvine, Califórnia. As ondas eram pequenas e fracas, e qualquer um pesando mais do que 54 quilos quase afundava para o fundo da piscina. Chris Brown e eu pesávamos juntos uns 81 quilos naquela época e ficamos com o primeiro e segundo lugar. Uma foto minha competindo saiu na capa da revista *Surfing*. Pintaram um *spray* extra saindo de minha prancha para parecer que eu estava andando mais rápido do que realmente estava. As revistas começaram a me chamar de futuro campeão do mundo. Como tinha ganho seis títulos da Costa Leste, quatro Campeonatos Norte-americanos, e dois títulos nacionais da NSSA, todas as atenções se voltaram para mim. Toda essa atenção e fé em mim eram legais, mas eu ainda tinha de provar que era capaz de chegar lá. Antes de pensar em me profissionalizar, tinha de vencer como amador no nível mais alto.

Com o Campeonato Mundial Amador de 1988 prestes a acontecer, ali estava a minha chance de mostrar a todos que eu podia ter um bom desempenho sob pressão. Como uma nova equipe é escolhida para representar os Estados Unidos a cada dois anos, tinha de me qualificar para a seleção novamente. Em novembro de 1987, as seletivas foram realizadas logo após o Campeonato Norte-americano, na South Padre

Island, no Texas. Aparentemente, nem tudo é grande no Texas, já que as ondas eram quase inexistentes.

Apesar de ter uma população de surfe sadia, o Texas não chega a ser um típico local de surfe. O único surfista que eu conhecia e que ainda vivia no Texas era Jay Bennett, que conseguia peidar durante um minuto sem parar. Ele ficava de quatro, sugava ar pelo traseiro, e mandava ver, anunciando cada um com um nome: "Aí vai o 'Demônio'!". Marcamos um de seus esforços com o tempo de 53 segundos, sua melhor marca. Não sei se todos os surfistas do Texas possuem a mesma habilidade, mas Jay sobressaía em público.

Por alguma razão que desconheço, naquele ano, a seleção norte--americana foi escolhida, combinando os resultados do Campeonato Norte-americano e os resultados de duas seletivas. Os vinte melhores surfistas estariam na equipe. Eu fiquei em desvantagem logo no início, porque os competidores das categorias Adulto e Júnior recebiam o dobro dos pontos que consegui na categoria Meninos. Os organizadores achavam que a competitividade não era muito forte entre a garotada, por isso não merecíamos muita coisa em caso de vitória.

Tive dificuldades para me acostumar a surfar no Texas. A água era mais fria do que aquela com a qual estava acostumado; então, tive de usar uma roupa de borracha completa, botas e um estrepe grosso preso à prancha. Eu não consegui me sair bem nas ondas pequenas com todos aqueles acessórios aumentando meu peso, e acabei perdendo numa das primeiras baterias da primeira seletiva. Para conseguir vaga na equipe, precisava chegar em primeiro ou segundo no último evento. Cheguei à final com seis competidores, mas, novamente, lá estava eu tendo de enfrentar um cara que não teria chances de derrotar, Chris Billy, da Califórnia. Ele era mais velho, mais forte e tinha a prancha perfeita para ondas tão pequenas. Na minha mente, eu estava lutando pela segunda colocação.

Dessa vez, não houve um final de conto de fadas. Surfei muito mal na bateria e terminei em quarto lugar, o que me valeu a vaga de segundo reserva da equipe. Eu seria chamado para juntar-me à equipe caso alguém não pudesse surfar, mas rejeitei o pedido. Eu era tão competitivo que não aceitava ficar no banco de reservas, apenas assistindo ao evento. Não suportava perder em qualquer coisa que tentasse, muito menos no surfe. Sentia que estava melhorando, mas não consegui a vaga para a equipe; logo, não conquistei o título mundial de 1988. Todos me consideravam o melhor amador dos Estados Unidos, mas, após o Texas, eu tinha sérias dúvidas.

Prodígio

Tentando me sentir à vontade diante de 20 mil pessoas, em Huntington Beach.

Dick Catri e Matt Kechele, meus primeiros mentores, disseram-me que tinha potencial para ir longe no surfe. Mas como calouro do primeiro ano do segundo grau, em 1988, eu media um metro e meio de altura, pesava 40 quilos, era um tampinha com uma voz estridente, estava a um ano de atingir a puberdade e não conseguia levantar meu próprio peso. Não é necessário dizer que não me sentia no mesmo nível dos melhores profissionais.

Durante meu segundo ano na escola, cresci quinze centímetros e comecei a falar e a surfar como um homem. Em março de 1989, fui a Barbados para um evento Pro-Am, no qual venci a categoria amador e cheguei em segundo no profissional. Havia muitos bons surfistas na competição, e as ondas tinham um bom tamanho. Mais importante do que minha classificação final foi a impressão que meu surfe deixou. Em vez de se sentirem ameaçados por mim, os surfistas locais mais velhos de minha área agora queriam investir na forma como eu atuava, como se eu fosse propriedade deles. Na cidade, meus amigos me diziam que haviam escutado dos profissionais que estavam na área que eu havia superado todos e que estava surfando como Tom Curren.

Naquele verão, a revista *Surfer* escreveu uma matéria de nove páginas a meu respeito, intitulada "A Sedução de Kelly Slater", na qual o escritor Matt George mais ou menos me aclamava como o próximo Tom Curren. Nos anos 1980, todo garoto queria surfar como Tom, mas nenhum mais do que eu. Ele havia estabelecido o padrão. Antes dele, nunca tinha surgido um profissional campeão do mundo saído da América do Norte. Ser comparado ao Tom foi a maior honra.

Depois disso, parei de visualizar o surfe como mera recreação. Comecei a perceber que poderia fazer carreira. Era a minha oportunidade de me garantir para o resto da vida, e não tinha intenção de estragar isso.

Ladrão de estilo

Surfar sem estilo é como música sem ritmo. Não flui. Nos anos 1970, as técnicas de surfe eram tão diversificadas quanto as personalidades. Havia os surfistas mais suaves, como Gerry Lopez e Michael Peterson, que fluíam com as ondas; caras radicais, como Buttons Kaluhiokalani e Larry Bartlemanm, que iam aonde suas mentes podiam levá-los, e estilistas, como Rabbit Bartholomew e Barry Kanaiaupuni, que surfavam com mais talento natural, concentrados no posicionamento do corpo. Era interessante ver as diferentes linhas desenhadas na mesma onda, como apreciar vários artistas representando a mesma cena.

Como todos os surfistas, meu estilo era o produto de meu meio e das pessoas que admirava. Por causa das ondas curtas e batidas, os surfistas da Costa Leste não tinham muita parede para manobrar e dependíamos de nossa velocidade. Tínhamos um estilo picado, cheio de manobras radicais. Os caras que admirava na Flórida, como Matt Kechele, John Holeman, Charlie Kuhn, Bill Hartley, Pat Mulhern e John

Oferecendo ajuda aos juízes para dar notas nas ondas do Taiti.

Futch, foram alguns dos primeiros surfistas a derrapar de rabeta, dar 360º e tentar *airs*/saltos para fora da onda. Era típico da Costa Leste. Eu cresci pulando por toda parte, tentando encaixar manobras em pequenos espaços da onda, e, logo cedo, meu estilo foi prejudicado em conseqüência disso.

Revistas, vídeos e viagens me apresentaram um mundo de estilos de surfe diferentes, e havia dois surfistas, cujos estilos me causaram maior impacto: Martin Potter e Tom Curren. Ver Martin Potter mandando um *aerial*/outro salto acima da crista da onda, explosivo na capa da revista *Surfing*, em 1984, quando eu tinha doze anos, mudou minha vida. Ele era um sul-africano com uma linda explosão verde-e-amarela pintada em suas pranchas. Ele não se segurava, mesmo durante as baterias, e perdia competições porque tentava manobras difíceis e caía. Eu respeitava isso. Eu me identificava com ele e, em breve, queria voar. Martin me disse uma vez: "Kelly, eu vejo muito de mim em você. Quando você vê um *lip*, você quer bater nele".

Tom surgiu na mesma época, e tinha a mistura ideal de fluidez, manobras radicais e estilo perfeito, aperfeiçoado nos longos *pointbreaks* da Califórnia. Todos queriam copiar suas manobras. Eu queria aliar a habilidade natural de Potter com a fluidez de Curren. Passei por uma fase na qual tentava imitar a pose tradicional de Tom em cada manobra. Ele fazia algo que, por nenhum motivo específico, fazia com que ele olhasse para trás após bater no *lip*, e muitas pessoas o copiaram. Parece bobagem hoje em dia, mas achei que estava arrebentando. Apesar de ser leal às raízes da Costa Leste, estava determinado a me livrar desse estereótipo. Mais tarde, descobri que tentar surfar de uma maneira que não era natural não era bom, mas pelo menos serviu para suavizar meu estilo.

A prancha que você usa também tem muito a ver com o modo como você surfa. Os *shapers* de diferentes partes do mundo tendem a se especializar em pranchas que funcionam bem onde eles vivem. As pranchas da Costa Leste são mais planas e largas para que possam gerar mais velocidade onde não há nenhuma, enquanto outras pranchas são mais encurvadas e estreitas para descer rápido numa onda mais íngreme. Deveria ser simples para um surfista patrocinado conseguir uma prancha nova, mas, para mim, foi uma dificuldade. A Sundek concordou em pagar minhas pranchas, Matt faria o *shape*, enquanto outra pessoa faria a laminação. Durante o verão de 1988, Al Merrick, da Channel Islands Surfboards, de Santa Bárbara, espalhou a notícia de que queria fazer minhas pranchas. Eu tinha testado as pranchas anteriormente, porque meu amigo Chris Brown as usava, e Chris e eu trocávamos de prancha, quando surfávamos nos picos de Santa Bárbara. Os picos lá são predominantemente *pointbreaks*, e as pranchas de Al eram perfeitas para aquelas ondas. Entendi que, se quisesse suavizar meu estilo, trocar de prancha seria um passo na direção certa. Al é um dos *shapers* mais respeitados, e assim agarrei a oportunidade.

Al convidou-me para ficar em sua casa, em Santa Bárbara, e nos entrosamos rapidamente. Sua esposa ficou impressionada com o fato de eu levar o lixo para fora da casa. Muitos surfistas tinham se hospedado em sua casa ao longo dos anos, mas fui o primeiro a voluntariamente ajudar nos afazeres domésticos. Até

Fazendo careta com meu surfista favorito, Tom Curren, e meu ser humano favorito, Al Merrick.

©Cortesia da Slater Family Wall of Shame.

esse momento, só tinha usado pranchas feitas na Flórida; sendo assim, me senti um pouco assustado e culpado por me separar de Matt após quatro anos para trabalhar com um *shaper* da Costa Oeste. Mas Al fazia as pranchas de Tom Curren, o melhor surfista do mundo, e era isso o que eu queria ser. Al e eu estamos juntos desde então.

No palco principal

Em 1989, eu já tinha participado de várias competições na frente de multidões, mas o Op Pro, em Huntington Beach, era um negócio à parte. A cada verão, algo em torno de vinte mil pessoas lotavam a praia e o píer para acompanhar o evento. Naquele ano, a Ocean Pacific convidou os melhores amadores da nação para competir numa categoria separada, junto com os profissionais. Foi chamado Op Junior, que colocou um bando de garotos nervosos diante do mundo do surfe pela primeira vez.

Na minha primeira bateria da competição, numa fria manhã de um dia de semana, meu pé saiu de trás da prancha e caí de pernas abertas. Eu era bastante flexível, e abrir as pernas até colocá-las na horizontal em terra é algo fácil, mas fazer o mesmo em cima da prancha numa onda foi uma história bem diferente. Parecia que tinha rasgado meu quadril ao meio. De fato, rompi um músculo no quadril, mas só confirmei isso doze anos depois, quando fui examinado por um médico.

Para a maioria dos atletas, flexibilidade é, no mínimo, tão importante quanto força, e tive a sorte de ter nascido flexível. Desde o momento em que machuquei o quadril, precisei usar a flexibilidade de minhas costas para compensar a contusão. Por causa disso, desenvolvi uma corcova na parte inferior do lado esquerdo de minhas costas, que fez com que meus amigos me apelidassem *Camelback*/costas de camelo. Minhas costas não se curvam bem para frente, mas Stephen e eu conseguimos nos curvar para trás o quanto desejarmos. Aliás, durante o Campeonato da ESA de 1983, em Cape Hatteras, Charlie Kuhn me viu dormindo com as costas arqueadas para trás, com meus pés quase tocando na minha nuca, como se estivesse fazendo uma ponte. Ele deve ter achado que eu era um saco de ossos quebrados, porque saiu correndo histericamente, gritando: "Kelly morreu! Kelly morreu!".

Rigidez não só é algo indesejável no surfe como aumenta as chances de contusão. Antes, eu nunca havia treinado nada além do surfe, mas romper um músculo despertou em mim a importância de manter o corpo em forma. Comecei a fazer aulas de ioga depois da contusão no quadril, o que me fez perceber que eu não era tão flexível quanto pensava.

No Op Junior, avancei para a final contra Rob Machado. Fechei os olhos e cantarolei em voz bem alta, mas não consegui fazer a multidão de fãs barulhentos desaparecer. Huntington tinha sido um segundo lar para mim, portanto, eu tinha uma pequena torcida. Rob, por outro lado, era da Califórnia; logo, 98 por cento da torcida estava a seu favor.

Devido ao fato de as revistas estarem me promovendo muito, os profissionais compareceram para ver se eu era capaz de me sair bem, e logo de início, acabei dando uma de bobo. No início dos anos 1980, o Op Pro introduziu a bóia de prioridade nas baterias homem a homem para evitar que os competidores brigassem por ondas enquanto remavam. A regra dizia que o primeiro surfista a remar até a bóia teria a primeira escolha de ondas, e, dali em diante, alternariam a vez. Mas havia um pequeno detalhe em relação à regra que eu não tinha escutado. Um surfista tinha de pegar uma onda antes de contornar a bóia remando. Até que isso aconteça, a prioridade não é concedida a nenhum dos dois surfistas. Então, basicamente, é cada um por si até que um pegue a primeira onda. A bateria começou, e eu contornei a bóia imediatamente, achando que tinha garantido a primeira prioridade. Olhei para o maçador acima da arquibancada, mas não havia indicação de prioridade para nenhum de nós dois. Fiquei furioso e levantei os braços para o céu para reclamar da incompetência dos juízes. Rob também não entendia muito, e assim não me senti tão idiota. Demos de ombros, deixamos espaço um para o outro e fomos trabalhar, pegando nossas ondas, sem interferir no caminho do outro. Consegui evitar outros constrangimentos, mas não surfei bem. Pelo menos, ganhei a competição.

Tempos corridos na Cocoa Beach High

Havia muitos surfistas em Cocoa Beach, mas, por algum motivo, não havia muitos na minha escola. No segundo ano do segundo grau, como capitão do Clube de Surfe, que Sean havia fundado alguns anos antes, eu estava encarregado de algumas poucas pessoas. Não havia surfistas o bastante para fazer uma roda, muito menos uma panelinha. Realizávamos reuniões semanais, quando eu estava na cidade, e, na maioria do tempo, ficávamos sentados, lendo revistas de surfe e, às vezes, assistíamos a vídeos. O clube eventualmente acabou por falta de interesse.

Eu me dava bem com todos na escola, e freqüentava diferentes grupos. Arrumei tempo para participar do clube de espanhol e de incentivo ao esporte e, no terceiro ano, joguei tênis. Mas minhas prioridades com o surfe e o sono não me deixavam muito tempo livre para atividades extracurriculares. Ficava acordado até tarde, assistindo ao *The Arsenio Hall Show*, acordava às 6h49 todas as manhãs, jogava água no meu rosto, pegava algo para comer na cozinha e corria para a aula antes do sinal tocar às 7h15.

Tive algumas namoradas sérias no segundo grau, mas não gostavam da idéia de ter de disputar minha atenção com o surfe. Com o tempo que eu gastava em viagens, era difícil manter um relacionamento.

Houve momentos em que quis mudar para o sistema de ensino em casa; assim, poderia surfar onde quisesse, ou ir para a Califórnia, onde poderia sair cedo para a aula de surfe, mas nunca pensei seriamente em largar os estudos para me profissionalizar. (Eu poderia ter feito isso se quisesse, porque foi antes de a ASP introduzir uma lei que estabelecia uma idade mínima de dezoito anos para profissionais que participassem do circuito.) Eu percebi, observando caras como Tom Carroll, que tinha quase trinta anos e ainda dominava em Pipe, que eu estava muito longe de meu auge. Entendi que tinha de esperar alguns anos antes de atingir meu ápice físico e mental.

A escola Cocoa Beach High me proporcionou a estabilidade necessária para me manter no rumo certo. Por ter de viajar para as competições, sempre tinha de trabalhar duro para acompanhar os estudos, mas sempre fiz questão de não ficar muito para trás. Como estava me saindo bem na escola e no meu esporte, o diretor foi bastante cooperativo. Os professores me ajudavam em aula, e, na maior parte do tempo, eu aprendia as coisas sozinho. Nos meus dois últimos anos de escola, não levei um único livro para casa. Terminava meus deveres na sala de leitura para não ter de me preocupar com eles à noite. Cheguei à conclusão de que se trabalhasse quando estava na escola e terminasse tudo o que eu tinha de fazer, não precisaria me preocupar com nada quando estava viajando.

Dinheiro

Há centenas de anos, o surfe era uma parte tão integral da vida no antigo Havaí que as pessoas apostavam suas casas, plantações e até suas esposas nos resultados de um encontro de surfe. Mas, na primeira metade do século 20, havia apenas competições de remo, valendo troféus e o direito de se gabar. As primeiras premiações, em dinheiro, em competições foram distribuídas nos anos 1960. Os melhores e mais negociáveis atletas, como os californianos Phil Edwards, Mickey Dora, Dewey Weber e Corky Caroll, além de Gary Popper e Mike Tabeling, da Costa Leste, recebiam um pequeno salário para colocar seus nomes numa prancha ou sair em anúncios de revistas, que aumentou gradualmente de algumas poucas centenas de dólares a dezenas de milhares de dólares ao ano. Um legítimo circuito profissional foi fundado somente em 1976 e, aos poucos, formou-se uma indústria para apoiá-lo. Mesmo assim, só nos anos 1980 um punhado de pessoas começou a ganhar a vida exclusivamente com o surfe.

Quando comecei a pensar numa carreira dentro do esporte, no final dos anos 1980, o surfe já havia se tornado um negócio lucrativo. Muitos caras estavam ganhando bem no circuito da Professional Surfing Association of America (PSAA), que foi criada por Joey Buran, em 1985, logo depois de ter vencido o Pipe Masters e abandonado o surfe profissional. Joey foi o primeiro californiano a deixar sua marca no circuito da ASP, e deu início à PSAA porque queria que jovens surfistas tivessem a oportunidade de ter sucesso domesticamente. Fora esses surfistas, havia muitos outros que ganhavam decentemente bem no Circuito Mundial. Mesmo sem vencer, conseguiam ganhar em torno de 20 mil dólares por ano, com as premiações das competições e os salários dos patrocinadores, o que era o bastante para comprar um carro ou pagar uma moradia. Como bônus extra, viajavam pelo mundo.

Dez mil dólares por vencer meu primeiro evento
no Circuito Mundial, o Rip Curl Pro, de 1992, na França.

© Cortesia da Slater Family Wall of Shame.

A explosão do surfe nos anos 1980 transformou-se num fracasso no início dos anos 1990, nos Estados Unidos. Com exceção das grandes companhias, todas as outras fecharam, e as revistas, que eram mantidas pelos anúncios, diminuíram à metade do tamanho que tinham alguns anos antes. Em 1989, a Sundek não estava fazendo muitos negócios e fechou. Minha mãe perdeu o emprego que tinha lá e saltava do seu trabalho como garçonete para o de limpeza de áreas de construção para ganhar o suficiente para dar um teto para Stephen e para mim. Durante aquele tempo, comecei a receber ofertas das maiores companhias. Parecia loucura pensar que eu, um garoto de dezessete anos, precisava de um empresário, mas ninguém na minha família entendia de dinheiro.

Eu conhecia Brian Taylor desde que ele nos viu num anúncio da Sundek três anos antes. Ele era um jovem empresário de talentos, que não tinha nenhum vínculo com a indústria do surfe. Percebendo a oportunidade, ele entrou em contato com minha mãe e perguntou se podia nos levar para jantar da próxima vez que estivéssemos em Huntington, na Califórnia. À época, suspeitei do que ele queria com um garoto de quatorze anos, mas para jantar de graça no Sizzler, valia a pena ouvi-lo. Não esperava nada além de uma refeição gratuita. Mas, em 1989, quando precisava de alguém para negociar um contrato para mim, minha mãe deu sinal verde a Bryan.

Ele negociou acordos para que eu vestisse roupas da Ocean Pacific e roupas de borracha da Rip Curl, e, só com isso, já estava ganhando um dinheiro razoável. Ambas eram companhias realmente estáveis e me fizeram as melhores ofertas na época. Eu ainda era amador, mas já ganhava pelo menos o mesmo que meus professores de escola. Comprei meu próprio carro, um Honda Civic novo, em dinheiro. Depois de ter economizado meu ordenado com a Sundek durante semanas para conseguir uma bicicleta nova, isso era ostentação.

Minha mãe tinha se sacrificado muito para que eu chegasse onde estava. Depois que saímos da casa na Aucile Drive, minha mãe, Sean, Stephen e eu mudamos de residência várias vezes em poucos anos. Apesar de ela ter se casado novamente, em 1987, com um mecânico de barcos, chamado Walker Rivers, não estávamos numa boa situação financeira. Precisávamos de uma base; então, comprei uma casa na Décima Terceira Rua, em Cocoa Beach. A casa era bem parecida com as demais casas da cidade, feitas de concreto com três quartos, construídas nos anos 1960. Estava supervalorizada, malconservada, e precisava ser reformada, algo que deu mais trabalho do que ela merecia.

Após comprar um carro e uma casa, o próximo passo era conseguir uma conta no banco. Como não tinha idade suficiente para abrir minha própria conta, minha mãe e eu abrimos uma conta conjunta. Eu depositei todas as premiações das competições e dei carta branca à minha mãe para movimentá-la. Meu sucesso tornou-se o sucesso da família. Tí-

Graças a Op, saí de um carro de praia enferrujado para um Honda Civic novo em folha.

nhamos vivido sem dinheiro durante tanto tempo que minha mãe usou a renda extra para melhorar as coisas para todos nós.

Procurando Tom Curren

Alguns meses após conseguir o patrocínio da Op, comecei a questionar a decisão. A Op sempre foi uma companhia enorme, que investia mais dinheiro na indústria do que qualquer outra. É claro que ela fazia isso para servir de instrumento para os não-surfistas, que superavam em número os verdadeiros surfistas em pelo menos cem por um. Eu não tinha nada em comum com a companhia, as pessoas que a dirigiam ou a visão que tinham. Minha vida inteira tinha sido o surfe, mas elas pareciam não fazer parte do esporte. Quando caminhei pelo depósito de mercadorias, escolhendo algumas roupas, encontrei apenas um calção que gostei. Era uma sensação horrível saber que podia escolher o que quisesse, e não gostar de nada. Meu acordo com eles era de um ano, e eles tinham Tom Curren: então, agüentei até o final.

Tom cresceu em Santa Bárbara, Califórnia, e representou a Op desde o momento em que se profissionalizou em 1982. Como era meu surfista predileto, um de meus objetivos na vida era conhecê-lo. Logo após assinar o contrato com a companhia, Tom me pegou em Huntington e me levou ao escritório da Op, que ficava a meia hora da costa, para conhecer os funcionários. Ele é um cara legal, mas não é o que podemos chamar sociável. Ao dirigir na auto-estrada, no nosso grande dia, ele não parecia estar prestando muita atenção na direção que estava tomando. Eu disse: "Olhe, se não sair dessa faixa, terá de virar aqui". Ele olhou para mim como se eu fosse um louco e disse: "Você acha que não sei dirigir, garoto?". Eu já estava nervoso, mas depois daquilo, rezei para o assento do carona me engolir por inteiro. A ansiedade não era nada parecida com qualquer outra coisa que já tinha vivenciado. Era como estar na companhia de uma garota da qual você gosta muito: você age como um pateta e só diz coisas erradas.

Como bônus pela minha contratação, a Op me mandou com Tom para a França por algumas semanas, logo após o Op Pro. Eu estava prestes a começar meu penúltimo ano de escola e, para mim, ou para qualquer surfista adolescente, eram a melhores férias possíveis na Europa. Tom vivia numa cidade chamada Biarritz, no litoral sudoeste da França, com sua esposa, Marie, e sua filha recém-nascida; portanto, era uma intrusão e tanto ter um garoto estranho dentro de casa.

Eu nunca tinha feito uma viagem internacional sozinho. Tom e eu estávamos em vôos diferentes, e deveríamos nos encontrar no aeroporto de Paris antes de voar até Biarritz. Após três horas de espera nesse aeroporto, tentando encontrar minha conexão sem sinal de Tom, segui em frente sem ele. Aterrissei em Biarritz sem ter a mínima idéia de onde ele morava. Biarritz é uma cidade romântica, com um bela arquitetura, uma região rural surpreendente e praias. Existe um cassino luxuoso na praia, e as ondas quebram bem na frente de prédios que têm mais de cem anos de idade. Os surfistas saem da água com suas roupas de borracha e ficam parados diante de um dos hotéis mais caros do mundo, onde pessoas vestidas com ternos e roupas caras entram em limusines com motorista.

Perdido no aeroporto, eu não falava uma palavra de francês, e não tinha o número de telefone da Marie ou qualquer dinheiro que não fosse alguns trocados. Troquei-os por francos e tentei ligar para casa. Stephen atendeu e disse: "Oh! Olá, Kelly, vou chamar a mamãe" — a ligação caiu. Fiquei sentado no aeroporto durante sete horas, até que o último vôo chegou de Paris. Tom achou que eu estivesse perdido e desceu do vôo aparentando estar terrivelmente estressado. Ele ficou aliviado e um pouco chateado ao me ver; sendo assim, não tivemos um bom começo de relacionamento.

Tom não se sentia à vontade para me deixar ficar em sua casa; portanto, hospedou-me num hotel do outro lado da rua. Após dois dias, ele me deixou dormir em seu sofá, mas não éramos grandes companheiros. Na verdade, fiquei mais amigo de sua esposa, Marie. Ela foi muito amigável e, como tinha viajado ao redor do mundo com Tom desde seus dezoito anos, foi solidária com meus sentimentos de estar num lugar estranho. Tom e eu surfamos apenas três vezes nas duas semanas que permaneci lá. O resto do tempo surfei sozinho, enquanto Tom saía para tocar música. Ou cuidava de sua filhinha para que ele pudesse surfar, enquanto Marie estivesse fora, trabalhando. Eu estava aprendendo com meu mestre, certamente. Aprendendo a trocar fraldas.

As ondas eram perfeitas nos *beach breaks* perto da casa de Tom, mas surfar com Tom era mais difícil do que falar com ele. Eu estava tendo dificuldades para me adaptar a uma nova prancha e me sentia como um verdadeiro principiante. Enquanto isso, Tom estava no melhor de sua forma e arrepiava. Quando entramos no carro, após a nossa primeira sessão juntos, ele disse: "Sabe, quando pegamos ondas diferentes, precisamos abordá-las de formas diferentes. Você precisa ler a curvatura da onda. Não se pode sempre dar o mesmo *off-the-lip*". Ele tinha razão, e aquele simples toque ainda permanece na minha cabeça. Mas, na época, fiquei tão constrangido que queria me esconder debaixo de uma pedra.

Num dos últimos dias de estada, as ondas estavam particularmente grandes, e fiquei sentado na praia com a família inteira de Marie, enquanto Tom surfava num forte pico perto da praia atrás de sua casa durante horas. As ondas estavam com uma altura duas vezes acima de nossas cabeças e quebrando pesado na areia. Ninguém mais pensou em entrar no mar, mas ao observá-lo, percebi que ainda tinha muito o que melhorar.

No dia em que parti da França, Tom estava competindo no Rip Curl Pro, em Hossegor. Quando ele me deixou no aeroporto, eu disse: "Vença essa!". E ele venceu. Eu senti como se eu tivesse mandado ele fazer aquilo.

O bobo do lar dos Hill

Armado com os segredos do santuário escondido do Super-Homem, voltei para casa para estudar alguns meses na escola antes de minha viagem anual ao North Shore. O conhecimento de Tom, combinado com alguns centímetros e quilos a mais, prepararam-me para continuar a me aventurar em ondas maiores. O único problema era que amigos meus, como Brock Little, Todd Chesser e Shane Dorian já estavam à minha frente.

Antes, quando os caras mais velhos tentaram me persuadir a surfar em ondas grandes, foi fácil resistir: eu sempre podia apelar para minha pouca idade, dizendo: "Ei, sou apenas um garoto!", mas, quando meus

Beach break na França, 1989.

companheiros passaram a fazer o mesmo, não tive mais desculpas. Quando estava no segundo grau, passei as férias de Natal na casa de meu amigo Ronald Hill, no infame lar dos Hill. Conheci Ronald, em 1984, durante minha primeira viagem ao Havaí, e meu círculo de amigos e eu nos hospedamos em sua casa no inverno. Seus pais, Cory e Senior, pareciam não se incomodar. O trato no lar dos Hill era assim: ninguém pagava o aluguel, cada um lavava o que usava, e, à noite, o lugar tinha de ficar em silêncio. A qualquer momento do dia, havia vinte jovens de todos os cantos do país, espalhados pelo chão, e oitenta pranchas deles ficavam guardadas na garagem. Tínhamos permissão para usar qualquer uma delas.

Parecia a acomodação perfeita, mas havia um preço a pagar. Quando as ondas estavam grandes, tínhamos de surfar. A pressão entre os amigos era intensa.

Apesar de Brock Little surfar mal em ondas pequenas, ele tinha surfado ondas grandes a vida inteira e reinava no lar dos Hill. Os Hill tinham um ringue de boxe no quintal, e ele conseguia derrubar qualquer um de nós. Ele também pegava ondas que nós nem imaginávamos. Na época, Waimea Bay era considerada a maior onda de todas. Quando

Brock tinha dezessete anos, ele surfava em Waimea sozinho, à noite. Bem, quase. Os Hill tinham vídeos dele, dropando uma onda de vinte pés, que estava fechando de uma ponta da baía à outra. Era a primeira onda da série, e ele saiu da onda a tempo de ver as demais ondas da série quebrando sobre sua cabeça. Ele foi sacudido para todos os lados e desmaiou duas vezes debaixo d'água antes de recobrar a consciência. Como a onda estava muito grande e a correnteza muito forte, ele teve de nadar ao redor da baía duas vezes antes de retornar à praia. É isso o que acontece se você não nada perto das pedras. A correnteza arrasta a pessoa para o meio da baía, e ela precisa nadar em direção à zona de impacto para tentar de novo. Até hoje, nunca tive de fazer isso, mas Brock faria por diversão. Ele não tinha um limite máximo. Ele era o rei e nós tínhamos de procurar um lugar no chão.

Brock liderava a galera. Todd Chesser e Shane Dorian ficavam logo atrás dele, pegando ondas que podiam matá-los. A maioria de nossos outros amigos também entrava no mar, mas esses três comandavam. Demorei muito tempo para me acostumar com a idéia de que, um dia, me divertiria em ondas grandes, mas eu estava dando passos pequenos. Uma pessoa não pode passar de uma onda de três pés para uma de doze da noite para o dia, e esperar que encontrará o *timing* e a abordagem corretas de imediato. Eu tinha de surfá-la em minha mente antes de realmente pegá-la.

Brock afirma que, quando me incentivava, fazia isso mais para me proteger. Anos depois, ele ainda ri e me diz: "Quando ficava grande, você era um maricas!". Ele falava assim: "Vamos, mexa seu rabo e saia lá fora!". Ele achava que eu passaria o resto de minha vida pegando ondas pequenas e afirma que, quando me dizia que era seguro surfar em ondas grandes, estava falando de coração.

Azarado no Japão

O Japão tem muitas ondas surpreendentes, mas, por algum motivo, elas nunca aparecem durante as competições. Existe todo tipo de onda que se possa imaginar, e o *swell* fica gigantesco durante a estação dos tufões. Em Chiba, onde foi realizado o Campeonato Mundial Amador de 1990, havia a garantia de ondas pequenas. Lá estava montado o palco para o que eu esperava que fosse o final perfeito para minha carreira amadora: o título mundial. Sabia que era meu teste final antes de me profissionalizar, e que não precisava estudar para passar.

A caminho do Japão, passei na casa de Rob Machado, em Cardiff, Califórnia. Ele também era membro da equipe norte-americana, estávamos nos tornando grandes amigos e decidimos viajar juntos ao Japão. Foi a primeira vez que fiquei na casa dele, e jogamos pingue-pongue sem parar durante dois dias. Rob é um mestre no pingue-pongue, e a competição na mesa foi tão feroz quanto nossas baterias dentro d'água. Quando chegamos ao nosso pequeno quarto no Japão, montamos uma mesa e jogamos pingue-pongue durante toda a viagem. No final, ficamos tão entediados com o tênis de mesa que passamos a nos acertar com a bola. Se um de nós acertasse o corpo do outro, marcávamos um ponto. Passou de pingue-pongue a pc: pancada no corpo.

As ondas pequenas no último dia do evento eram perfeitas para mim, e eu estava determinado a terminar o meu serviço. Eu coloquei tanta tensão sobre mim mesmo que não consegui surfar relaxado. Na semifinal, a uma bateria de alcançar meu objetivo principal, surfei muito bem, mas, de algum modo, acabei perdendo para Taylor Knox e Heifara Tahutina, um taitiano que acabou vencendo o evento. Todos que assistiram à bateria da praia acharam que eu havia avançado, mas é a opinião dos juízes que realmente conta.
E eles acharam o contrário.

Durante todo o evento, parecia que todas as outras equipes estavam à minha caça. Meu companheiro de equipe, Pat O'Connell, viu tudo e explica melhor do que eu: "Kelly estava sendo atacado em bando

Terminando minha carreira
amadora com um soco,
no Campeonato Mundial de 1990, no Japão.

117

em suas baterias. Eram como capangas violentos partindo para cima dele; então, ele pegava ondas pequenas e, mesmo assim, conseguia avançar. Ele era muito melhor do que os outros. Numa bateria, havia Kelly e três brasileiros, os competidores mais agressivos que se possa imaginar. Eles ficaram em cima dele, mas ele conseguiu vencer. Ele acabou perdendo na semifinal, mas não deveria. Kelly surfa de uma forma diferente. É difícil pontuar o que ele faz. Ele estava mandando *aerials* e *reverses*, mas ninguém sabia julgar essas manobras. Ele estava bem acima do nível".

Por um lado, como era minha última chance de ganhar o título mundial, fiquei devastado. Qualquer patrocinador em potencial poderia ter pensado: "Se ele não consegue ganhar um título amador, como pode vencer como profissional?". Por outro lado, eu não achava que isso fosse uma indicação clara de talento. Há tanto favorecimento no surfe amador, com juízes promovendo certos competidores, que fiquei de saco cheio de tudo aquilo.

Nem me importo

Em julho de 1990, logo após meu penúltimo ano no segundo grau, eu me profissionalizei. Apesar de não ter um título mundial, achei que isso me motivaria a me esforçar mais, porque ainda sentia que tinha algo a provar. Não há nada formal nessa transição: qualquer um pode se tornar um profissional, simplesmente se inscrevendo num evento profissional. Não havia coletiva de imprensa (e eu nem sabia o que era isso), e não tinha um patrocinador. Meus contratos com a Op e a Rip Curl tinham expirado no mesmo mês; sendo assim, eu estava sozinho. Se não vencesse competições, não ganharia dinheiro algum.

Bryan Taylor negociava em meu nome com três companhias interessadas: a Op, Gotcha e Quiksilver. Todos os patrocinadores em potencial estavam desconfiados do meu fracasso no Mundial e duvidavam de minha habilidade em surfar bem no Havaí.

Enquanto rolavam as conversas sobre quanto eu valia, em Orange County, na Califórnia, o evento Life's a Beach Klassic veio a Oceanside.

Enviei minha inscrição para a ASP, compareci ao píer em Oceanside, e surfei no meu primeiro evento como profissional, brigando com outros 150 surfistas nas triagens para conseguir uma fatia do bolo: uma premiação total de 75 mil dólares.

Naquela época, em todas as paradas do circuito, as triagens eram realizadas para determinar quais dezesseis surfistas enfrentariam os 32 cabeças-de-chave. Era realizado, mais ou menos, como um torneio de tênis. Eu não tinha pontos de *ranking* e fui colocado na pré-triagem, outra série de baterias, que eram necessárias em competições com muitos competidores. Eu avancei sete baterias e fiquei entre os 48 surfistas do evento principal.

Na segunda rodada do evento principal, enfrentei Martin Potter, que era o campeão mundial. Por estar morrendo de medo de "Pottz", remei para o lado oposto da área de surfe para poder pegar minhas ondas sozinho. Fiquei em vantagem durante grande parte da bateria, mas ele conseguiu uma nota quase perfeita na última onda para virar o placar. Ao perder na segunda rodada, terminei o evento empatado na décima sétima colocação, que, para mim, foi uma realização. Quando Pottz venceu o evento, a minha derrota ficou mais fácil de engolir. Na cerimônia de premiação, ele disse: "Eu sabia que, depois de derrotar Kelly, eu podia ganhar a competição". Mencionar meu nome no meio de todos os seus adversários foi um grande elogio.

Pottz costuma dizer: "Eu me lembro de olhar para as fichas das baterias e, ao ver o nome do Kelly, fiquei nervoso! Estar na bateria de Kelly faz você sentir coisas estranhas. Pode deixar você totalmente arrasado ou pode fazer com que você desempenhe num nível que você mesmo desconhece. Felizmente, naquele dia, a sorte estava do meu lado".

As negociações para meu primeiro contrato profissional tinham se transformado numa batalha de ofertas. Eu tive um bom encontro com os donos da Gotcha. Eles tinham acabado de lançar *Surfers: The Movie*, que, na minha opinião, é um dos melhores filmes de surfe de todos os tempos. Ele apresenta todos os elementos do surfe e me faz sentir orgulho de ser surfista. O apelo popular da Gotcha era algo com o qual eu sentiria orgulho de me associar, e a oferta da Quiksilver também era igualmente atraente, mas nenhuma das duas chegava perto do que a Op tinha me oferecido.

Eu queria estar numa companhia, cuja imagem e roupas eu gostava. Entretanto, a proposta da Op era tão substancial que parecia que eu ficaria preso a ela.

Profissionalizar-me foi um grande passo, mas lidar com o lado comercial da minha carreira era a última coisa que eu queria pensar. Estava cansado de me preocupar em conseguir o melhor acordo e queria me afastar desse caos para surfar. Portanto, tirei férias e fui ao México com alguns amigos.

Antes de partir, peguei um calção de alguns amigos de Rob Machado, que tinham uma firma de estamparia. Eles haviam escrito as palavras "Nem me importo" na sua parte traseira. Era uma frase que usavam o tempo todo, e, como eu não tinha patrocinador, não importava que tipo de calção usava.

A revista *Surfer* fotografou-me surfando com aquele calção e colocou uma matéria junto à foto, falando sobre as negociações de meus contratos. Eu me recordo que, um instante depois de tirarem a foto, caí em cima de um *longboarder*, que estava remando para a arrebentação. Eu me levantei bem na hora que a prancha do cara me atingiu na testa, o que me fez acordar para a realidade. Era como se alguém tivesse me sacudido e me dito: "Acorda, garoto!". De repente, eu me importava.

Quiksilver ao resgate

Quando voltei à Califórnia, Bryan me ligou de repente e disse: "Você vai surfar pela Quiksilver. Fizeram uma grande oferta no último minuto, e você está com eles". Pelo acordo, receberia um pagamento anual de seis dígitos por três anos, o que me tornaria um dos cinco surfistas mais bem pagos do mundo. Fiquei mudo, mas dei um enorme suspiro de alívio. Quando se tratava de negociações sérias, a Op não conseguia pensar racionalmente em me pagar o que pagavam a Curren, algo que não me incomodava. Em vez de aceitar essa situação e continuar lidando com a Op por mais alguns anos, fiquei com uma companhia que era o sonho de todo surfista. Não era uma companhia grande como é hoje, mas tanto meu irmão Sean quanto Matt Kechele surfavam pela Quiksilver, além de muitos amigos e surfistas que eu admirava.

A Quiksilver queria ser meu único patrocinador (ao contrário da Channel Islands, a companhia de pranchas de Al); logo, isso significava que eu não teria mais um bando de logotipos brigando por espaço na minha prancha, e também não apareceria nos anúncios de mais ninguém. Tom Carroll, o bicampeão do mundo, da Austrália, tinha assinado um acordo exclusivo, de milhões de dólares, por cinco anos com a Quiksilver em 1989, e a companhia descobriu que exclusividade dava o melhor retorno por seus dólares.

Alguns anos mais tarde, Peter Townend, campeão mundial de 1976, locutor de eventos e editor da revista *Surfing*, distribuiu um questionário entre crianças em idade escolar. Havia uma série de perguntas sobre o surfe, e uma pedia às crianças para dar o nome do patrocinador de vários surfistas famosos. De vinte surfistas, fui o único ligado corretamente a um patrocinador pelas crianças, provando assim os méritos da exclusividade. Desde então, muitas companhias têm contratado surfistas com acordos de exclusividade.

Tendo deixado minha insegurança de lado, fui ao meu primeiro verdadeiro Op Pro, em julho de 1990, como surfista da Quiksilver. Não tinha assinado o contrato ainda, mas já tinha aceito o acordo. Eles me pagariam mais do que eu esperava; portanto, havia pressão para provar que o investimento deles não seria em vão. Depois de ter vencido o Op Junior em 1989, todos esperavam que eu desafiasse Curren, mas não tive a mínima chance. Na última rodada das triagens, inadvertidamente entrei numa onda na frente de outro competidor e fui advertido pelos juízes por interferência. Quando isso acontece, o surfista infrator só recebe a pontuação de suas duas melhores ondas em vez de três; sendo assim, não consegui me classificar para o evento principal, e terminei empatado na quinquagésima sétima colocação.

Não houve tempo para desanimar. Parti para a França, na semana seguinte, para o Quiksilver Lacanau Pro, determinado a me recuperar. Assim que começou, a emoção de estar na França e competir contra os melhores surfistas do mundo fizeram-me esquecer o Op Pro de Huntington.

Eu esperava que o público na França fosse mais formal e tranqüilo do que o da Califórnia, mas estava totalmente enganado. Os franceses são fanáticos por surfe. Milhares de fãs ardorosos de Paris e outras cida-

© Cortesia da Slater Family Wall of Shame.

Sendo reconhecido na França.

des vieram para as exóticas vilas praianas ao longo do litoral sudoeste, como Biarritz e Hossegor, para acompanhar o evento. Todos querem tirar fotos de perto e não conhecem o conceito de espaço pessoal. Quando um competidor chega à praia após uma bateria, milhares de pessoas ficam aguardando no mar, com água pela cintura, com suas canetas e livros de autógrafos, e o puxam, agarram a sua prancha e marcam seus braços com suas canetas na tentativa de conseguir um autógrafo. Ao final da temporada, muitos surfistas profissionais nem querem mais escrever seus nomes.

Ultimamente, tenho notado que, num período bastante curto de tempo, o nível de talento dos surfistas europeus tem crescido demais. Chegava a ser engraçado ver o número de pessoas que ficavam na água e como poucos sabiam o que estavam fazendo. Eu pegava ondas perfeitas, com dezenas de iniciantes sem noção surgindo inesperadamente na arrebentação. Agora, os franceses já estão mais atualizados.

Após várias rodadas nas triagens, voltei a enfrentar Martin Potter na segunda rodada do evento principal do Lacanau Pro. Dessa vez, controlei meu nervosismo e venci. Ele não ficou muito contente de ter perdido e ficou esperneando dentro da água após a bateria. Quando cheguei à praia, parecia que mil pessoas me cercavam, e não pude me mexer em nenhuma direção. Os fãs imploravam: "Oh! Assine, assine, assine, um autógrafo!". Eu fiquei tão feliz de ter derrotado Potter que poderia ter ficado lá até escurecer. Nada mais me importava.

Estava numa fase vencedora e derrotei Nicky Wood e Tom Carroll nas duas rodadas seguintes, chegando à semifinal contra Tom Curren. Depois de uma *performance* tão impressionante, parecia que estava no mesmo nível que os melhores surfistas, mas, novamente, Curren estava numa categoria à parte.

Antes de entrar no mar, vi Marie, a esposa de Tom, na praia. Ela disse: "Espero que surfe bem, Kelly, mas realmente quero que Tom vença", como se estivesse me pedindo para não derrotá-lo. Ela nem precisava se preocupar. Tom estava fora de controle, e antes que tudo terminasse, eu já estava implorando: "Cara, pega leve! Dê-me uma chance!". Ele tinha uma missão. Tinha acabado de voltar de sua semi-aposentadoria e queria conquistar seu terceiro título mundial, e sua concentração era inacreditável. Não havia modo de ele perder. Eu não tinha intenção de desistir, mas, de certo modo, não queria derrotá-lo. Terminar em terceiro lugar num evento tão grande me deu uma sensação tão boa quanto vencer qualquer coisa.

Ficou claro, após surfar contra Tom, que eu precisava desenvolver confiança em minha própria abordagem. Ouvir que estava surfando como Curren era um elogio enorme, mas não queria ser visto como um clone. Se você segue alguém completamente, você só consegue ser menos do que ele é. Demorei oito anos para derrotar Tom numa bateria. Eu sempre ficava nervoso quando surfava contra ele e demorei esse tempo todo para me sentir confortável nessa situação. Para mim, ele ainda é o surfista de melhor estilo que eu conheço.

Depois do Lacanau Pro, surfei no Rip Curl Pro (que viria a ser minha primeira vitória no Circuito Mundial dois anos mais tarde), em Hossegor. Se me saísse bem naquele evento, talvez pudesse ganhar o Sud Ouest Surf Trophee, que era dado ao surfista mais bem colocado nos três eventos franceses. Eu tinha o objetivo de tentar ganhá-lo, o que me fez perder minha primeira semana da escola no meu último ano. Mas precisava de uma boa colocação nesse evento para ter alguma chance. Eu peguei a onda necessária para derrotar o californiano Brad Gerlach no final da bateria, mas caí depois de ouvi-lo gritar um palavrão bem alto! Terminei na décima sétima posição e não tive chance.

O Circuito Mundial continuou na Europa sem a minha presença, e voltei à Flórida para começar meu último ano na Cocoa Beach High.

Em preto e branco

A Professional Surfing Association of America (PSAA), que atingiu seu auge em 1990, em termos de premiação em dinheiro, prestígio e cobertura, estava se preparando para seu principal evento, o Body Glove Surfbout, em Lower Trestles, em San Clemente, na Califórnia, que seria realizado em setembro. Desde garoto, Lowers tem sido minha onda favorita na Costa Oeste. Queria desesperadamente me sair bem, mas apenas me classificar para o evento já era uma tarefa difícil.

A PSAA tem seu próprio sistema de *ranking*, separado da ASP. Eu não tinha participado de nenhum evento da PSAA naquele ano, e um surfista tinha de estar entre os cem melhores da classificação apenas para entrar no evento de Lowers. É uma onda tão sensacional e tão *crowdeada*/aglomeração de surfistas num mesmo pico, que todos querem uma chance para surfar numa bateria com apenas três outros caras ao mesmo tempo.

Antes, naquele verão, eu estava numa festa na casa de Pat O'Connell, em Laguna, na qual era provavelmente o único cara sóbrio do lugar. Todos estavam se jogando de um trampolim para dentro da piscina, e, quando fui pular, vi algo se aproximando pelo lado. Era Hank, um fotógrafo de surfe, que mede 1,82 m e pesa uns noventa quilos – ele e eu colidimos de cabeça em pleno ar. Ele foi para o fundo, e pensei que tivesse quebrado o pescoço. A música estava a todo volume, e ninguém estava prestando atenção. Eu não conseguia respirar e ninguém me ouviu sussurrar por socorro. Hank estava desmaiado no fundo da piscina, e mergulhei para arrastá-lo para a parte mais rasa até que alguém finalmente ajudou a tirá-lo de lá. Ele estava delirando e não se lembrava de nada. Eu estava bem, apesar de sentir uma dor no pescoço, mas foi o fim da diversão, o que veio a ser uma bênção disfarçada.

In Black and White foi lançado,
em janeiro de 1991.

Passei a noite na casa de um amigo, em San Clemente, e, na manhã seguinte, quando acordei, percebi que o píer onde uma competição da PSAA seria realizada ficava a poucos quarteirões de distância. Vendo a minha chance, peguei emprestado um calção e uma prancha e entrei na bateria. Terminei em quinto lugar no evento e consegui pontos o suficiente para participar do Lowers. (Obrigado, Pat.)

Depois de algumas semanas no meu último ano de escola, voltei à Califórnia, para competir no Lowers. A Quiksilver estava planejando fazer um vídeo promocional curto, chamado *Kelly Slater: in Black and White* (Kelly Slater: em Preto e Branco), para que as pessoas soubessem que eu era o novo patrocinado deles. A companhia precisava filmar umas cenas novas, e as ondas perfeitas ofereciam uma chance de ouro. Assinei meu contrato com a Quiksilver na própria praia e me preparei para vencer o evento.

Eu estava ficando na casa de um cara chamado Richard Woolcott, que, mais tarde, fundou — e é dono até hoje — da Volcom, em Newport Beach, a meia hora ao norte de San Clemente. John Freeman trabalhava para a Quiksilver, e estava encarregado da produção do filme. Ele filmou tudo o que eu fazia: quando participava das baterias, quando dormia no chão e quando comia cereal. Tudo isso enquanto Richard me entrevistava.

No Body Glove Surfbout, fiz de tudo para não perder. Avancei sete baterias a caminho da final. Tive de enfrentar meu grande amigo Chris Brown, numa bateria muito equilibrada. Eu teria ficado feliz com a vitória de qualquer um de nós dois, mas, felizmente para o bem do vídeo, ganhei e recebi um cheque de 30 mil dólares.

Peter Townend comentou o evento e disse mais tarde: "Kelly estava surfando muito mais rápido do que os outros em Trestles, como se estivesse numa Ferrari, enquanto os demais estavam num Ford. As pranchas finas e estreitas nas quais ele estava trabalhando com Al Merrick estavam fazendo tudo acontecer. Kelly teve mais influência no *design* de pranchas do que muitos se dão conta. Havia gente começando a surfar em áreas da onda que ninguém achava possível, mas ele estava indo ao extremo. Antigamente, se saíssemos da linha da ondulação, não era legal. Agora, por causa de Kelly, é lá onde você precisa ir para marcar pontos".

Conseguimos boas imagens em Trestles, mas Richard convenceu a Quiksilver a esperar mais por causa da estação de inverno no Havaí.

Considerando o pouco que eu já tinha conseguido no North Shore, era algo arriscado. Eu teria apenas duas semanas durante as férias natalinas para ficar nas ilhas, e mesmo que fossem dois meses, não havia garantia de que eu desempenhasse bem. Enquanto o resto do mundo do surfe seguia para Oahu para se acostumar às ondas grandes, eu voltava para casa. Em vez de estabelecer meu lugar no *lineup* em Pipeline, eu voltava à velha carteira de escola em Cocoa Beach.

Você não vai

Se a aula do terceiro sinal, a de Inglês, do Sr. Ballantine, não atraísse meu interesse, nada conseguiria. Ele foi meu professor predileto de todos os tempos (empatado com a professora da quarta série, Srta. Stroman). Ele era um daqueles raros indivíduos que colocam seu coração no trabalho e sabia tirar o melhor de seus alunos.

As maiores preocupações de meus colegas de classe era como ganhar um pacote com seis cervejas, conseguir uma companhia para a festa do fim de semana, ou tirar uma boa nota para passar na próxima prova de Matemática, e, apesar de eu também pensar em algumas dessas coisas, tinha muito mais com o que me preocupar.

Eu tinha dezoito anos e sentia como se o peso do mundo estivesse sobre meus ombros. Além de estar sustentando minha família e começando minha carreira, também tinha a pressão adicional de me sair bem no Havaí, portanto, tinha um prazo final para surfar ondas grandes. Eu sempre aprendi no meu próprio ritmo, mas esse era um luxo que já não tinha mais. As pessoas estavam esperando que eu fracassasse. Apesar de as expectativas dos outros serem muito pesadas, nada se comparava à pressão que eu colocava em mim mesmo.

Felizmente, a Quiksilver me mandou a Tavarua, Fiji, no feriado de Ação de Graças, principalmente para conseguir mais imagens para o filme, mas também serviu para me aperfeiçoar para o North Shore. Não era o Havaí, mas a pequena ilha em Fiji oferecia ondas pesadas sobre recifes. A cada dia, as ondas aumentavam, e no último dia, peguei as ondas mais intensas que já tinha surfado.

Admirando a natureza com Shane Powell, nas Ilhas Reunião, 1991.

Na minha última manhã na ilha, acordei cedo e estava motivado para surfar. Fiquei cansado de esperar para que a equipe toda se preparasse para subir no barco que nos levaria ao pico principal, Cloudbreak. Havia ondas perfeitas de seis pés em Restaurants, uma onda menor e mais limpa, que se podia alcançar remando da ilha. Eu não tinha medo das ondas de dez a doze pés de Cloudbreak, mas não conseguia me ver deixando escapar algumas das melhores ondas que eu já tinha visto em Restaurants. Fui a Cloudbreak naquela tarde, mas estava nublado demais para tirar fotos.

Pessoas adoram fofocar, e os boatos rapidamente se espalharam de que eu não tinha pego ondas no maior dia em Cloudbreak. Dan Merkel, um fotógrafo que cresci admirando, voltou direto para o Havaí e contou a todos que eu tinha me acovardado. Quando essas palavras voltaram para mim em Cocoa Beach, não podia esperar para provar a ele e a todos os outros que eles estavam enganados. Eu não tinha atacado Tavarua, mas também não tinha recuado. Tinha confiança em minhas habilidades, e era só isso o que eu precisava.

Em meados de dezembro, estava de férias e segui em direção ao meu destino. Como sempre, passei as férias com meus amigos, no Havaí, em vez de ficar com minha família. Anos tinham se passado desde a última vez em que minha família se reuniu para férias; portanto, não sentia saudades da Flórida.

Um grande amigo de San Diego, Benji Weatherly, mudou-se com sua família para uma casa bem em frente a Pipe, e ali era o local de encontro de nossa geração. Havia uma cama elástica no quintal, de onde se podia ver o *lineup*, e todos ficavam lá quando não estávamos surfando. Quando Pipe quebrava, nós íamos para lá, levávamos nossas vacas, voltávamos à casa de Benji para fazer curativos e retornávamos para pegar onda.

Antes que me desse conta, já não era Pipeline. Era o quintal de minha casa. Como pode ser assustador se é o quintal de casa?

Um dos surfistas locais com o qual surfávamos era Jack Johnson. Ele morava na praia de Pipe, e sua família me acolheu como se fosse um deles. Ele testemunhou minha transformação em primeira mão e Jack se recorda muito bem.

Quando é perguntado sobre isso, ele diz: "Antes de conhecer Kelly, eu me recordo de vê-lo surfando nos bancos de areia. Meus amigos e eu éramos as novas promessas do Havaí, e todos surfávamos ondas grandes. Para nos sentirmos melhor, dizíamos: 'Ah, ele arrebenta, mas não consegue pegar ondas grandes. Ele é da Costa Leste'. Em 1990, ele ingressou em nosso grupo e atingiu o nível de todos os garotos alucinados do North Shore. Jogávamos um jogo chamado 'Você não vai!', onde convencíamos uns ao outros a dropar em ondas ridículas. Normalmente, fazíamos isso apenas em ondas questionáveis, mas, de vez em quando, era uma onda impossível. Em breve, ele estava dropando mais fundo do que nós. Depois de alguns anos, ele começou a pegar ondas que ninguém queria. Tínhamos outro jogo: *BDPC, Backdoor Paddle-Out Contest*/competição de remada em Backdoor. Existe um canal perfeito para entrar no mar ao lado de Pipe, mas, em Backdoor, você precisa passar pela arrebentação sobre um recife raso. Fazíamos isso apenas pelo desafio. Quando caminhávamos pela praia, alguém dizia 'BDPC', e começava a competição. Havia regras diferentes, dependendo do dia. Se as ondas tinham um tamanho médio, era preciso remar com as quilhas para frente. Se tivesse apenas quatro pés, tínhamos de virar a prancha de cabeça para baixo. Era permitido puxar o estrepe do outro e tudo mais. Quem chegasse lá fora primeiro, era o vencedor. Foi assim que ele ganhou mais confiança".

Se algo de novo acontecesse em Pipe, ficávamos sabendo. Aprendíamos sobre picos novos e nosso equipamento e compartilhávamos nossas experiências. Todos os dias, nossa equipe inteira, formada por Rob Machado, Shane Dorian, Ross Williams, Kalani Robb, Taylor Knox, Pat O'Connell, Conan Hayes, os irmãos Malloy, Timmy Curren e um bando de outros caras, reunia-se na casa de Benji para filmar vídeos com o amigo da escola de Rob, Taylor Steele. Meu irmão Sean ficava na área um pouco, mas, a essa altura, Sean já não estava muito concentrado no surfe. À noite, a galera do amendoim se reunia diante da televisão para ver quem tinha se acovardado. Se o vídeo mostrasse alguém saindo de fininho numa situação difícil, era alvo de gozação até o final. Havia uma pressão enorme sobre todos para se superarem, e todos forçavam o grupo inteiro a melhorar.

Todos queríamos surfar com energia, mas ninguém tinha a força muscular para sustentar isso. Força era algo que viria com tempo; por isso, abordávamos as ondas com agilidade e sutileza. Para compensar, surfávamos em pranchas com muito menos volume. Eram mais estreitas e finas do que aquelas que os demais estavam usando. As pranchas nos permitiam encaixar em pontos mais críticos da onda, e cada um incentivava o outro a ser o mais radical possível.

Nos dias de temporal, meus amigos e eu ficávamos com o *lineup* em Pipe só para nós; do contrário, tínhamos de lidar com uma multidão. Querer pegar as ondas da série era uma coisa; as pessoas deixarem você pegá-las era outra. O único modo de provar que você realmente é um surfista é por meio de compromisso, que, nesse caso, significa dropar uma onda de dez pés com apenas poucos centímetros de água entre você e o recife: uma loucura.

Com Danny Kwock, Matti Lui e amigos na festa de lançamento do *In Black and White*.

© Cortesia da Slater Family Wall of Shame.

Meu plano para mostrar à galera que eu era sério foi remar na minha maior prancha e dropar mais fundo do que qualquer um. Os locais me viam remando e entravam na onda mesmo assim, mas minha teoria era de que, cedo ou tarde, eles permitiriam que eu pegasse algumas sozinho. Devem ter me rabeado umas cinqüenta ou sessenta vezes. Cada vez que ficava atrás, tomava uma surra. Mas, no final, acabou funcionando.

Um dia, quando filmávamos um vídeo para a Quiksilver, comecei a pegar ondas sozinho e a entrar no tubo. Não posso dizer que estava atacando Pipe, mas foi o primeiro dia em que as pessoas começaram a reconhecer que eu podia pegar ondas de verdade. Tomei uma vaca horrível. O vento me pegou quando estava tentando dropar e voei junto com o *lip* numa onda de bom tamanho, mas descobri que não era o fim do mundo. Voltei à tona três segundos depois sem bater no recife.

Passaram-se duas semanas e já tinha chegado a hora de voltar às aulas. Eu não tinha vencido nenhuma competição ou sido o melhor cara dentro d'água, mas entrei no mar e mandei ver. Era uma sensação mais de expectativa do que de realização. Eu sabia que, na temporada seguinte, retornaria pronto para competir com confiança. Se não tivesse tido a pressão para desempenhar bem no North Shore, duvido que minha curva de aprendizado teria sido tão íngreme. Quem sabe, eu ainda posso estar tentando superar meu medo de ondas grandes ou, na verdade, isso jamais acabará.

Apenas um mês depois que voltei do Havaí, *In Black and White* estreou diante de grande parte do mundo do surfe no Surf Expo, em Orlando, na Flórida. Eu não tinha aparecido em muitos filmes de surfe até então, mas, de repente, havia um filme inteiramente sobre mim. Eu ainda não gostava de ser o centro das atenções, mas estava começando a me acostumar. Todos pareciam ter gostado do filme, e foi o vídeo da Quiksilver que mais vendeu em todos os tempos.

In Black and White fez muito mais para minha carreira do que eu percebi na época. Até então, muitas pessoas ainda não tinham me visto surfar. Eu não acho que fiz algo revolucionário; eu basicamente peguei as manobras que vi outros caras fazendo e as levei mais longe. Em vez de fazer um *off-the-lip* padrão, eu tentava bater no *lip* e girar minha rabeta. Quando o tetracampeão Mark Richards, o surfista com mais vitórias da história naquela época, assistiu ao vídeo, disse: "Fiquei impressionado ao ver como Kelly é bom. Ele estava fazendo manobras radicais. Esse cara vai causar uma confusão e tanto se conseguir realizar essas coisas numa situação de competição. Kelly era a combinação clássica: tinha um surfe solto extravagante e a visão de quem precisava se exibir do mesmo modo no Circuito Mundial, sem abrandar o tom só porque estava vestindo a camiseta de competição. Isso além de ele ter a atitude competitiva mortal de um grande tubarão branco".

Cruzando a ponte

Enquanto a escola me impedia de ganhar muitas competições de surfe, ela me manteve em busca de outras honras mais superficiais. Durante meu último ano do segundo grau, fui eleito o cara mais bonito e rei de minha escola, o que me valeu um pequeno troféu e o direito a dançar com a rainha. Como eu não era um jogador de futebol americano, foi surpreendente ter ganho. Também fui escolhido para ser o Rei da Formatura, mas não se pode ganhar tudo.

Em 1990, a revista *People* me escolheu como uma das "Cinqüenta Pessoas mais Bonitas". A edição mostrava uma grande variedade de indivíduos, de atletas e músicos a artistas; portanto, foi uma honra ser reconhecido por uma instituição norte-americana como a *People*. Eu queria ter sido escolhido como uma das "Cinqüenta Pessoas Mais Interessantes" ou "Cinqüenta Maiores Atletas", mas a revista não me deu essa chance.

Para a sessão de fotos, um fotógrafo da *People* veio a Cocoa Beach, mas eu não tinha intenção de tirar fotos na frente de alguém conhecido. Passamos de carro por todas as ruas até que encontramos uma área da praia que estava deserta. Sabia que milhões de pessoas iriam ler a revista, mas não precisavam me ver posar.

A imprensa popular pode ser perigosa. Eles não entendem o nosso esporte e têm o hábito de fazer os surfistas parecerem bobos. A revista *Seventeen* escreveu uma minibiografia sobre mim e colocou mais ênfase nos meus olhos verdes e no fato de eu ser do signo de Aquário do que nas minhas conquistas no surfe. Meus amigos da escola não eram muito compreensivos em se tratando dessa questão. A gozação deles me causou

Diploma da Cocoa Beach High.

Foto de último
ano da escola.

© Cortesia da Slater Family Wall of Shame.

um complexo, e decidi não responder mais aos telefonemas das revistas de adolescentes. As garotas da minha escola não davam importância à minha fama. Elas me conheceram a vida inteira e não passaram a prestar mais atenção em mim quando aparecia numa revista. Eu me lembro que caras mais velhos da cidade começaram a falar mais comigo. Todos tinham histórias de como haviam trocado minha fraldas ou tomado conta de mim. Sei que nunca tivemos babás masculinas, mas eu era gentil com todos e dava a eles o benefício da dúvida.

Alguns meses antes da formatura, eu estava pulando numa cama elástica na escola. Um amigo meu apostou seis dólares que eu não conseguiria dar um mortal para trás e aterrissar no chão. Aceitei o desafio, mas cai de mau jeito e bati com meu joelho na quadra de basquete. Não ganhei os seis dólares, e pior, rompi o menisco, a cartilagem que fica sob o rótula do joelho. Fiquei fora d'água durante três semanas, mas deveria ter sido mais tempo. Definitivamente, não valeu a pena o desafio.

A formatura foi um evento que não teria perdido por nada. Muitas pessoas não terminam o segundo grau, especialmente em Cocoa Beach. É fácil ter visão limitada e achar que se pode surfar para sempre, sem se preparar para o futuro. Se você não consegue terminar a escola, provavelmente não existirão muitas coisas na vida que você conseguirá terminar.

Na Cocoa Beach High, havia uma ponte que tínhamos que cruzar para pegar nossos diplomas na formatura. Todos os dias, no almoço, as pessoas ficavam conversando ali, mas, em todos os meus anos de escola, nunca havia cruzado a ponte. Era um rito de passagem, e eu queria esperar até que me formasse.

Dos 130 alunos, fiquei em sétimo lugar na minha turma. Eu tinha uma nota 3,4 no GPA (equivalente a uma nota 8,7), mas, incluindo meus cursos avançados, fiquei com um 4,0 (equivalente a uma nota 9,4)*.

Matemática era a minha matéria favorita. Ainda penso em fazer cursos na faculdade, mas não sei se vou conseguir um diploma.

Convocado para a divisão de elite

Com o meu diploma nas mãos, ingressei no Circuito Mundial ASP de 1991, com apenas um objetivo em mente: terminar entre os 44 melhores para me qualificar para o World Championship Tour, divisão de elite do Circuito Mundial. Tomando como base os resultados que obtive no ano anterior, tinha adquirido força e confiança num ritmo mais veloz do que a maioria dos caras do circuito. Eu senti que conseguiria. Era o último ano do antigo sistema de triagens. Em 1992, a ASP mudaria para um sistema de duas divisões, que seria formada pela World Qualifying Series e o World Championship Tour. Por causa das aulas, comecei do zero na metade do ano; portanto, era como deixar todos os outros correr metade da pista de atletismo antes de largar.

Consegui chegar às quartas-de-final ao longo do caminho (uma vez em Huntington, e duas vezes na França), mas também tropecei em alguns eventos. Em outubro de 1991, enfrentei uma situação difícil. Havia dois eventos no Brasil pouco antes da Tríplice Coroa Havaiana. Eu podia ir ao

---

(*) Nota do tradutor: Este número expressa uma média das notas da graduação e é, às vezes, solicitado por algumas universidades. Basicamente, vem a ser a média que resulta multiplicando-se o número de créditos obtidos no curso com uma determinada nota, somando-se esses valores parciais e dividindo-se pelo número total de créditos.

Brasil e assegurar alguns pontos valiosos para aumentar minhas chances de me qualificar para o Circuito Mundial, ou podia ir ao Havaí e competir num evento que não oferecia pontos, mas que me daria a oportunidade de me sentir mais à vontade em ondas grandes. Eu tinha ouvido histórias horríveis de traficantes homicidas que rondavam as competições no Brasil; sendo assim, parecia um lugar estranho e assustador. A escolha entre enfrentar ondas grandes ou uma arma encostada na minha cabeça não foi fácil: escolhi as ondas grandes.

A competição no Havaí era o XCEL Pro, em Sunset Beach. Sunset é um pico complicado, que quebra a 400 m da praia e é fácil ser pego fora de posição e amassado por um pico gigante. As ondas estavam com dez pés durante o evento, o que não soa muito intimidador, exceto que os havaianos usam uma escala modesta. Na verdade, estava quatro vezes acima de minha cabeça, maior do que qualquer outra vez que eu surfei lá.

Na minha primeira bateria, segui meu amigo Todd Chesser, porque não sabia onde escolher as ondas no vasto *lineup*. Provavelmente, não foi a coisa mais inteligente a ser feita, porque Todd sempre gostou de se arriscar. Eu tinha muito respeito por ele, especialmente em ondas grandes. Levei alguns caldos, mas peguei boas ondas. Passamos por algumas baterias juntos, mas, depois, Todd foi eliminado. Tinha de enfrentar caras que tinha visto surfando ondas desde que eu era garoto, como Mark Foo, Davey Miller, Tony Moniz, Mike Latronic; todos, em sua maioria, locais do Havaí, e derrotei todos eles. A competição seguiu durante alguns dias, mas no primeiro dia, estava apenas sentindo a área em torno do *lineup*.

No dia seguinte, na bateria das quartas-de-final, uma ficha caiu. Relembrando a situação, Sunset nem estava tão grande assim. Hoje, surfaria lá sem estrepe. Naquela época, era assustador. Eu estava pegando com uma 7'2" e nunca tinha surfado numa prancha tão grande numa competição. Dropei uma onda e tentei entrar no tubo, mas acabei sendo esmagado. A onda me jogou debaixo d'água e todo o pavor que eu tinha acumulado em relação a ondas grandes voltou. Subi à tona e meu primeiro pensamento foi: "Nossa, não foi tão ruim assim!". Ainda havia fôlego e não tinha chegado nem perto de me afogar. Era uma onda bastante grande, e eu achava que teria sido bem mais amedrontador. A minha bateria tinha chegado ao fim, e fiquei sentado na minha prancha. Em vez de voltar remando, fiquei lá sentado com um enorme sorriso no meu rosto. O *lineup* é tão extenso que não havia ninguém por perto, e eu comecei a gritar: "Woo-hoo!". Eu disse a mim mesmo: "Consegui! Consegui!".

Em primeiro lugar não queria que as pessoas achassem que tinha medo de ondas grandes; então, não contei isso a ninguém a não ser a meu irmão. Ele estava no Havaí naquele inverno, e confidenciei a ele o que tinha vivenciado em Sunset. Eu senti que podia olhar para Sean depois de surfar uma sessão quando as ondas estavam grandes e sorrir, e ele saberia que eu estava dizendo: "Ei, eu consigo surfar ondas grandes agora".

Na semana seguinte, seria realizada a Tríplice Coroa Havaiana, que é, possivelmente, um evento mais prestigioso do que o título mundial, já que acontece apenas em ondas pesadas. Devido à sua familiaridade com as condições, os havaianos quase sempre vencem. Eu fiz questão de competir nos três eventos, mas meu foco estava em Pipe, uma vez que costuma definir o título mundial.

Para o primeiro evento da Tríplice Coroa, o Wyland Pro, em Haleiwa, as ondas são imensas e crescem a cada dia. As ondas em Haleiwa normalmente quebram da esquerda para a direita, de acordo com o formato do recife, mas, naquele dia, ondas enormes estavam quebrando na direção contrária, bem mais longe do ponto de *drop* do que de costume. Eu remava para salvar minha vida e assisti a algumas das vacas mais assustadores que já tinha visto. As ondas exigiam o uso de uma prancha maior do que a que usava normalmente porque me dava mais velocidade na remada. Minha 7'9" nova em folha era estranha para mim. Mesmo assim, avancei pelas baterias, e acabei perdendo na terceira rodada. Fiquei aborrecido por não ter chegado à final, porque as ondas tinham metade do tamanho dos dias anteriores. Teria feito a festa.

Pipe tinha se tornado o quintal de minha casa; portanto, estava confiante para meu primeiro Pipe Masters, que é o segundo evento da Tríplice Coroa. A história, o prestígio e o drama o tornam a maior competição de surfe do mundo, e conseguir finalmente competir nela, após tantos anos apenas assistindo, era a realização de um sonho. Como as competições exigem que os surfistas peguem ondas num espaço de tempo limitado, eu me arrisquei e acabei tomando umas vacas pesadas. Eu me lembro de uma em particular, na qual bati na água com tanta força que minha cabeça ficou zunindo. Quando voltei à tona, minha prancha tinha se partido ao meio, e cada metade estava também quebrada ao meio, e uma de minhas quilhas estava achatada contra a prancha. Voltei remando, puxando o que havia restado de minha prancha atrás de mim, e peguei uma prancha reserva com Sean. Ao corrermos pela praia, ele disse: "Cara, nunca mais faça aquilo!".

Alguns anos antes, nem teria considerado uma onda daquelas. Mas, no fundo de minha mente, ouvia meus amigos dizendo: "Você não vai!". Parecia que os juízes, a imprensa e milhares de espectadores estavam dizendo a mesma coisa, e não havia modo de recuar. Minha preparação na infância, conseguida com as quedas dos balanços de surfe e dos atropelamentos de carro, me deixou apto a receber todo tipo de maltrato físico e, acredite se quiser, uma vez que você tenta algo, não é tão ruim quanto parece. Eu não estava ansioso para me machucar, mas o desafio de superar uma situação difícil me fazia continuar tentando.

Nas quartas-de-final, estava perdendo e precisava desesperadamente de uma onda. Uma grande e traiçoeira apareceu e ninguém quis pegá-la, mas era minha última chance. Ao dropar, ela se levantou e tentou me jogar longe. De alguma forma, consegui chegar à base, encaixei no tubo e quase fui decapitado pelo *lip*. Alguns segundos depois, a onda me cuspiu como uma mangueira de água me lançando para o canal em segurança. Não pensei no que estava fazendo no ato, mas foi a onda mais monstruosa da minha vida. Foi o bastante para me colocar na semifinal, e, quando eu vi o vídeo, percebi que tive sorte de estar vivo. Tom Carroll disse mais tarde que foi a onda mais pesada que ele viu alguém surfar em Pipe.

Eu tinha chegado tão perto da final, e terminei em quinto no meu primeiro Pipe Masters. A final foi tão emocionante que não me incomodei em ficar assistindo sentado da praia, especialmente com Tom Carroll, que ficou em primeiro lugar. Ele estava tão comprometido, que fez coisas que ninguém tinha visto antes em Pipeline, como se jogar inacreditavelmente atrasado nas ondas e fazer manobras incrivelmente poderosas em ondas gigantes.

Na competição final, em Sunset, fiquei a uma bateria do evento principal. Nunca fui uma grande ameaça lá. Felizmente, passei a única bateria que precisava, e tudo acabou saindo como tinha planejado. Tinha feito o suficiente para terminar em quadragésimo terceiro lugar na classificação final da ASP, assegurando, assim, minha vaga em 1992.

Meu principal objetivo tinha sido alcançado, mas tinha mais uma missão antes de ir em busca de meu primeiro título mundial: o Australian Pro Junior. Todo surfista australiano de talento, como Tom Carroll, Gary Elkerton, Barton Lynch, Mark Occhilupo e Luke Egan começaram suas carreiras com uma vitória no Pro Junior. É um evento no qual nenhum surfista estrangeiro tinha conseguido tirar primeiro lugar. A escola tinha me impedido de competir antes de 1992, e essa seria minha única chance. Ross Williams, Shane Dorian e eu voamos para lá com esperança de acabar com o domínio australiano.

Foi uma competição difícil, mas eu estava numa grande fase e venci algumas baterias muito equilibradas. Os surfistas australianos reclamaram dos juízes, afirmando que tinham supervalorizado minhas notas, mas todos os juízes eram australianos. Quando o grupo ficou reduzido aos dois finalistas, Shane e eu éramos os únicos remanescentes. De qualquer forma, um norte-americano seria o vencedor. Pensamos em surfar a final de base trocada, apenas brincando e nos divertindo, mas decidimos que seria desrespeitoso. Mesmo assim, queríamos comemorar e acabamos surfando nossas primeiras ondas de base trocada antes de ficarmos mais sérios. Eu ouvi dizer que Terry Fitzgerald, o patrocinador do evento, queria ir lá fora para nos estrangular. Ele ficou na praia, gritando: "O que aqueles caras estão fazendo? Estão me fazendo de idiota!". Não tínhamos intenção de insultá-lo. Era uma comemoração, mas eles não acharam engraçado.

Na época, não percebemos o significado, mas o evento tinha sido o motivo de orgulho e alegria da Austrália por dezessete anos. Nenhum norte-americano ganhou o evento antes ou depois daquele. Com exceção de Tom Curren, os australianos haviam dominado o surfe profissional desde seu início, mas nossa galera estava amadurecendo. O estrago já tinha sido feito, e o australianos ficaram resmungando.

Depois de vencer o Pro Junior, eu estava jantando com um amigo australiano, Stuart "Stretch" Cooper, um representante da Quiksilver, em Sydney. Ele tinha dois apartamentos e estava pensando em comprar um terceiro. Eu também estava interessado em comprar um imóvel e decidimos fazê-lo juntos. Após o jantar, fomos andar na rua, vimos um apartamento e decidimos comprá-lo. Ficou sem móveis por muito tempo, mas toda vez que competia na Austrália, surfava para mobiliá-lo. Stuart dizia: "Muito bem, se passar essa bateria, compramos um sofá".

Novato

Posando para a Quiksilver.

O Association of Surfing Professionals World Tour é um cruzeiro do prazer, que dura o ano todo e engloba alguns dos lugares mais bonitos do planeta. São oito meses de viagens à Austrália, África, Europa, ao Japão, Brasil e Havaí. Mas, enquanto me preparava para meu primeiro circuito completo, no início de abril de 1992, senti um enorme afeto pela minha cidade. Depois de ter passado anos surfando em Sebastian ou em frente à minha casa, quando estava lá, fiz questão de voltar ao Islander Hut para uma sessão de despedida.

Pouco restava do cenário. Um boteco imundo ocupava a construção onde minha família tinha passado seus últimos dias em grupo. Um passeio de tábuas corria ao longo das dunas onde eu brincava, e sabia que a invasão de condomínios em breve faria desaparecer qualquer traço de meu *playground* de infância. Cocoa Beach, como um todo, não mudaria, mas o surfe estava prestes a ter um significado diferente em minha vida.

Eu sabia que estava pronto para o circuito, mas não sabia se o circuito estava pronto para mim. Julgar o surfe, tal qual a patinação artística ou a ginástica, é subjetivo, mas tinha de haver um meio-termo satisfatório. Obviamente, se alguém faz tudo errado e cai, um juiz não pode lhe dar uma boa nota. Se outro cara está surfando de modo conservador, pega as maiores ondas e não cai, ele em geral vence. Mas se um cara pega uma onda mediana, lê suas linhas corretamente e radicaliza, ele deveria ter o potencial para conseguir uma nota perfeita. O tipo de surfe que eu e meus amigos praticávamos era uma mudança extrema em relação ao que estava acontecendo na época, e não sabíamos se agradaria aos juízes, mas nada nos impediria de tentar. A maioria dos profissionais surfava de forma diferente quando estava numa bateria do que quando surfava

A "Nova Escola" (da esquerda para direita): Benji Weatherly, Rob Machado, Ross Williams, Greg Browning, Taylor Knox, Shane Dorian, eu, Donovan Frankenreiter e Conan Hayes.

por lazer. Nas baterias, tinham medo de tentar qualquer coisa nova. Apesar de terem um estilo suave e poderoso, às vezes, vê-los tornava--se algo maçante. Meus amigos e eu surfávamos nas competições como se estivéssemos surfando por diversão, tentando grandes manobras em posições críticas. A imprensa nos apelidou de "A Nova Escola", criando uma distinção em relação à categoria dos profissionais estabelecidos.

Todos sabiam que conseguíamos fazer as manobras mais fantásticas, mas a questão era: "Será que tínhamos alguma chance contra os deuses do esporte?". Tom Curren, Tom Carroll, Martin Potter, Gary Elkerton e Mark Occhilupo eram os grandes astros. Se quiséssemos fazer o nosso próprio nome, teríamos de enfrentar esses caras, nossos heróis, e derrotá-los.

A maioria de meus amigos, que já eram surfistas fenomenais, ainda estava se aperfeiçoando nas competições do Circuito Bud, que substituiu o antigo PSAA. Portanto, viajei com os australianos Shane Herring, Shane Powell e Todd Prestage. Na época, não havia muitos norte-americanos no Circuito Mundial. Havia alguns californianos mais velhos, mas não os conhecia muito bem. E, apesar de Todd Holland morar na mesma rua que eu, em Cocoa Beach, nossa relação ficou abalada desde o incidente na seletiva para a equipe norte-americana de 1986, que envolveu meu irmão. Além disso, ele ouvia música country; logo, eu não podia viajar com ele.

A troca da guarda transcendia a nacionalidade. Os jovens australianos iam aos Estados Unidos para competir no Circuito Bud e formavam elos com os surfistas. Cada um de nós incentivava o outro, e as fronteiras nacionais foram embaçadas pela camaradagem de uma nova geração. Eu vi Shane Powell derrotar Tom Curren, na França, e fiquei amarradão. Ver um jovem dando *airs*/aéreos e derrotando Curren foi incrível, porque significava que um diferente tipo de surfe estava conquistando seu espaço.

Apesar de não ter nada contra os surfistas de outros países, sentia uma certa responsabilidade de reconquistar o título mundial para os Estados Unidos. Nacionalismo era algo muito mais importante no início dos anos 1980, quando caras faziam comentários arrogantes e tinham de sustentá-los. Da maneira como as revistas pintavam o quadro naquela época, Tom Curren representava os Estados Unidos contra o resto do mundo. Todos tínhamos orgulho de suas conquistas. Ele era o nosso campeão mundial. Eu tinha quase vinte anos de idade, tinha saído da escola há apenas oito meses, e ainda tinha de deixar a minha marca, mas a imprensa já estava me transformando no próximo símbolo do surfe norte-americano.

Muitos acreditavam que isso pudesse acontecer, mas não achavam que eu conseguiria ir até o fim, especialmente quando o assunto era o Havaí. Na minha mente, não havia motivo para eu não vencer logo de saída. Eu tinha derrotado alguns dos melhores, e o título mundial não era nada mais do que conseguir concatenar uma seqüência de boas baterias. Eu achava que tinha muito mais chance de vencer do que os outros.

Estreando na Austrália

O Circuito Mundial da ASP é formado por 48 surfistas, que competem numa média de dez eventos ao redor do mundo. Quarenta e quatro desses competidores se qualificam no ano anterior, terminando entre os 28 melhores do WCT (divisão de elite) ou entre os 16 melhores do World Qualifying Series (divisão de acesso), que é uma seqüência de eventos menores, aberto para qualquer um. Os outros quatro são convidados, escolhidos pelo patrocinador do evento. Pontos são concedidos a cada evento, e a temporada começa em março e termina no Havaí em dezembro. Consistência, mais do que qualquer outra coisa, é uma característica compartilhada por todos os campeões mundiais. É preciso ser capaz de se adaptar a qualquer condição, a qualquer tempo, porque as ondas de um dia para outro, ou de um país para outro, variam enormemente.

Minha busca começou na legendária Competição de Páscoa, em Bells Beach, no sul da Austrália. É o evento profissional mais antigo do mundo, e que costumeiramente é vencido pelos australianos. Desde o seu início, em 1973, apenas os norte-americanos Jeff Hackman e Tom Curren tinham conseguido quebrar a hegemonia local. Eu tinha sonhos de subir ao topo do pódio para tocar o sino, que é o troféu do vencedor. Bells é um lugar frio e cinzento, e estava prestes a vivenciar um despertar rigoroso.

Eu posso ter sido o orador da turma da "Nova Escola", mas meu estilo de surfe não combinava com as direitas longas e lentas de Bells.

Tive problemas desde o início. Na minha primeira bateria, enfrentei Tom Curren e Todd Holland. As ondas estavam um pouco acima da altura do joelho, e a maré alta significava que poucas ondas quebrariam. Todd era um competidor intenso. Ele queria vencer; não importava se o adversário seria eu ou o cara seguinte.

Ele começou a bateria muito bem, e Tom começou melhor ainda. Baterias de três homens não utilizam bóias de prioridade; sendo assim, há muita disputa pelas ondas. O surfista que está mais atrás numa onda que está quebrando tem o direito de passagem. Todd estava tão disposto a me derrotar que poderia ter remado até a Flórida, só para impedir que eu conseguisse a posição interna. Toda vez que eu estava sentado na posição mais afastada, ele remava ao meu redor. Eu fiquei intimidado, ansioso demais para pegar ondas e terminei em último na bateria. O ex--surfista profissional, Derek Hynd, da Austrália, cobria todos os eventos para a revista *Surfer*, e, em relação à minha *performance* de estréia, escreveu: "Aparentando estar assustado com seu vigoroso rival da Flórida, Slater não fez outra coisa a não ser ficar deitado com as pernas para o ar". Basicamente, ele estava certo. Eu pensei: "Oh, bem, próxima bateria!".

Essa não foi muito melhor. Terminei na trigésima posição entre 48 surfistas no meu primeiro evento. Olhei para a classificação e vi que era o trigésimo melhor surfista do mundo. Com tanta pressão para começar forte, outro em meu lugar poderia ter ficado arrasado, mas não eu. Eram treze posições acima da que eu tinha terminado no ano anterior; eu estava amarradão. Após uma *performance* deplorável, me saí melhor na classificação do que em qualquer outro tempo. Se conseguisse um resultado decente na competição seguinte, eu subiria.

De Bells, que é um lugar bem remoto do país, a nossa próxima parada seria o Coke Classic, em North Narrabeen, em Sydney. Apesar de situar-se a apenas algumas centenas de milhas de Bells, era um mundo de diferença. Bells é considerado uma competição popular, realizado por surfistas para surfistas; portanto, gira em torno apenas do surfe. A maioria dos outros eventos era como circos, com concursos de biquínis e outras atrações que acontecem ao mesmo tempo. Fiquei chocado com a diferença. As ondas de Sydney se adaptavam melhor ao meu surfe, e cheguei à final com Shane Herring. Ele venceu, mas o resultado me levou ao quarto lugar na classificação. Uma boa competição, e eu já era o quarto do mundo.

Abrindo caminho

Eu tinha vencido um punhado de baterias nos primeiros poucos eventos, mas não senti que tinha encontrado minha melhor forma até que enfrentei Martin Potter na quarta etapa da competição, nas Ilhas Reunião, um pequeno território francês na costa de Madagascar, com ótimas esquerdas, que quebram sobre um recife raso. Após cair algumas vezes no início da bateria, finalmente me encontrei e terminei com força. Cada uma das minhas manobras parecia perfeitamente cronometrada e executada. Na rodada seguinte, nas quartas-de-final contra o australiano Mike Rommelse, consegui um total de 28,5 pontos de um possível de 30 pontos e tomei a bateria de assalto. Senti que tinha finalmente mostrado meu potencial, mas não havia ninguém lá para ver. Chovia tão forte que ninguém, exceto os juízes, compareceu.

Minha semifinal me ensinou uma valiosa lição sobre como dosar meu ritmo. Após duas vitórias consecutivas, fiquei cansado e caí numa onda contra Richard Marsh. Richard, outro jovem surfista da Austrália, seguiu adiante e ganhou o evento. Percebi que tinha de pensar na competição como uma corrida de longa distância. Para derrotar alguém, não precisava desmoralizá-lo, e sim apenas superá-lo por um décimo de ponto e guardar energia para a rodada seguinte. Em vez disso, eu gastava toda minha artilharia no início, algo que vejo freqüentemente no Circuito. Foi uma derrota frustrante, porque, após uma bateria tão boa, eu pensei que fosse ganhar a competição.

Havia três competições na França, e isso me deu várias oportunidades para tentar montar um evento completo. Eu já havia competido algumas temporadas na França, portanto, conhecia os picos muito bem. No final do verão, início do outono, a costa oeste da França recebe algumas das melhores ondas para o surfe. *Beach breaks* perfeitos funcionam durante semanas a fio. Mas era o Atlântico, e períodos de falta de ondas podem durar o mesmo tempo. Naquele ano, tivemos um pouco de ambos.

No primeiro evento da temporada francesa, o Lacanau Pro, cheguei à final contra Tony Ray, um australiano pouco conhecido. Eu tinha surfado muito bem durante todo o evento e pensei: "Nossa, derrotei cinco adversários de peso para chegar aqui. Posso vencer essa final com certeza". Tony me detonou. Em ondas que pareciam marolas, ele encontrou

ASSOCIATION OF SURFING PROFESSIONALS *
1992 "WCT" Ratings After Event #5 the LACANAU PRO-FRANCE

1992 Rat No#	UPDATED 23-Aug-92 Name	From	1992 Total Pts	1992 "WCT"Tour $us	Career Money $US	'91 Rat No#	1992 Seed Pts	Evt 1 Plc	Evt 2 Plc	Evt 3 Plc	Evt 4 Plc	Evt 5 Plc	Evt 6 Plc	Evt 7 Plc	Evt 8 Plc	Evt 9 Plc	Evt 10 Plc	Evt 11 Plc	No# Evts Surfed
1	Slater,Kelly	USA	3550	$25,480	$56,530	43	3820	30	2	17	3	2							5
2	Hardman,Damien	Aus	3545	$22,600	$374,160	1	4545	3	3	9	5	5							5
3	Herring,Shane	Aus	3500	$33,000	$61,870	36	3805	9	1	9	9	9							5
4	Macaulay,Dave	Aus	3425	$18,100	$239,125	12	3887	5	3	5	9	5							5
5	Bain,Rob	Aus	3090	$12,500	$229,672	9	3590	9	9	5	9	3							5
6	Elkerton,Gary	Aus	2980	$15,000	$281,515	11	3455	3	9	2	33	17							5
7	Garcia,Sunny	Haw	2970	$24,500	$187,595	6	3553	9		1	2	5							4
8	Lynch,Barton	Aus	2890	$11,700	$370,705	5	3500	17	9	5	3	17							5
9	Marsh,Richard	Aus	2825	$21,600	$148,675	20	3210	9	18	33	1	9							5
10	Collins,Richie	USA	2760	$21,400	$194,345	10	3248	1	33	9	9	17							5
11	Ray,Tony	Aus	2630	$21,400	$96,320	40	2915	33	9	33	17	1							5
12	Hoy,Matt	Aus	2520	$10,200	$71,970	27	2870	20	9	9	9	17							5
13	Padaratz,Flavio	Brz	2515	$10,800	$109,725	17	2915	27	5	17	17	9							5
14	Curren,Tom	USA	2405	$10,900	$447,355	25	2765	5	46	3	17	9							5
15	Gouveia,Fabio	Brz	2365	$12,420	$128,083	13	2815	21	5	33	33	5							5
16	Jaquias,Kaipo	Haw	2360	$9,800	$47,480	38	2655	26	9	17	17	9							5
17	Andino,Dino	USA	2305	$9,500	$36,625	39	2595	5	24	17	17	17							5
18	Law,Simon	Aus	2270	$10,100	$118,550	21	2650	9	29	9	5	33							5
19	Powell,Shane	Aus	2250	$9,800	$48,265	33	2570		31	3	17	3							4
20	Potter,Martin	GB	2215	$11,900	$355,275	7	2770	2	34		5	17							4
20	Wilson,Graham	Aus	2215	$10,200	$141,190	29	2555	31	5	17	33	17							5
22	Clarke-Jones,Ross	Aus	2150	$9,500	$100,925	37	2450	5	41	17	9	17							5
23	Egan,Luke	Aus	2030	$8,800	$116,215	19	2420	28	17	17	9	33							5
24	Anderson,Greg	Aus	1945	$8,400	$129,055	26	2300	19	22	33	17	17							5
25	Rommelse,Mike	Aus	1940	$9,200	$65,675	24	2305	48	27	9	17	9							5
26	Shimooka,John	Haw	1935	$8,600	$81,585	42	2210	9	20	33	33	17							5
27	David,Vetea	Tah	1905	$9,100	$107,505	22	2280	9	36	33	5	33							5
28	Winton,Glen	Aus	1810	$8,600	$234,865	23	2180	44	21	17	9	33							5
29	Page,Rob	Aus	1790	$8,800	$116,295	34	2105	41	9	33	17	33							5
30	Wood,Nicky	Aus	1775	$8,800	$185,645	18	2170	23	44	9	33	9							5
31	Carroll,Tom	Aus	1730	$7,800	$440,029	3	2460	9	9		33	33							4
32	Ellis,Bryce	Aus	1725	$8,600	$163,335	16	2138	39	30	9	33	17							5
33	Byles,Jeremy	Aus	1710	$8,200	$34,270	41	1990	47	19	17	33	17							5
34	Barry,Michael	Aus	1690	$8,400	$46,465	44	1955	34	25	33	33	9							5
35	Thomas,Marty	Haw	1610	$8,700	$148,665	14	2048	32	39	5	33	33							5
36	Holland,Todd	USA	1570	$8,000	$164,950	8	2098	22	45	33	17	17							5
37	Hedemann,Hans	Haw	1485	$8,000	$205,965	35	1795	18	32	33	33	33							5
38	Bedford-Brown,Stuart	Aus	1465	$7,800	$119,510	28	1810	40	40	17	17	33							5
39	Kerr,Rod	Aus	1430	$7,600	$67,880	31	1760	35	35	17	33	33							5
40	Ho,Derek	Haw	1370	$7,800	$268,810	4	2040	29	43	33	17	33							5
41	Horan,Cheyne	Aus	1340	$7,800	$331,255	30	1675	42	47	33	17	17							5
42	Sainsbury,Mark	Aus	1200	$6,400	$75,325	45	1460	36	23	33	33								4
43	Thorson,Mitch	Aus	1075	$6,400	$142,505	32	1400	43	48	17		17							4
44	Booth,Jeff	USA	1040	$4,600	$125,325	15	1465			17	17	33							3
45	Munro,Shaun	Aus	1020	$5,000	$40,020	46	1275	25	37			17							3
46	Spooner,Jake	Aus	915	$4,000	$15,625	51	1145		5										1
47	Gerlach,Brad	USA	765	$3,800	$218,795	2	1625	24	28										2
48	Strong,Justin	SAfr	720	$4,200	$24,745		720			33	33	33							3
49	Tostee,Pierre	SAfr	640	$3,000	$26,505		640			17	33								2
50	Parsons,Mike	USA	465	$2,200	$151,055	103	514		26										1
51	Branson,Matt	Aus	405	$3,200	$54,165	47	655	45	38										2
52	Jenkins,Joey	USA	400	$1,600	$1,600		400				17								1
52	Robin,Frederic(am)	Reun	400	$0	$0		400				17								1
52	Rahme,Noel	SAfr	400	$1,600	$12,260		400			17									1

Minha primeira vez no topo.

(*) Enunciado da tabela: Associação de Surfistas Profissionais. Classificação do WCT de 1992 após o Evento #5, o Lacanau Pro-França.

tubos e transformou as ondas em notas oito. A maré estava muito baixa, e a maioria das ondas fechava, mas ele não teve dificuldades para me deixar precisando de uma combinação de notas e eu precisava não de uma, mas de duas boas ondas para virar a bateria. Quando isso ocorre, você praticamente leva um chute na bunda.

Quando cheguei à praia, lá estava Derek Hynd, sacudindo a cabeça. Ele disse: "Então, quanto tempo vai demorar?". Eu não sabia o que ele queria dizer e olhei para ele com expressão de perplexidade. "Para você ganhar um desses eventos?", disse ele. Eu também me perguntava o mesmo, mas não estava chateado. Depois de ter chegado e perdido duas finais naquela temporada, percebi o quanto ainda tinha de trabalhar para manter meu objetivo. Ao terminar quase no topo em três dos cinco primeiros eventos, tinha chegado ao primeiro lugar na classificação.

Na semana seguinte, em Hossegor, cheguei à final novamente, e meu adversário foi Gary Elkerton. Ele tinha chegado perto de conquistar dois títulos mundiais, e não estava feliz em ver um bando de garotos invadindo sua praia. Era um cara grande, que achava que o surfe deveria ser baseado em força e ter categorias de peso, como no boxe; portanto, tinha todas as intenções de me esmagar como uma uva Bordeaux.

Devido às diferenças em tamanho (Gary pesava dezoito quilos a mais do que eu) e em método (eu surfava com estilo; ele se resumia à força), as ondas de tempestade, quebrando duas vezes acima de nossas cabeças, claramente favoreciam Gary. O vento soprava, fazia frio, e não dava para ouvir os locutores de dentro do mar. Vetea David, um amigo meu do Taiti, que também estava no circuito, estava lá com sua mãe. Ela era uma senhora extremamente simpática, de 136 quilos, que me enrolou numa toalha para me aquecer. Eu tinha o hábito de ser atraído para famílias unidas, como a dos David, quando estava longe de casa, e ainda tenho. As competições podem ser estressantes, e como a minha família ficava na Flórida, ter esse tipo de apoio me dava mais conforto. Ela massageava meus pés e minhas costas, e dizia repetidamente: "Você vai vencer essa competição, eu sinto isso". (Infelizmente, ela faleceu num acidente automobilístico, no Taiti, em 2001.)

Sete minutos antes do início da final, comecei a remar para fora, porque as ondas eram tão grandes que demorei muito tempo, uns treze minutos. Eles seguraram o começo da bateria para mim até que eu conseguisse chegar lá fora, e Elkerton ficou furioso. Ele tinha saído remando antes, estava pronto e tinha de esperar por mim no *lineup*. Aquilo atrapalhou seu momento, e ele fez o maior estardalhaço dentro d'água. Mais tarde, ele me disse: "Era uma missão chegar lá fora. Eu já estava posicionado quando Kelly entrou na água, e estava muito difícil ficar num bom lugar. Eu já tinha deixado passar cinco ondas perfeitas. Fiquei chocado ao ver que atrasaram o início da bateria para ele. Em todos meus anos de competição, nunca tinha visto um surfista receber esse tipo de tratamento. Se você não deixasse a praia na hora certa, estava eliminado!".

Peguei apenas duas boas ondas na final e voltei pensando: "Oh, Deus, cheguei tão perto novamente. Que pena que não ganhei essa". Os espectadores franceses se aproximaram de mim, e me deram tapinhas nas costas, dizendo: "É, bom trabalho". Mas eram apenas fãs, e não tinham idéia se eu tinha vencido ou não. Ao me aproximar da área dos competidores, vi todos vibrando por mim.

Apesar de não ter pego uma boa terceira onda, minhas outras duas tinham sido mais longas, maiores e cheia de manobras, e foram o suficiente para derrotar Elkerton. Ele reclamou do início atrasado, e me senti tão mal por ele que não teria tido qualquer problema para repetir a final. Os diretores do evento disseram que lamentavam o fato; sendo assim, no dia 31 de agosto de 1992, ganhei meu primeiro evento no Circuito Mundial. Parecia que tinha demorado uma eternidade. Antes de subir no pódio para receber meu troféu e um cheque de 14 mil dólares, liguei para minha mãe em Cocoa Beach. Havia se tornado uma tradição. Cada vez que eu ganhava, ela era a primeira pessoa para qual eu ligava, mesmo que isso significasse um atraso na cerimônia de premiação.

Existe um bar em Hossegor, chamado Rock Food, onde todos vão após a competição, e o lugar pode ficar fora de controle. Danny Kwock, da Quiksilver, apareceu mais tarde naquela noite, com Bob McKnight, o chefe-executivo da empresa. Naquela altura, meus amigos e eu já tínhamos tirado nossas camisas, e cervejas jorravam para todos os lados. Eu estava desabafando, corri na direção de Danny e lhe dei uma cabeçada. Eles estavam completamente sóbrios, e então, apenas olharam para mim, como se dissessem: "Ei, o que aconteceu com esse cara?".

Eu estava num grande momento e queria me distanciar do resto dos competidores na semana seguinte em Biarritz, mas isso não aconteceu. As ondas estavam pequenas demais, até para os padrões da Flórida, para que as quartas-de-final fossem realizadas. A França é um lugar maravilhoso, mas, após três semanas, você normalmente comeu baguetes demais e bebeu vinho tinto o suficiente para durar um ano inteiro. Sem garantia de ondas, seria muito problemático mudar as reservas de viagem de todo mundo para que pudessem esperar por algum *swell*. Parece desculpa de atletas profissionais, mas isso não é tênis nem golfe. Nós surfávamos por alguns milhares de dólares, não alguns milhões. A competição foi cancelada e cada quadrifinalista recebeu pontos de quinto colocado. É claro que o mar subiu no dia seguinte.

Em outubro de 1992, eu certamente tinha algo a perder. A ficha de estar liderando a classificação teve tempo para cair e senti a pressão. As revistas perguntavam: "Será que o jovem conseguirá?". Pela primeira vez, senti que decepcionaria pessoas se não conquistasse o título mundial. Eu estava no topo, e passei a jogar na defesa em vez de no ataque. Eu tinha algo a proteger. Faltando quatro eventos, eu só não podia vacilar que ganharia. É difícil surfar solto quando se pensa assim.

Algo a perder

Os dois eventos seguintes foram realizados no Japão. Os japoneses são totalmente loucos pelo esporte. Devido às taxas de importação, as pranchas chegam a custar 1.800 dólares, quatro vezes mais do que se paga nos Estados Unidos. Mesmo assim, os surfistas japoneses querem pranchas feitas pelos melhores *shapers*. Fiz eventos promocionais lá, onde lojas de departamentos me pagaram somas incríveis de dinheiro por uma sessão de autógrafos de uma hora. É um encontro exclusivo, onde permitem a entrada de apenas cinqüenta de seus melhores clientes. Os fãs de lá são os mais gratos e mais notavelmente vestidos do mundo. Há uma disputa constante para ver quem usa os saltos mais altos na praia. Tenho um amigo que trabalha para uma revista de surfe japonesa, que coleciona fotos destes fatos e as envia para mim.

As ondas, como de costume em eventos japoneses, são bastante ruins, mas eu surfei numa das melhores baterias de minha vida nas quartas-de-final do Marui Pro, em Hebara Beach. Infelizmente, cometi outro erro de novato. Meu adversário era Sunny Garcia, um dos havaianos que conheci no Campeonato Norte-americano, em 1984. A certa altura de nossa bateria, Sunny tinha prioridade na onda, que ele obteve ao remar ao redor da bóia de prioridade após a nossa última troca de ondas. Ele podia escolher a próxima boa onda que aparecesse, e eu não podia ficar em seu caminho. Ele começou a remar para uma onda e deu algumas braçadas em sua direção para assegurar que a pegaria. Eu não dropei em cima dele, mas isso não importa. Ele ficou em pé e apontou para mim como um louco para chamar a atenção dos juízes. Fui punido por interferência na remada, o que significava que só pontuaria em duas ondas em vez de três. Cada onda minha ficou na casa dos nove pontos; portanto, quase o derrotei mesmo assim. Sunny achou que eu tinha um acerto com os juízes já que tinham me dado notas tão altas.

Era um momento crucial na temporada, e perder por causa de uma punição injusta foi duro. Voltei socando minha prancha por causa de um erro bobo. Regras são regras; então, o regulamento da ASP tornou-se a minha bíblia. Estudei-o de cabo a rabo. A regra foi subseqüentemente modificada para que o surfista realmente tenha que interferir no outro surfista para ser penalizado.

O evento seguinte, o Miyazaki Pro, também teve ondas pequenas. Cheguei à final com Martin Potter. Eu estava perto de alcançá-lo no final da bateria, mas não encontrei uma onda, o que deu a Pottz sua última vitória no circuito. Mesmo assim, terminar em segundo lugar era quase o suficiente para assegurar o título mundial. Eu só precisava comparecer ao Brasil para o penúltimo evento e esperar que os outros adversários perdessem. O título estava mais ou menos garantido.

O menino rei

Foi minha primeira vez no Brasil, e como não sabia nada a respeito do lugar, fiquei com medo de sair do quarto do hotel. Os brasileiros são apaixonados por esportes, seja surfe, futebol ou jiu-jitsu, e apóiam muito os profissionais que visitam o país. Por causa disso, especialmente no Rio de Janeiro, eu vislumbrei o preço da fama pela primeira vez. Alguns anos antes, poderia ter andado pela praia sem ser reconhecido, mas, agora, tinha de ser escoltado na ida e na volta das baterias por oito guarda-costas. Nessas circunstâncias, o surfe tornou-se mais estressante, até assustador.

Além do público surpreendente, vaquei numa onda na arrebentação e quebrei minha prancha favorita durante a primeira bateria, a que tinha usado durante a maior parte do ano, inclusive na minha vitória na França. Por acaso, Sunny Garcia estava vendo a bateria e rapidamente me passou uma de suas pranchas. Era um barco comparado à prancha que eu usava. Perdi a bateria, o que não foi tão ruim assim. A primeira rodada realmente não importa, exceto que os vencedores saltam direto para a terceira rodada.

Ironicamente, Sunny era o único competidor que podia me alcançar na classificação da ASP naquele ano, e participaria de uma bateria anterior à minha, na quarta rodada, contra o australiano Matt Hoy. Tentei não pensar nas circunstâncias, mas, pouco antes de minha bateria com Tom Carroll, o locutor anunciou que Sunny havia perdido. Teria sido legal surfar para ganhar o título em vez de esperar que alguém o entregasse a mim; porém, mesmo assim, era o novo campeão do mundo. Independentemente do que acontecesse no restante da competição, ou no evento final do ano, o Pipe Masters, Sunny e os demais competidores não poderiam ultrapassar minha liderança.

Portanto, grande parte de minha vida tinha sido direcionada para esse momento, que, quando chegou, me deixou sem saber como reagir. Aos vinte anos, eu me tornara o campeão mais jovem da história. Eu queria comemorar, mas sentia que era jovem demais para ter alcançado o auge do esporte. Tom me abraçou e me cumprimentou, mas ainda não parecia realidade. Eu não conseguia acreditar que tinha ganho o título mundial diante de meus heróis, Tom Carroll, Tom Curren e Martin Potter.

Parecia irreal, mas, depois de ter competido contra eles, percebi que tinham suas próprias falhas. Achei que Curren usava pranchas muito esquisitas e que as pranchas de Carroll eram grandes demais. Potter ainda cometia erros bobos, que lhe custavam baterias, e Elkerton abrandou demais seu surfe para tentar se encaixar nos critérios. De fato, fui citado nas principais revistas, dizendo tudo isso. Não estava sendo atrevido; apenas detestava ver esses caras cometendo erros, e não conseguia guardar isso para mim.

O australiano Mark Occhilupo também estava numa situação bem ruim em 1992: seu comportamento excêntrico estava transformando muitos de seus amigos em inimigos. Em 1984, Mark explodiu no cenário aos dezessete anos. Ele subiu rapidamente para o topo da classificação do Circuito Mundial, mas por não estar mentalmente preparado para o sucesso com aquela idade, e por não suportar a responsabilidade e o estresse que o acompanham, ficou esgotado com as viagens e as competições. Sem a devida orientação, numa idade tão jovem, é difícil para as pessoas desenvolverem todo seu potencial. No Lacanau Pro, de 1992, eu estava carregando meu taco de sinuca na rua para me encontrar com alguns amigos para jogar. Occy tentou me atropelar com sua bicicleta; depois, começou a gritar comigo. Ele adotou uma posição de caratê e disse: "Você tem um taco de sinuca, é? Quer brigar? Eu te pego agora mesmo". Fazia uma semana que ele não dormia, e estava fora de si. Ele havia enterrado todas as suas pranchas na areia e o trator que limpava a praia passou por cima delas. Estava tão mal que pediu informações de como chegar à Austrália para que pudesse pular na água e nadar até em casa. Chegou a desistir do surfe logo depois e demoraria alguns anos até que alguém do mundo do surfe voltasse a ouvir falar dele novamente.

Há muitas influências externas no circuito, no qual jovens são jogados no papel de astros de rock sem preparação. Todos querem se passar por amigos. Pessoas oferecem bebidas em bares e garotas pulam em cima de você. Se você não tiver uma boa base, é fácil se perder. Meu amigo Shane Herring liderou o circuito durante um bom tempo em 1992. Ele teve uma criação difícil e não conseguia lidar com a liberdade oferecida pelo circuito. No decorrer de um ano, ele desmoronou e sua carreira no Circuito Mundial estava praticamente encerrada.

Confirmação

Era estranho pensar que tinha ganho o título mundial, e o maior evento do ano, o Pipe Masters, ainda estava por acontecer. A classificação não era importante, mas eu queria desesperadamente confirmar meu feito com uma boa apresentação. Eu sabia o que precisava fazer para terminar o serviço. Eu tinha a habilidade necessária; precisava apenas ficar concentrado e pegar ondas. Se não conseguisse, as pessoas usariam isso contra mim. E pior ainda: eu me decepcionaria.

As distrações começaram na minha primeira bateria do Pipe Masters, quando o havaiano Liam MacNamara e o californiano Jeff Booth começaram a brigar. Liam é um local de Pipe agressivo, que tenta pegar todas as ondas da bateria. Ele subiu nas costas de Jeff remando para pegar uma onda e o atingiu com o bico da prancha. Jeff virou-se e começou a socar Liam na cabeça, mas Liam estava usando um capacete para se proteger do recife. O que aconteceu foi que o capacete o protegeu de Jeff. Eles estavam gritando um com o outro, e eu berrei: "Por que vocês não calam a boca?". Liam respondeu: "O quê? Quer apanhar também?". Foi um alívio cômico. Jeff precisava apenas de uma nota dois para avançar e terminar a temporada entre os dezesseis melhores, mas acabou caindo na estratégia agressiva de Liam. Eles quase brigaram novamente na praia. Os salva-vidas, que trabalhavam como patrulheiros dentro d'água durante o evento, conheciam a reputação de briguento que Liam tinha e, após a bateria, afirmaram não ter visto nada. Eu venci a bateria e avancei com Liam.

Pipe não estava clássico, as ondas estavam longe de ser perfeitas, mas estavam bastante grandes. Sunny Garcia dominou a final de quatro homens desde o começo. Eu estava brigando pelo segundo lugar com Liam e o australiano Barton Lynch. Na metade da bateria, Sunny levou uma vaca feia e foi levado às pressas para o hospital. Sunny tinha se machucado três vezes naquele dia e ainda liderava nos minutos finais. Àquela altura, eu não estava preocupado em provar nada. Marcar presença na final já era o suficiente. Eu tinha me convencido de que podia surfar em ondas grandes e não me importava com o que os outros pensassem. Parecia que ele venceria a competição, e me contentei em deixar isso acontecer.

Mas eu só podia controlar a mim mesmo, já que Liam estava determinado a vencer. Ele disse: "Vamos assegurar que um australiano não vença, e conseguiremos trazer a vitória de volta ao Havaí". Sugeri que Sunny vencesse, mas Liam não queria fazer parte disso, porque achava que estava em vantagem.

Eu não tinha intenções de obedecer Liam, e, faltando três minutos, peguei uma onda pequena e ruim, mas consegui os três pontos necessários para vencer meu primeiro Pipe Masters.

Apesar de toda minha motivação e determinação terem sido usados para me preparar para Pipeline, honestamente nunca pensei que venceria um evento no Havaí. Eu me sentia à vontade em Pipe, mas vencer era um privilégio reservado aos caras mais experientes, como Dane Kealoha, Shaun Tomson e Tom Carroll. Nem preciso dizer que fiquei alucinado. Era mais do que a realização de um sonho.

No banquete da ASP, na noite seguinte, dediquei meu título mundial a Mark Sainsbury, um amigo da Austrália, que falecera alguns meses antes devido a um aneurisma cerebral enquanto surfava. Ele tinha apenas 26 anos de idade. Mark ganhou a Competição Mundial de 1986, na Inglaterra, e se tornou um dos profissionais mais bem colocados do *ranking* logo depois. É de partir o coração perder alguém que você conhece e contra o qual competiu durante anos, especialmente numa idade tão jovem.

Num comentário mais suave, tinha prometido no início do ano que cantaria o hino norte-americano se me encontrasse naquela posição. Amo quando tocam o hino nacional para os atletas que recebem suas medalhas

Ainda tenho dificuldades para acreditar que ganhei o Pipe Masters, 1992.

olímpicas, mas essas coisas não acontecem num esporte mais modesto, como é o surfe. Mantendo a minha palavra, pedi ao público que se levantasse e se juntasse a mim. Foi embaraçoso, mas muitas pessoas cantaram comigo.

Voltei para casa, em Cocoa Beach, e a primeira coisa que fiz foi surfar com Sean. Tínhamos programações diferentes desde que ele se profissionalizou. Quando comecei a competir no Circuito Mundial, Sean já tinha decidido surfar no circuito doméstico. Nós nos encontrávamos de vez em quando, mas não estávamos tão próximos como éramos quando meninos. Estávamos sentados no mar na Décima Terceira Rua, depois que conquistei o título mundial, quando ele me olhou e jogou água em mim. Ele disse: "Você venceu. Você é o campeão do mundo, seu fedelho. Não consigo acreditar". Foi uma maneira engraçada de ele expressar suas emoções; então, para ele, era como me abraçar e me cumprimentar.

Por estar tão concentrado nas competições, não tive tempo para pensar no que significava conquistar o título mundial até que consegui. Não pude aproveitar o momento, digamos assim. Foi difícil sentir como era divertido encontrar pessoas e conhecer novos lugares. Eu me sentia como um robô, pensando constantemente em melhorar minha classificação. Passar o tempo com meus amigos era ótimo, mas minha mente não parava de planejar maneiras de vencer. Muitos outros caras entre os cinco melhores poderiam ter ganho, mas foi meu foco que me colocou no topo.

Eu tinha fantasiado que a conquista do título mundial me impediria de enfrentar os problemas da vida. Meu lado ainda não realizado me dizia que a conquista tinha me transformado numa pessoa melhor, e que precisava desse título para me afirmar. No fundo, não me mudou e não me deixou mais feliz. Aliás, às vezes, pode aumentar os momentos de tristeza que você sente quando as coisas ficam fora de controle na vida. A única coisa que tinha agora era meu nome numa placa.

Até colocar o meu rosto na caixa de cereal Wheaties, a marca de qualquer atleta de sucesso, estava fora do meu alcance. Os caras da revista *Eastern Surf*, na Flórida, publicaram o endereço da General Mills para que os leitores pudessem enviar seus pedidos para que eu aparecesse na caixa. Eu não soube, mas Bryan, meu empresário, também fez contato com a empresa. Eles lhe disseram: "Nós só apresentamos atletas genuínos em nossas caixas". Para eles, eu era apenas um vagabundo de praia.

As coisas desmoronam

Sozinho, no meio da multidão, em Biarritz.

Numa manhã de sol, em setembro de 1992, numa praia em algum lugar do sul da Califórnia, acordei na minha caminhonete, pisei na areia e fui surfar. Após encontrar uma bela salva-vidas e ensiná-la a surfar, o dia ficou negro. Uma gangue de locais da pesada, que se autodenominavam *The Shooters* (Os Atiradores), começou a me ameaçar por estar surfando no que eles consideravam o pico deles, e o líder me desafiou para uma competição de surfe. Eu não recuei, mas acabei caindo numa armadilha. Os *Shooters* tinham colocado arame farpado ao longo do *lineup* e acabei entrando nele e quase me afogando. Felizmente, David Hasselhoff estava passando pelo local em seu jipe de salva-vidas e veio ao meu socorro. "Fique parado", ordenou ele. "Não se mexa. Peguei você!".

Tudo bem, não fui *eu* que ele salvou, e sim Jimmy Slade, meu personagem da série *S.O.S Malibu*. Era minha estréia como ator, num episódio intitulado "Tequila Bay". Estar no programa foi algo que fiz contra meu melhor juízo. Eu era inexperiente demais para o cinema, mas meu empresário Bryan e minha mãe achavam que daria um grande impulso à minha carreira. Aconteceu tão rapidamente que não tive tempo para impedir.

S.O.S Malibu

Quando estava na primeira série, Steve Martin era meu herói, e eu queria ser ator. Depois, minhas aspirações na TV e no cinema deram lugar ao surfe. Participei de algumas peças na escola, mas sempre esquecia minhas falas.

No início de 1992, Bryan me disse que estava tentando me colocar num programa de TV, e eu dei de ombros, como quem diz: "Certo, certo. Com certeza!". Se viesse a acontecer, achava que poderia recusar a oferta na hora.

Logo depois, fui chamado para fazer um teste para um seriado de televisão chamado *S.O.S Malibu*. Não conhecia muito bem o programa, mas sabia que as pessoas assistiam por causa das imagens em câmera lenta de garotas com seios grandes, correndo pela praia em pequenos maiôs. Ouvi pessoas gozando o programa, mas, honestamente, eu nunca tinha assistido. Li algumas falas de um personagem chamado Jimmy Slade. Jimmy era um surfista, que vivia em sua caminhonete e sonhava em se tornar profissional. Fiz um trabalho horrível, em parte, de propósito, mas também porque fiquei um pouco nervoso. Quando terminei, disseram: "Muito bem, ótimo. O trabalho é seu". Eu pensei: "Que tipo de programa é esse?". Devia haver outras pessoas que pudessem ler as falas bem melhor do que eu. Mais tarde, descobri que tinham escrito o papel só para mim. Logo em seguida, fiquei sabendo que eu era Jimmy Slade, e que tinha um contrato de duas temporadas no programa.

Alguns meses depois, em abril, após a abertura do Circuito Mundial da ASP, de 1992, na Austrália, os produtores queriam que voltasse para uma sessão de fotos. Eu não queria ir, e realmente tentei perder meu vôo. Liguei para Bryan, que estava na Califórnia, de meu condomínio e o mantive na linha o quanto pude, perguntando: "Tenho realmente que voltar?". Para Bryan, que não surfava e sabia muito pouco a respeito da cultura do esporte, o programa fazia todo o sentido do mundo. Segundo ele, era uma exposição fora do surfe, o que ele achava que eu precisava. Eu sabia que seria gozado pelos demais surfistas quando vissem como o programa era tolo, e queria sair dele o quanto antes. Nosso telefonema foi tenso. Ele achava que eu era jovem demais para tomar decisões comerciais inteligentes e me convenceu a dar uma chance a *S.O.S Malibu*.

Eu estava com Bruce Raymond, diretor-administrativo da Quiksilver, e ele ligou para a companhia aérea para segurar o vôo. Eles conseguiram, e cheguei bem em cima da hora. Fui apresentado aos membros do elenco, Dave Charvet, Pamela Anderson e Nicole Eggert, os outros jovens do programa. Bryan se encontrou comigo lá e, quando viu Pamela, apontou para ela e me avisou que ela era problemática. Ele me disse para ficar longe dela. Eu já tinha uma namorada e não me interessei, fora o fato de que Pam estava saindo com Dave Charvet.

Começamos a gravar em abril de 1992, e os produtores basicamente me entregaram o roteiro e gritaram: "Ação!". Todos os outros tinham alguma experiência como atores, exceto eu. Eu me sentia como um estranho no ninho, mas fiz o meu melhor. Felizmente, as cenas não eram muito complexas.

Havia todo tipo de tomadas bobas, como cenas de amor fantasiosas de Nicole Eggert comigo. Nicole fazia o papel de Summer, a namorada de meu personagem; sendo assim, em um episódio, tínhamos de nadar numa piscina, de mãos dadas, acariciando um ao outro. Como meu personagem era interesseiro, em outro episódio, tive de beijar ela e outra garota em questão de minutos. A outra garota queria conseguir um patrocínio para Jimmy Slade para que ele pudesse participar em mais competições e ganhar roupas gratuitas; portanto, ele a beijou, apesar de a personagem de Nicole ser supostamente a sua namorada. Ele não era fiel a ela, porque estava cego pelo sonho de se tornar profissional. Em breve, eu tinha beijado e acariciado mais do que o necessário. Eu realmente queria sair do programa.

No *set*, tornei-me amigo de Pamela e de alguns outros atores, mas não saía com o elenco quando não estava trabalhando. Ser uma celebridade não era um de meus objetivos, e foi difícil evitar a publicidade que acompanhava o programa. Minha ansiedade em relação a fazer parte de um programa tão tolo impediu-me de me sentir parte do grupo, e toda vez que filmavam na praia, eu encontrava caras que estavam surfando perto dali e os convidava para um lanche grátis.

Ficou óbvio para mim que *S.O.S Malibu* era uma série de filmes de mau gosto desde que pisei no *set*, mas não tinha idéia de que causaria um impacto tão grande na comunidade do surfe. De acordo com a maioria de meus companheiros de surfe, eu estava vendendo barato o esporte. Meu papel proporcionou uma chance fácil para as pessoas me criticarem, e me encontrei buscando maneiras de me proteger.

Em janeiro de 1993, meu retrato saiu na capa da revista *Surfer* ao lado da manchete "O Garoto de *S.O.S Malibu* se dá bem". A revista elogiou meu surfe e me parabenizou por ser campeão mundial, mas teceu vários comentários pouco lisonjeiros em relação ao meu outro trabalho. O irmão mais velho de Tony Hawk, Steve, era o editor da *Surfer*, na época, e fiquei aborrecido com ele por ter deixado a matéria sair daquele jeito.

O tempo todo, eu procurava uma desculpa para sair do programa. Meus amigos sabiam que *S.O.S Malibu* era meu ponto fraco; então, não se incomodavam em me zombar por causa disso. Quando perceberam que eu estava atraindo muito mais atenção das meninas porque estava na televisão, deixaram de achar que era tão ruim assim. De vez em quando, outros surfistas me ridicularizavam remando até mim no mar para dizer: "Ei, Jimmy Slade". Meus amigos me acalmavam e diziam: "Ei, esqueça esse cara!".

Caí e não consigo me levantar

Eu namorava uma garota chamada Bree Pontorno há quase um ano, e seus pais nos pressionavam para casar. Tínhamos algumas questões de relacionamento que achava que ainda precisavam ser resolvidas, mas não estava preparado para perdê-la. Achei que noivar seria a solução; então, comprei para Bree o anel com um diamante de quatro quilates que ela

A festa de noivado, com Sean, meu pai, minha mãe, Bree e Stephen.

tanto queria e a levei numa viagem a Barbados, em março de 1993, para pedi-la em casamento. Ela tinha dezessete anos, e eu tinha feito 21 no mês anterior. Meu coração não gostava da idéia de se acomodar com aquela idade, mas eu gostava de Bree e não queria decepcioná-la. Era uma situação passageira que estava ficando fora de controle.

Ela me pressionava para marcar a data, e parecia que o casamento era mais importante para ela do que eu. Ela queria comprar uma casa na Intercoastal Waterway, em Fort Lauderdale, para estabelecermos o nosso lar no sul da Flórida, mas as coisas estavam indo rápido demais para mim. Com tanto tempo gasto em viagens, não estava preparado

Buttons Kaluhiokalani foi minha inspiração para esse tipo de manobra.

📷 *Jeff Hornbaker* ©

Ah! Os bons tempos. Eu me lembro de ter recebido os presentes que eu queria naquele ano — o carro e o boneco.

Cortesia Slater Family Wall of Shame ©

Fiquei tão feliz quando Dick Catri me colocou na sua equipe de surfe que cobri a prancha toda com seu nome.
📷 *Garry L. Pretyman* ©

Sou o terceiro da direita para a esquerda. Se os outros garotos estão com cara de decepcionados, provavelmente é porque tinham perdido para um pirralho num *bodyboard*.
📷 *Cortesia Slater Family Wall of Shame* ©

Este é um quadro meu logo após ter me profissionalizado e ganho 30.600 dólares no Body Glove Surfbout, de 1990, em Lower Trestles, na Califórnia.
Jeff Hornbaker ©

Eu, muito contente; e Gary Elkerton, muito decepcionado (embaixo, à esquerda), no Rip Curl Pro, em Hossegor, na França. Minha primeira vitória no Circuito Mundial da ASP.
Pierre Tostee ©

Não é um truque de fotografia.
Sempre consegui me curvar assim.

O Pipe Masters de 1998. Foi o auge de minha carreira, logo depois de derrotar Rob Machado, nas quartas-de-final, para garantir meu sexto título mundial.

Minha prancha de *tow-in* e eu.
◉ *Jeff Hornbaker* ©

Testando a água com minha filha Taylor, para ver
se ela vai amar o surfe tanto quanto eu.

Tom Servais ©

Antes de jogar golfe, a sinuca ocupava grande
parte de meu tempo livre no circuito.

Jeff Hornbaker ©

Usamos fotos como essa para ajudar a criar as ilustrações reais do videogame *Kelly Slater Pro Surfer*.
📷 *Todd Mesick* ©

Não dominei essa manobra... ainda.
📷 *Tom Servais* ©

**Tudo bem, roubei esse *cutback* do Curren.
Ele é meu herói. O que posso dizer?**

Jeff Hornbaker ©

**Depois de me aterrorizar durante anos,
Backdoor Pipe parece o quintal de minha casa.**
📷 *Jeff Hornbaker* ©

**Esse foi um dia de ondas fortes, e graças à fotografia
instantânea, essa foto foi parar na capa da revista
Surfing, da edição de agosto de 2000.**
📷 *Tom Servais* ©

Cerimônia de abertura da competição Quiksilver em Memória a Eddie Aikau. Ser convidado para esse evento foi uma de minhas maiores realizações no surfe.

Minha geração basicamente pegou as manobras de nossos antecessores e passou a executá-las acima do *lip* da onda.

Cortesia Slater Family Wall of Shame ©

Pegando emprestado uma manobra do *skate*: o *lien air*.

Cortesia Slater Family Wall of Shame ©

Cloudbreak, 2002: foi aqui que aprendi a traduzir manobras de ondas pequenas para ondas grandes em 1990.

Cortesia Slater Family Wall of Shame ©

As cavadas não chamam tanta atenção quanto outros aspectos do surfe, mas formam a base do bom surfe.

Cortesia Slater Family Wall of Shame ©

Outro dia mediano em Cocoa Beach, Flórida. Quem me dera!

Cortesia Slater Family Wall of Shame ©

para assumir outra prestação de casa. Eu ainda estava pagando a minha casa em Cocoa Beach.

Superficialmente, parecia que tudo na minha vida estava entrando nos eixos, mas, na verdade, tudo estava desmoronando. A fachada de um título mundial, que servia de cura para todos os meus males, rapidamente desapareceu. Quando o Circuito ASP começou, em abril, em Bells, minha frustração em relação ao *S.O.S Malibu* e ao meu noivado estava acabando com minha concentração. Eu corria o risco de sucumbir ao meu próprio conjunto de pressões. Quando surfo com todo meu potencial, sinto que posso tirar uma nota dez em qualquer onda a qualquer momento. Mas nunca me senti à vontade em Bells, e enfrentei Barton Lynch, que já tinha me derrotado inúmeras vezes. Perdi para ele nas quartas-de-final e comecei o circuito com uma quinta colocação final.

Alguns dias depois, no evento seguinte, o Coke Classic, em Sydney, minha antiga lesão no joelho, causado pelo meu acidente na cama elástica, na escola, estava me levando à loucura. Fazia algum tempo que não me incomodava, mas essas contusões não desaparecem facilmente. Perdi minha primeira bateria e tive de surfar na segunda rodada (a repescagem, uma vez que os vencedores saltam direto para a terceira rodada), contra Isaac Kaneshiro, um azarão modesto do Havaí, que tinha me derrotado no Campeonato Norte-americano, em 1989. Cada vez que terminava uma onda ruim, eu me virava para vê-lo numa onda duas vezes maior, que oferecia mais oportunidades de manobras. Mesmo assim, consegui acompanhá-lo, e tudo ficou para ser decidido no minuto final; contudo, Isaac pegou a onda vencedora.

Fiquei muito desencorajado ao sair daquela bateria. Foi a primeira vez na minha carreira que terminava na trigésima terceira colocação, que vem a ser o último lugar no Circuito Mundial. (Hoje os surfistas se referem a ele como o *dirty turd*/cocô imundo em vez de *thirty-third*/trigésimo terceiro.) Minha vida girava em torno de competição; portanto, foi difícil engolir essa derrota. Fora meus problemas pessoais, estava preocupado em não despencar na classificação.

Ao sair da água, depois de perder para Isaac, dei uma cabeçada em minha prancha por pura frustração. Uma seqüência disso saiu em *Tracks*, uma revista de surfe australiana. Existe um fenômeno na Austrália, conhecido como *the Tall Poppy Syndrome*/a Síndrome da Papoula Alta, que é a tendência de atacar e diminuir pessoas visivelmente bem-sucedidas. O termo originou-se do modo como cortamos o espécime mais forte de um jardim de flores para exibi-lo. Basicamente, alguns surfistas querem derrubar quem estiver no topo. Eu era um campeão mundial norte-americano, que não estava à altura das expectativas deles. Além disso, estar em *S.O.S Malibu*, o enlatado mais americanizado que existia, transformou-me em Inimigo Público Número 1 na Austrália. Fiquei constrangido com a repercussão negativa da imprensa e prometi manter meus futuros rompantes emocionais para mim mesmo.

Jimmy Slade, que descanse em paz

Felizmente, eu estava envolvido num projeto popular naquele ano que era fiel às minhas raízes de surfe. Bruce Brown estava montando uma seqüência para seu clássico filme de surfe do ano de 1966, *The Endless Summer*. Fui cogitado para fazer o papel principal, o que seria uma honra; porém, devido à minha intensa agenda de competições, não era a pessoa ideal para o trabalho. Bruce acabou contratando Pat O'Connell, que foi uma ótima escolha para o papel. Pat é engraçado, extrovertido e não estava seriamente envolvido nas competições naquela época. Bruce ainda me queria no filme, e planejamos filmar uma seqüência em Tavarua, Fiji, logo após minha partida da Austrália, no final de abril.

Antes de poder surfar no filme, tinha de ver alguém para ter diagnóstico médico de meu joelho. Fui ao encontro de um cirurgião artroscópico na Austrália. Ele apertou minha rótula com seus polegares, e doeu terrivelmente. Ele disse: "Sei exatamente o que é isso. Vamos operar depois de amanhã". Dois dias depois, lá estava eu na sala de cirurgia, onde cirurgiões removeram um tecido solto em meu joelho. Acordei da anestesia e fiquei verde. O resto do dia fiquei debruçado sobre o vaso sanitário. As pessoas batiam à porta e perguntavam: "Você está bem?". E tudo o que eu podia dizer era: "Deixem-me em paz!". No banheiro apertado do hospital, lutei para manter minha perna reta para poder dormir no chão.

No dia seguinte, meu joelho estava bem melhor e consegui andar um quilômetro e meio até o apartamento que tinha comprado em Sydney.

Passei o resto da semana colocando gelo e massageando meu joelho. Após seis dias, que foi o tempo mais longo que havia ficado fora d'água desde a contusão original, fui surfar. Meu joelho ainda estava dolorido, mas a fonte da dor havia desaparecido. No décimo dia, parti para Fiji, Taiti e Nova Zelândia, para filmar *The Endless Summer 2*. Tom Carroll, Jeff Booth e eu surfamos ondas grandes e perfeitas durante cinco dias, em Tavarua. De alguma forma, consegui não piorar meu joelho, que está bom até hoje.

Com o joelho curado, mudei o foco de minha atenção para meus problemas. *S.O.S Malibu* pairava sobre mim como uma nuvem negra, e tinha chegado a hora de sair da chuva. Surfistas de todas as partes me pressionavam muito para eu ser fiel às minhas raízes do surfe, e caso o programa fosse me trazer algum benefício no futuro, eu estava cansado de me sentir como o único surfista no mundo que depreciava o esporte.

Na África do Sul, em julho daquele ano, surfei num evento pequeno, com ondas perfeitas de oito pés, em um dos principais picos do mundo, num lugar chamado Jeffrey's Bay. Apesar dos problemas políticos que ocorreram lá durante anos, a área é mágica. Assim que cheguei, peguei emprestada uma bicicleta da família que me hospedou, e passeei pela cidade para conhecer o local. Cheguei na praia e vi flamingos sobre-voando, golfinhos pegando ondas, baleias bailando e pingüins nadando, sem mencionar as ondas perfeitas que pareciam quebrar sem fim. Após o evento, tive de partir para uma filmagem de *S.O.S Malibu*. Ao me dis-tanciar das ondas impecáveis, que uma pessoa vê poucas vezes na vida, decidi que era a última gota. Independentemente do que fosse acontecer, aquele era o fim de Jimmy Slade. Tentei pedir a Bryan que inventasse algumas desculpas, que dissesse a eles que minha agenda estava lotada demais. Ele retrucou: "Continue. Você precisa disso".

Novamente, cheguei à Califórnia bem a tempo de filmar, e acon-teceu que o episódio que estavam filmando tinha atingido um nível de absurdo ainda mais alto. Jimmy Slade estava surfando com o personagem de Dave Charvet, Matt Brody, quando ambos perderam suas pranchas, que foram arrastadas para dentro de uma caverna, onde havia um polvo gigante à espreita. Nos últimos vinte anos, ninguém sabia por que pran-chas de surfe desapareciam, e o motivo era o polvo, que as empilhava em sua caverna.

O clima estava tenso no *set* porque meus companheiros de elenco sentiram que eu achava a história ridícula. Atuar era a principal atividade de Dave Charvet, e eu não a estava levando a sério. Estávamos ensaiando uma cena, na qual lutávamos contra o polvo, e Dave leu suas falas com seriedade, e disse: "Temos de sair daqui! O que vamos fazer?". Sarcasticamente, eu respondi: "Oh, não, é um *S.O.S Malibu*-polvo!". Éramos amigos, mas Dave começou a me xingar e partiu para cima de mim. Começamos a brigar, e os salva-vidas tiveram de nos separar.

Dave estava frustrado, e gritava: "Esse é meu emprego". Eu também estava frustrado, e disse: "É meu emprego também, mas não quero que seja". Fui falar com Doug Schwartz, o produtor, e disse a ele: "Ouça, não posso continuar fazendo isso. Não sou eu. Não é o que desejo fazer. Não é quem eu quero ser. Não me sinto bem e quero deixar o programa".

Ele reagiu bem e me tirou no roteiro seguinte. No meu último filme, Summer, a namorada de Jimmy, estava sendo mantida refém numa torre de salva-vidas, que ele tentou escalar para salvá-la. Eu não sei o que ele planejava fazer ao chegar lá. O seqüestrador tinha uma arma e atirou em Jimmy, que ficou aterrorizado e se mudou para o Havaí.

Nunca pensei que levar um tiro me fizesse sentir tão bem. Era tarde demais para consertar o estrago que atuar num programa tão piegas tinha feito à minha imagem e ao surfe, mas pelo menos havia chegado ao fim. Olhando para trás, vejo que participar do programa me proporcionou um pouco da fama que tenho hoje. Por causa dele, muitas pessoas conhecem meu nome e tenho recebido oportunidades fora do surfe. No final, Bryan e minha mãe estavam certos, pois fez bem à minha carreira. Mesmo assim, não estaria me remoendo se tivesse deixado a chance passar.

George Greenough, um de meus heróis no mundo do *design* de pranchas, foi citado na capa de uma revista australiana, dizendo que, se um dia me conhecesse, falaria: "Ei, você é o cara que lutou contra o polvo em *S.O.S Malibu*". Quando vi essa citação, e imaginei George dizendo isso para mim, fiquei emocionado. Devido ao programa, prejudiquei minha credibilidade perante alguns surfistas. Mas que diabos George Greenough estava fazendo, assistindo ao *S.O.S Malibu*?

Atração quase fatal

Quando cheguei à França, em meados de agosto de 1993, para iniciar a fase européia do circuito mundial, estava perdendo a cabeça.

Conheci uma mulher, na França, em 1991, durante minha primeira temporada no circuito, quando viajei para lá com um grupo de jovens australianos. Tínhamos um sótão, no apartamento que alugamos, reservado para quem levasse garotas, enquanto os outros dormiam no andar de baixo. Um dos caras levou uma garota para lá uma noite, e acordamos para dar uma olhada nela. Depois que terminaram de fazer o que queriam, alguém gritou: "*Swing ya mates*"/Vamos nessa, galera!, que era a gíria australiana para: "Pergunte a ela se ela quer transar com algum de seus amigos".

Subimos para o sótão e acendemos as luzes, e não tivemos uma bela visão. "Oh, não!", dissemos. "Ela não é nem um pouco bonita!". Aliás, era horrorosa. Ela devia ter uns quarenta anos, e, ao lado da cama, havia um carrinho de bebê com uma criança dentro. Essa fã louca viajava com seu bebê! Acreditando que ainda estávamos interessados nela, ela tirou de sua bolsa uma lista com a classificação da ASP. Olhou para cada um de nós e disse: "Qual seu nome? Vocês estão aqui?". Ela quase não falava inglês, mas entendíamos o que ela queria dizer. Se estivéssemos na lista, ela queria nos conhecer.

Não acreditava que havia fãs de surfe como ela no mundo. Felizmente, era meu primeiro ano no circuito, e eu não estava na lista. Eu apenas disse: "Bem, levei azar!". Os outros caras disseram a mesma coisa. "Não, não sou eu. Também não estou na lista".

Ela começou a freqüentar as competições e, rapidamente, colocou seu radar em cima de mim. Em 1992, antes de meu segundo ano na fase européia, recebi muita atenção da mídia. Ela gritava meu nome na praia e segurava placas, que diziam: "Amo Kelly Slater" e "E=MC2". (Nunca entendi a parte do "E=MC2"). Ela andava na frente de meu prédio, segurando essas placas, como se fosse a líder de um fã-clube ou algo parecido, mas nem olhava para mim.

Durante o verão de 1993, ela foi à Austrália, descobriu onde ficava meu apartamento e dormia na frente dele, numa caminhonete, com seu bebê. Por sorte, eu não estava lá na época. Meu companheiro de quarto, Stretch, informou à polícia que ela estava rondando o apartamento e acabou deportada. Se tivesse entrado no meu apartamento, provavelmente teria cozinhado meu coelho, como no filme *Atração Fatal.*

Quando retornei à França, naquele verão, para as competições, lá estava ela. Ela dormia no chão da porta de entrada; assim, de manhã, eu não podia sair do hotel sem passar por cima dela. Ela escreveu "E=MC2" e "Amo Kelly Slater" com batom por todo o elevador, na porta e ao redor de toda a área de competição. Eu perdi logo no início do evento, e torci para pegar o próximo vôo que saísse da Europa. Ela me seguiu até o aeroporto, e não havia vôos de saída para os dias seguintes. Fiquei sentado lá, enquanto ela batia fotos de mim a meio metro de distância. Queria dar-lhe uma surra, mas não conseguia me imaginar batendo numa mulher. Finalmente, a polícia a colocou para fora.

Encontrei com ela novamente, na noite seguinte, só que, desta vez, num bar. Pedi gentilmente para ela me deixar em paz, mas ela não me obedeceu. Depois de três anos de perseguição, não agüentava mais. Em desespero, acabei jogando cerveja sobre sua cabeça. Achei bastante engraçado, mas, antes que me desse conta, ela me deu um tapa na cara. Agarrei-a pelos braços e ordenei que ficasse longe de mim.

Depois, saí do bar para pedir conselhos maternais à minha mãe. Eu estava ao telefone quando a psicótica chegou com outros seis caras. Consegui entender o suficiente do que ela dizia para perceber que estava explicando a eles como eu tinha sido desrespeitoso com as mulheres francesas. Disse à minha mãe que precisava desligar. Eu estava numa cabine telefônica fechada e tentei ligar para a polícia. A delegacia ficava no final da rua, mas ninguém falava inglês. Pensei: "Muito bem, estou ferrado", e saí da cabine.

Os caras me cercaram, e cheguei à conclusão que o melhor que eu tinha a fazer era chutar o maior deles entre as pernas e sair correndo. Enquanto avaliava a situação, o maior deles veio até mim e disse, num inglês rudimentar: "O que fez a essa mulher?". Eu respondi: "Vocês não têm idéia do que esta mulher tem feito comigo nos últimos três anos". Eles começaram a me empurrar, e, no momento em que decidi tomar uma iniciativa, um carro chegou fazendo um estardalhaço e subiu de lado na calçada, como numa cena de cinema. Tom Carroll e outro amigo meu da Austrália, chamado Ross Clarke Jones, estavam passando e perceberam o que estava acontecendo. Eles saltaram do carro ao mesmo tempo que chegaram outros companheiros meus, e a maré virou a meu favor. Ross foi à loucura e espantou os seis caras.

Eu estava pensando de maneira irracional. Encostei a mulher contra a parede do lado de fora do bar, onde havia uma queda de três metros e meio do outro lado. Se o filho dela de três anos não estivesse lá, chutando minhas pernas e gritando para que eu parasse, poderia ter feito algo insensato. Foi a última vez que a vi.

Minha vida caseira estava igualmente estressante. Depois de conversar com a família de Bree, fiquei convencido de que a compra da casa no sul da Flórida seria um bom investimento. Senti que, se não a comprasse, traria mais problemas para meu relacionamento. O corretor começou a juntar toda a papelada para a casa, e liguei para o banco para que fizesse uma transferência de dinheiro para dar a entrada. O banco me informou que eu estava descoberto. Estava falido. Eu tinha ganho mais de um milhão de dólares e não tinha sobrado nada. Minha mãe e eu éramos péssimos administradores e, sem saber, tínhamos gasto mais do que eu tinha ganho. Meu empresário me perguntou para onde estava indo meu dinheiro, e eu não tinha idéia.

Bree e minha mãe não se davam bem e pararam de se falar. Tentei amenizar as coisas entre elas, mas não havia muito o que eu podia fazer enquanto viajava pela Europa. A briga delas, a nova casa, meu noivado, minha falência e tudo o que vinha junto com isso me deixava preocupado, e minha cabeça estava em todo lugar, menos onde precisava estar.

Não posso culpar ninguém a não ser a mim mesmo pelos meus problemas com dinheiro. Quando era mais jovem, não esperava ficar rico. Cresci sem dinheiro, e não sabia administrá-lo quando começou a entrar. Como economizar, investir e em quem confiar são coisas que você aprende quando tem dinheiro. Esse foi o sinal de alerta que eu precisava para começar a prestar mais atenção. Assumi a responsabilidade pelas minhas finanças e acertei minhas contas com o banco. Continuo aprendendo como gerenciar o dinheiro, e sei que, eventualmente, vou acabar descobrindo. Mas foi uma maneira dura de aprender a lição.

De volta ao básico

Se entrevistássemos cada surfista no mundo, teríamos sorte se um em cada dez deles conseguisse nomear o atual campeão mundial. Relativamente poucos surfistas se interessam pelas competições, e um número menor ainda — talvez um em cada cem — realmente compete. Para a maioria, colocar uma camiseta de competição é uma experiência traumática. Faz aflorar o que de pior existe dentro das pessoas e traz à mente a sensação de fracasso, ganância e decepção.

Quando perdia numa competição, também detestava esses sentimentos. Não tinha confiança em meu surfe, na minha prancha ou nas minhas habilidades competitivas. Comecei a acreditar que meu título mundial tinha sido um golpe de sorte, e que não merecia estar ao lado de meus heróis. Na França, consegui um quinto lugar em Lacanau; um décimo sétimo, em Hossegor; e outro trigésimo terceiro, em Biarritz. Eu me sentia do mesmo jeito de quando comecei o ano, senão pior. Faltando quatro competições para o fim da temporada de 1993, eu me encontrava na vigésima quinta colocação. Defender o título mundial era algo distante em minha mente. Eu esperava pelo menos continuar no circuito, e minha vaga estava correndo sério risco.

Eu me recordei de como as competições tiravam minha mente dos problemas familiares quando era adolescente, em Cocoa Beach, e entendi que isso podia voltar a funcionar. Não me faria necessariamente feliz, mas qualquer coisa seria melhor do que me sentir infeliz e derrotado. Minha natureza competitiva assumiu o comando, e, se outras áreas de minha vida tivessem que esperar, que fosse assim.

Havia motivos específicos para explicar minhas derrotas nas baterias, e decidi descobrir quais eram. Peguei um fichário e guardei as planilhas de pontuação de cada juiz e de cada derrota para tentar avaliar meus erros com precisão. As planilhas apresentam as notas dos juízes para cada onda que foi surfada; sendo assim, ficou fácil perceber onde tinha errado. Enquanto as derrotas ainda estavam vivas em minha mente, eu escrevia os motivos para elas em cada planilha, inclusive todas as estatísticas de cada competição, como a maior nota dada para uma onda, a maior pontuação numa bateria e qualquer coisa que me devolvesse minha concentração no surfe.

```
        GOTCHA  PRO/ROUND  #4  Heat:  4

   ┌──────────────────────────────────────────┐
   │ 1st  31.10pts   TODD  HOLLAND             │
   │ 2nd  30.49pts   KELLY  SLATER             │
   └──────────────────────────────────────────┘

            ASP COMPUTER SCORING SYSTEM
```

2nd 30.49pts WHITE KELLY SLATER

WV	J: 6	J: 1	J: 3	J: 4	J:26	Averg
1	6.5	6.5	6.5	6.0	6.0	6.33
2	9.0	8.5	9.0	8.5	9.0	8.83
3	7.0	7.0	7.5	6.5	7.0	7.00
4	4.0	4.0	3.5	5.0	4.5	4.17
5	8.2	8.3	8.8	8.0	8.5	8.33
6	4.5	4.5	4.5	4.8	6.0	4.60
7						
8						
9						

Counted Waves: 8.83 8.33 7.00 6.33
Percentage: 76.22%
Finished: Needing a 6.95pts wave

	Total	Excel	Good	Averg	Poor
#of Waves	6	2	2	2	
Points	30.49	17.16	13.33		
Pts %%		56.3%	43.7%		

1st 31.10pts BLUE TODD HOLLAND

WV	J: 6	J: 1	J: 3	J: 4	J:26	Averg
1	8.0	8.0	8.0	8.0	8.0	8.00
2	8.5	8.5	8.5	8.3	8.5	8.50
3	6.5	7.5	7.0	6.3	7.0	6.83
4	8.0	7.0	6.8	7.0	7.5	7.17
5	6.8	6.5	6.5	6.8	6.8	6.70
6	7.5	8.0	7.3	7.5	7.0	7.43
7						
8						
9						

Counted Waves: 8.50 8.00 7.43 7.17
Percentage: 77.75%
Finished:Winning by 0.61pts

	Total	Excel	Good	Averg	Poor
#of Waves	6	2	4		
Points	31.10	16.50	14.60		
Pts %%		53.1%	47.0%		

```
                    ───Overall───
        Best Wave -> KELLY SLATER,  8.8pts
              Total # of Waves ->  12
          Excelent ->   4 waves, 33.3%
             Good  ->   6 waves, 50.0%
           Average ->   2 waves, 16.7%
```

Let Todd Get Early Position on me. He started w/ an 8 and led til the end. Bad Start – Positioning*

Meu diário de derrotas.

(*) Deixei Todd se posicionar melhor antes de mim. Ele começou com um oito e liderou até o final. Um mau começo – Posicionamento.

Às vezes, eu pegava seis ou oito ondas e perdia. Outras vezes, pegava quatro ondas e vencia com uma enorme margem. Somente três ondas eram consideradas para a pontuação final de cada surfista; era uma boa idéia ser seletivo. Eu tinha de prestar mais atenção às condições, e me certificar que estava no lugar certo, na hora certa. Eu procurava descobrir onde sentar e qual onda da série era a melhor. Qualquer um no circuito tem a habilidade para vencer num determinado momento; portanto, tudo se resume ao conhecimento das condições e no aproveitamento das melhores ondas. Paciência é uma virtude, até no surfe.

**Meu amigo Chris Brown e eu,
antes de uma bateria em Chiba, Japão.**

© Cortesia da Slater Family Wall of Shame.

Quando cheguei ao Japão, em outubro, algo estalou dentro de mim e pensei: "Tenho de mudar as coisas e conseguir alguns resultados". Muitas pessoas da Quiksilver estavam lá para me apoiar, mas foi Tom Carroll quem mais me ajudou. Ele já tinha participado do circuito por quinze anos e superado sua parcela de adversidades, incluindo várias contusões sérias. Ele era um tipo de irmão mais velho no circuito e me ajudou a encontrar meu foco no surfe novamente.

Consegui uma seqüência de quatro bons resultados no final da temporada. No Japão, terminei em nono lugar, no Miyazaki Pro, e venci o Marui Pro, em Chiba, que tinha a melhor premiação do ano, o que me valeu 25 mil dólares e um carro novo. Eu subi na classificação, e, ao deixar o Japão, me encontrava na décima segunda colocação. Ao chegar às quartas-de-final, no Brasil, subi para o nono lugar. Não tinha a mínima chance de conquistar o título mundial, mas com o fim do circuito marcado para Pipeline, estava determinado a fechar em grande estilo.

Como já não estava mais no páreo, outros cinco competidores tinham a chance de conquistar o título mundial, em Pipeline. Na final, Derek Ho tinha a oportunidade de se tornar o primeiro havaiano campeão do mundo. Tudo o que precisava fazer era terminar em primeiro ou segundo para passar Gary Elkerton; portanto, a pressão era intensa. Os outros finalistas, Jeff Booth, Larry Rios e eu, surfávamos pela Quiksilver, mas, naquele dia, o Havaí era mais importante do que qualquer outra coisa. Derek tinha uma expressão de concentração e determinação, que dizia: "Fique fora do meu caminho". Não me vejo obedecendo ninguém; sendo assim, felizmente, o fato de Derek não precisar terminar em primeiro lugar para conquistar o título significava que eu podia ir com tudo.

Demos a Derek o espaço de que ele precisava, mas eu queria vencer. Parti em busca de ondas em Backdoor, a ponta da onda que quebra para a direita de Pipeline, mas elas não apareciam. Pensei ter visto uma e remei ao redor de Derek, e, no último segundo, decidi ir para a esquerda. Foi a minha melhor onda na bateria, mas estava abusando demais da sorte. Parecia que a multidão em peso na praia estava rangendo os dentes, à espera da reação de Derek. É falta de respeito remar ao redor de alguém, não importa o motivo, fazendo com que ele desista da onda, mas Derek estava se saindo tão bem que não se importou. Foi uma bateria equilibrada, mas ele venceu. Fiquei em segundo lugar, e terminei empatado na quinta colocação na classificação final do Circuito Mundial.

Eu só pensava em como deve ter sido fantástico para Derek, que teve de correr atrás do prejuízo para vencer de forma tão dramática. Foi o derradeiro triunfo triplo: vencer em Pipeline, ganhar a Tríplice Coroa e conquistar o título mundial. Eu queria fazer o mesmo.

Entrando nos negócios

A maioria dos ex-surfistas de competição acaba enfrentando dificuldades financeiras ao longo do caminho. Não existe um plano de aposentadoria no surfe. No beisebol ou outros esportes de maior expressão, os atletas recebem bônus de vários milhões de dólares no ato do contrato, que é o suficiente para que vivam confortavelmente para o resto de suas vidas sem ter que mexer um único dedo. Eu ganhava consideravelmente mais dinheiro do que os outros surfistas, mas não tinha recebido na assinatura do contrato nenhum verdadeiro bônus, a não ser um calção novo.

Após o contratempo no banco, comecei a planejar meu futuro. Havia sempre a possibilidade de me machucar seriamente e não poder continuar surfando. Se isso acontecesse, não teria nada que me sustentasse. Portanto, no final de 1993, Bryan e eu negociamos um acordo com a Quiksilver que seria incluído no meu novo contrato. A empresa concordou em oferecer dinheiro para eu começar meu próprio negócio. Um amigo da Flórida, chamado Kurt Wilson, estava experimentando antiderrapantes para pranchas e me enviou alguns para teste. Esses antiderrapantes substituem a parafina, que acaba ficando lambuzada e escorregadia, na rabeta da prancha. Os primeiros modelos, no início dos anos 1980, não eram nada mais do que as tiras de borracha usadas em banheiras. Eventualmente, os antiderrapantes passaram a ter barras arqueadas para maior apoio dos pés, e uma pequena borda ao longo da traseira da prancha para impedir que o pé escorregue. Quando surgiu a oportunidade para começar minha própria companhia, a idéia de Kurt era o casamento perfeito. Bryan queria chamá-la "K-Strick", mas não gostei do som. Quando estávamos prestes a assinar os papéis, surgi com "K-Grip", um nome com o qual conseguiria conviver.

Troca da guarda

© Cortesia da Slater Family Wall of Shame.

Meu único troféu em Bells Beach, abril de 1994.

Devido ao fato de minha vida pessoal ter ficado em segundo plano em relação às competições, em fevereiro de 1994, Bree e eu rompemos o nosso noivado. Eu sei que foi o melhor a fazer, mas fiquei com o coração partido. Felizmente, minha mente estava ocupada com as competições, que me impediram de ficar sentado pelos cantos, choramingando. Redirecionei minhas emoções para o surfe. Meu único objetivo tornou-se o aperfeiçoamento de minhas habilidades e a busca por me tornar um competidor melhor. Estava determinado a ganhar. O surfe foi meu salvador e as competições, minha derradeira fuga.

Tínhamos muito tempo livre entre as baterias, e um *hobby* era exatamente do que eu precisava para recarregar minhas baterias; portanto, comecei a desenhar. Queria fazer caricaturas de todos os surfistas e transformá-las em um livro de autógrafos, mas só desenhei alguns poucos antes de desistir da idéia. No primário, gostava de arte porque minha mãe esculpia e pintava. Havia sempre madeira, tinta e argila espalhados pela casa. Fiz alguns quadros de surfe, dos quais me orgulho. Inscrevi-os numa exibição de arte local, em Cocoa Beach, e venci.

Para minha formatura, em 1991, a Cocoa Beach High School usou meus trabalhos de arte para fazer a capa do programa da formatura. Desenhei um cara pulando por cima da ponte de formatura, com um

© Cortesia da Slater Family Wall of Shame.

Eu e as garotas que desenhei em minhas pranchas, e a prancha que usei em minha primeira foto de surfe publicada.

trevo de quatro folhas em uma das mãos, e sua borla se mexendo de um lado ao outro.

O Circuito Mundial de 1994 voltou a ser realizado no final de março, e retornou à Austrália. Eu estava ansioso para aproveitar o ímpeto que tinha adquirido no final de 1993. Como estava recém-solteiro, decidi usar umas canetas de tinta à prova d'água que pertenciam a Rob Machado para desenhar uma garota em minha prancha. Decidi pintar Stephanie Seymour, uma supermodelo famosa da época. Shane Dorian viu a imagem dela na minha prancha e sugeriu que eu desenhasse mulheres em todas as minhas pranchas. Comecei a desenhar outras modelos e garotas de meus sonhos, e, em breve, tinha um harém. Eram minhas novas companheiras. Elas surfavam comigo, e eu tinha um relacionamento perfeito com elas, sem estresse.

Quando estava no circuito, meu irmão caçula, Stephen, fez dezesseis anos, no dia 6 de março; então, decidi convidá-lo para ir à Austrália como um presente. Após se negar a surfar durante anos, ele finalmente adotou o esporte aos quinze anos. Ele estava de bobeira na praia, quando um cara pediu para ele dar uma olhada em seu pranchão, enquanto buscava algo para comer. Stephen decidiu sair remando e pegar uma onda. Ficou de pé na primeira tentativa e se apaixonou instantaneamente. O *longboarding*/surfar com um pranchão é completamente diferente do *shortboarding*/surfar com prancha pequena. Surfar num pranchão tem tudo a ver com estilo e fluidez, enquanto os *shortboarders* tentam ser o mais radical possível. Stephen passou a surfar o tempo todo. Acho que estava tentando compensar todos os anos que tinha perdido. Ele não gostava muito de pranchas pequenas, em grande parte porque Sean e eu as usávamos, e queria ser diferente. Um ano depois de aprender a surfar, ele estava executando manobras incríveis. É desnecessário comentar que ficou louco para ir à Austrália.

Tivemos ondas sensacionais no primeiro evento, em Bells Beach, e Winkipop, a praia seguinte, teve o melhor dia que já tinha visto lá. Quando não competíamos nas baterias, a maioria de nós ia a Winkipop surfar. As ondas mediam seis pés e estavam perfeitas. Implorei para que Stephen viesse surfar comigo, mas ele se recusou. Ele ficou intimidado com todos os profissionais que estavam no mar, e ainda não queria se arriscar. Ele surfou muito durante a viagem, mas, com apenas um ano de experiência, ainda não estava preparado para algo mais sério.

Eu nunca tinha conseguido um bom resultado em Bells, mas entrei no evento cheio de confiança. Estava determinado a ocupar minha mente com pensamentos vitoriosos para não ter que pensar em Bree. Se perdesse, minha mente começaria a vagar... e, bem, perder não era uma opção.

Gary Elkerton e eu nos encontramos nas semifinais, e as ondas estavam bombando. Foi uma das baterias de maior pontuação do ano. Ele conseguiu me encurralar. Eu precisava de uma ótima nota nos minutos finais. Uma onda pequena apareceu, e Gary a deixou passar, achando que não fosse boa o bastante. Eu não tinha escolha: precisava pegá-la, porque sabia que tinha de ir com tudo. Surfei a onda arriscando alto, e a cada manobra, chegava ao limite de quase sair derrapando. Foi a minha melhor onda no evento, e venci por meio ponto. Elkerton ficou furioso; não comigo, mas com os juízes, que me deram a nota de que eu precisava para vencer. Ele avançou na direção do estande dos juízes e começou a repreendê-los, numa atitude pela qual passou a ficar conhecido. Às vezes, fazia o mesmo quando vencia, só para provar seu ponto. Sempre achei que, quanto maior o escândalo que se faz quando perde, mais as pessoas se lembram de você.

Na final, fiquei frente a frente com Martin Potter, e havia muita vibração na praia, já que era o confronto de dois ex-campeões mundiais. Infelizmente, parecíamos dois amadores. Ambos caímos em nossas primeiras ondas. Na maioria dos eventos, eu dosava meu ritmo para guardar algo para a final, mas tinha usado todas as minhas reservas para derrotar Elkerton, e não sobrara nada para Potter. Apesar disso, venci pela primeira vez em Bells; porém, desde então, nunca mais consegui um bom resultado. Depois, quando assisti ao vídeo da final, pareceu-me que Pottz havia me derrotado. Mas os juízes tiveram outra opinião, e quem sou eu para discutir?

Bells estabeleceu o ritmo para o resto do ano. Durante anos, havia dúvidas se as manobras da Nova Escola seriam o suficiente para superar a potência da Velha Escola. Apesar de torcer para que minha abordagem fosse uma boa mistura de ambos os estilos, a mídia do surfe, além de outras pessoas do circuito, fez de tudo para me colocar o rótulo de representante da Nova Escola. Eles não nos levavam a sério; portanto, toda vez que eu, ou um de meus companheiros, enfrentava alguém da velha guarda numa bateria, era cada vez mais importante que vencêssemos. Queríamos respeito.

Finalmente, após uma luta de três anos, a troca da guarda tornou-se oficial durante o Circuito Mundial de 1994. Os competidores veteranos ainda estavam lá, mas não eram mais vistos vencendo os eventos. Parecia que eles apenas batiam ponto, descansando preguiçosamente com seus controles remotos e segurando uma cerveja na mão. Eu havia garantido meu lugar no círculo dos vencedores há dois anos, e estava apenas aguardando que meus amigos se juntassem à festa. Quando chegaram, não podia estar mais feliz. Finalmente, tive a sensação de fazer parte de um grupo, em vez de me sentir um intruso entre os representantes da Velha Escola. Cada vez que um novo competidor deixava sua marca, todos nós aproveitávamos o sucesso do outro. Se eu perdesse uma competição, torcia para que um de meus amigos vencesse.

No Marui Pro, no Japão, em maio de 1994, Rob Machado dominou pela primeira vez uma competição do Circuito Mundial. Ele surfou as pequenas ondas mais velozmente do que qualquer outro no evento. Após a final, corri até a praia com alguns amigos. Nós o levantamos e o carregamos em nossos ombros até o pódio. Ele não pesava nem 45 quilos; logo, não foi tão difícil assim. Para mim, foi um despertar. Todos os nossos sonhos de infância estavam se tornando realidade. Trabalhamos a vida toda para nos tornar surfistas profissionais e competir contra nossos heróis, e, agora, estávamos vencendo as maiores competições do mundo. Na minha mente, estávamos no centro do maior salto em *performance* e *design* de pranchas desde a geração que estabeleceu a base do surfe profissional, em meados dos anos 1970.

Voltando à América

Foi incrível, mas em duas temporadas no circuito WCT, nenhum evento havia sido realizado no continente. A Ocean Pacific havia retirado seu apoio ao Op Pro, em 1991, devido à recessão, e ninguém entrou no lugar para preencher o lugar vago. Competir e vencer ao redor do mundo é legal, mas é muito mais significativo quando você consegue fazer isso diante de amigos e patrocinadores.

O Circuito Mundial retornou a Huntington Beach, Califórnia, em agosto de 1994, e finalmente tive a oportunidade de enfrentar os profissionais internacionais diante de minha própria torcida. Em vez de ser chamado de Op Pro, o evento passou a se chamar U.S. Open, e foi custeado por vários patrocinadores. Apesar de o nome ter sido trocado, a emoção de surfar diante de uma multidão de pessoas gritando do píer e da praia foi a mesma. A Quiksilver fica na mesma rua e, como eu tinha passado meus verões em Huntington quando criança, a praia parecia minha própria casa.

Huntington costuma ter as piores ondas, mas, do ponto de vista da mídia norte-americana, sempre foi um evento importante a ser vencido. Quase toda a indústria e a mídia do surfe norte-americano fica localizada a uma hora do píer; sendo assim, quase todos os surfistas dos Estados Unidos acompanham o evento.

Eu me saí bem logo de início, mas, na final homem a homem, enfrentei o californiano Shane Beschen. Eu havia derrotado Shane, em Huntington, no Campeonato Nacional da NSSA, em 1987; portanto, ele teve tempo o bastante para planejar sua vingança.

Ele pegou todas as melhores ondas e me arrasou durante a maior parte da bateria. Eu torci para que Shane não me deixasse precisando de uma combinação de ondas, e, nos momentos finais, consegui me manter ao seu alcance, o que significava que não precisava de uma combinação, e sim de uma única onda perfeita para conseguir a vitória. Infelizmente, no mar pequeno, batido e varrido pelo vento, era quase impossível.

Do nada, a melhor onda que eu tinha visto naquele dia veio na minha direção, faltando apenas um minuto. Eu sentia a excitação do público. Era igual a quando eu assistia a Tom Curren e Mark Occhilupo na mesma situação. Entrei no tubo, saí, dei um aéreo, e peguei a espuma até a praia. Não havia modo de aproveitar a onda melhor do que isso. A multidão foi à loucura. Todos, inclusive eu, esperavam que os juízes me dessem uma nota 10, mas o resultado foi um 9,6. Fiquei em segundo, mas estava muito feliz com a maneira como tudo foi decidido no último momento. Shane era uma das novas promessas do circuito ASP, e qualquer coisa era melhor do que ver outro dinossauro no topo.

Outro motivo para o sucesso de Shane Beschen, Rob Machado, Taylor Know, Shane Dorian e outros jovens surfistas norte-americanos daquela época era a força do circuito doméstico. O Circuito Bud ainda era um grande negócio nos Estados Unidos. Oferecia um bom dinheiro, com viagens pequenas e muitos pontos valiosos para o World Qualifying Series. Esse circuito definitivamente deu a eles a oportunidade de se aperfeiçoarem nas competições, enquanto enfrentavam os melhores surfistas da nação.

Tentando recuperar o ano ruim que tive em 1993, procurei ficar com minha mente focada nas competições; sendo assim, surfei no Circuito Bud sempre que estava em casa. Rob Machado e eu nos enfrentamos várias vezes na Califórnia, com cada um de nós vencendo uma boa parcela dos eventos. Durante um evento na cidade natal de Rob, Seaside, na Califórnia, estávamos tão viciados em jogar pingue-pongue em sua casa que quase perdemos as nossas baterias. Acho que jogamos umas dez partidas na manhã de nossa última competição, mas eu não ia desistir até conseguir derrotar Rob. Isso não aconteceu; então, descarreguei minha raiva no surfe e o derrotei na final.

Bree e eu tentamos fazer a relação funcionar durante a primeira metade de 1994, mas, em agosto, quando parti para a fase européia do circuito, finalmente percebemos que estávamos batendo com nossas cabeças na parede e decidimos terminar. Eu estava com muita raiva e a usei a meu favor para vencer o Lacanau Pro, na França, conquistando, assim, a minha segunda vitória na temporada.

Na semana seguinte, em Hossegor, França, surfei na *expression session* no dia anterior à final. Às vezes, a ASP realiza esta bateria no meio do evento para que os competidores possam ganhar prêmios em dinheiro ao executarem certas manobras individuais, e essa atitude de "ir-com-tudo" sempre agrada muito ao público. O oceano em Hossegor estava tão sujo naquele ano que você não ficava com vontade de entrar. O californiano Mike Parsons vacou e abriu um corte na cabeça ao bater na prancha, e duas ondas depois, eu rasguei a membrana interdigital de meus dedos do pé da mesma maneira. Os salva-vidas nos colocaram numa caminhonete e nos levaram até o posto de salvamento. Eles nos suturaram ali mesmo, sem anestesia. O salva-vidas disse: "Se déssemos novocaína para vocês, sentiriam cinco ou seis agulhadas, mas, desta forma, sentirão apenas quatro agulhadas, porque entramos e saímos e damos o ponto". Se alguém já teve os seus dedos do pé separados, enquanto costuram a membrana interdigital, sabe que é uma tortura medieval.

Eu me senti um pouco nauseado naquele dia. Sentia ondas de calor, calafrios e vomitava sem parar. Aparentemente, a água asque-

O Lacanau Pro de 1994, na França, com Stuart Bedford Brown, Shane Beschen e Martin Potter.

© Cortesia da Slater Family Wall of Shame.

Sem prancha: a maneira natural de surfar.

rosa que saía de minha ferida aberta não era algo bom e me fazia sentir mal. Apesar de ter uma boa vantagem na classificação da ASP, não podia evitar os males que afligem os viajantes freqüentes. Perdi na final para o brasileiro Flavio Padaratz e voltei à praia completamente esgotado.

Shane Dorian e eu tínhamos de fazer o registro de saída de nosso quarto e dirigir até o nosso próximo evento, a pouca distância do litoral, em Biarritz, mas eu não conseguia me mexer. Shane teve de arrumar minhas coisas, carregar minhas malas, arrastar-me até o carro, prender as pranchas, dirigir até Biarritz e fazer o registro de entrada no hotel.

Fiquei doente a semana inteira e terminei na décima sétima colocação no evento, a minha pior atuação no ano inteiro. Quando você adoece longe de casa, a viagem se torna um pesadelo.

A pior parte de ser um surfista profissional é nunca ter raízes estabelecidas num único lugar. Quando você finalmente se sente à vontade num local, você parte para a competição seguinte. É preciso estar preparado para vôos que são cancelados e atrasos de todos os tipos. Às vezes, você não consegue tomar banho durante dias, e passa a viver em aviões e aeroportos. É difícil sentir que você pertence a algum lugar, vive uma vida em família normal ou que pode desenvolver um verdadeiro relacionamento. Não posso reclamar de minha vida, mas, em termos de viagens, há muitas coisas que desejaria que fossem melhores. Infelizmente, não ganho dinheiro o suficiente para comprar meu próprio avião.

Passo mais da metade do ano viajando, e a única coisa que torna esse estilo de vida possível é a rede de famílias adotivas que criei ao redor do mundo. O Circuito Mundial de 1994 foi a quarta vez que competia em muitos lugares do circuito, e nesse tempo, tive a felicidade de conhecer e de ser recebido por famílias carinhosas, que me ofereceram uma refeição quente, companheirismo e um teto. Muitos surfistas ficam esgotados nas viagens e sentem falta de seus lares, mas essas famílias me ajudam a me sentir mais à vontade onde quer que esteja.

Boas ondas não nos satisfazem completamente se não tivermos algum tipo de apoio familiar. Desde que comecei a viajar, aos doze anos de idade, fiquei mais interessado em conhecer os moradores locais de cada lugar que visitei do que ficar sentado no quarto de um hotel qualquer, assistindo a *Beavis e Butthead* entre as sessões. Posso aparecer em qualquer praia no mundo e encontrar alguém que conheço. Quando visito um lugar, em vez de partir logo após um evento, fico na companhia de amigos até ser forçado a ir a outro lugar. Há muito a aprender com outras culturas, e como surfista, tenho a oportunidade única de vivenciar muitos lugares. Para mim, isso é viver.

Afirmando-me no trabalho

Quando mencionamos outras formas de pegar uma onda, os surfistas notoriamente têm mente fechada. Muitos caras acham que, se não estiverem surfando com uma *shortboard* moderna, não são verdadeiros surfistas e não merecem pegar onda. *Bodyboarders* e *bodysurfers*/que pegam onda de peito são considerados meros quebra-molas no *lineup*. Quando era adolescente, pensava da mesma forma, mas as viagens abriram meus olhos para os diferentes equipamentos ou, às vezes, nenhum equipamento.

Muitos surfistas pegam onda de peito por pura necessidade. Se a prancha não estiver presa a um estrepe, ela costuma ser arrastada até a praia depois de uma queda. Pegar carona numa onda é mais fácil do que nadar até a praia para buscar a prancha. Você só precisa dar algumas poucas braçadas para entrar na onda e deixar seu corpo ser levado até a praia. Até o dia em que viajei às Ilhas Mentawai, na Indonésia, em 1994, para fazer um vídeo da Quiksilver, era só isso que o *bodysurf* significava para mim. Don King (não confundir com o promotor de boxe) é o maior fotógrafo aquático de todos os tempos e um dos melhores *bodysurfers* do mundo. Durante a viagem às Ilhas Mentawai, ele pegou onda de peito quando não estava tirando fotos, o que inspirou Keoni Watson (um amigo que conheci no Havaí, em 1984) e eu a tentar. Arrancamos madeira de um barco de aluguel e fizemos pequenas tábuas para as mãos, que nos ajudariam a planar na água. Nós nos apaixonamos pela atividade e deixamos nossas pranchas de surfe de lado para uma sessão diária. Aprendemos a entrar no tubo, executar diferentes posições e nos divertir em qualquer tipo de onda.

Durante o inverno no Havaí, todo dia em que Pipe quebrava, pegávamos onda de peito. Era um ótimo treino, provavelmente o melhor exercício cardiovascular que fazíamos, uma vez que ficávamos em constante movimento para nos manter à tona. Paramos de usar estrepes para surfar para que pudéssemos treinar o *bodysurf* para pegar nossas pranchas após uma queda. Mesmo quando as ondas estão horríveis, o *bodysurf* pode ser sensacional. A sensação de velocidade, mesmo numa onda pequena, é incrível, e muito mais íntima do que quando pegamos onda de prancha.

Todo *bodysurfer* sério utiliza nadadeiras que ajudam a nadar mais rápido e controlar a direção. Keoni Watson, Strider Wasilewski e eu pegamos ondas de peito num dia de ondas enormes em Pipe. Havia séries gigantescas quebrando no segundo recife, que fica a quatrocentos metros da praia. Achamos que, se não usássemos nadadeiras, aumentaríamos a nossa curva de aprendizado. Era o método de ensino da antiga escola de *bodysurf*. Em vez de nos propulsionar à frente, a correnteza nos levava para o alto-mar. O salva-vidas de Pipe era um cara chamado Mark Cunningham, um dos mais respeitados de todos os tempos. Ele ganhou o campeonato mundial de *bodysurf* em Pipeline inúmeras vezes e é conhecido por entrar no mar em dias considerados perigosos demais para surfar. Ele podia entrar no mar em Pipe e pegar onda de olhos fechados, e para provar isso, às vezes, surfava à noite. Já é difícil surfar lá de dia, quando é possível ver o que está acontecendo, mas fazer o mesmo à noite é algo quase psicótico.

Mark correu pela praia para nos socorrer. Quando percebeu que éramos nós, disse: "Ei, seus idiotas. Devia ter imaginado que eram vocês. Venham comigo agora mesmo". Ele nos levou ao seu posto ali próximo e deu um par de nadadeiras para cada um.

Desde então, decidi entrar no Pipeline Bodysurf Classic. Os melhores *bodysurfers* do mundo competem nesse evento todos os anos, que, normalmente, é vencido por Mark Cunningham ou Mike Stewart, que também é um dos melhores *bodyboarders* de todos os tempos. Em fevereiro de 2002, eu estava em Oahu e finalmente tive minha chance. Foi realmente muito estranho competir num esporte diferente após tantos anos apenas surfando. O critério de julgamento é bastante parecido: o competidor que pegar as melhores ondas e completar as manobras mais radicais pela maior distância funcional da onda é considerado vencedor, mas eu não conhecia a maioria dos outros competidores e não sabia se tinha chances de derrotá-los. Eu apenas entrei no mar para me divertir. Havia 32 competidores no torneio, e avancei algumas baterias antes de ser eliminado na semifinal. De certa forma, fiquei feliz de não ter chegado à final, porque sabia que seria destruído por Mark e Mike, que são intocáveis.

Deixando as competições de lado

Há certos anos nos quais as condições para o surfe simplesmente não estão ideais, até no Havaí. Os sistemas climáticos estão longe demais para criar ondulações ou o vento sopra e rasga as ondas em pedaços. As ondas no Havaí estavam tão pequenas em dezembro de 1994 que, em alguns dias, não dava nem para surfar de peito. Todos os dias, a nossa galera freqüentava a casa dos pais de Jack Johnson, na praia perto de Pipeline, em busca de algo para se fazer.

Jack estava na escola de filmagem e teve a idéia de fazer um curta-metragem, *Mr. Slater Goes to Work* (O Sr. Slater Vai Trabalhar), que mostrava meu cotidiano de trabalho. Coloquei um dos ternos de Jack, peguei uma porta velha que estava jogada no barracão do pai dele e fui trabalhar. Carreguei a porta até a praia em Pipeline e fui surfar com ela. Não fiz isso tanto pelo filme e sim para provar que conseguiria surfar em cima de uma porta. Era um daqueles acordos do tipo "Você não vai!". Não pude resistir ao desafio.

As ondas quase não quebravam e o formato da prancha, um retângulo fino e largo, quase sem contorno na base, tornava o surfe impossível, mesmo nas pequenas marolas. Cai continuamente, mas me recusei a desistir. Após quase uma hora, peguei uma onda pequena e fiquei em pé dois segundos antes de mergulhar de cara na água. A prancha ficou encharcada e não flutuava mais. Eu já ouvi pessoas falarem: "Ele é tão bom que consegue surfar com a porta de uma cocheira". Depois de ver como era realmente difícil, agora sei que esse alguém precisa ser extremamente bom.

As ondas estavam tão ruins no inverno que a organização do Pipe Masters utilizou todas as duas semanas do período de espera, na esperança de que alguma coisa surgisse, mas isso não aconteceu. No último dia, terminamos a competição no Ehukai Beach Park, em ondas batidas que não eram maiores do que aquelas que eu pegava quando era um principiante de doze anos de idade. Esse dia mediano decidiria o título mundial; portanto, adivinhem quem levava vantagem.

O australiano Shane Powell estava em segundo lugar, e era a única pessoa com chance de me alcançar na classificação. Ele tinha de chegar à

© joliphotos.com.

Com o melhor Pipe Masters de todos,
Gerry Lopez, no evento de 1994.

final para manter as esperanças de me ultrapassar e vencer a temporada. Eu fiquei sentado na praia, assistindo à sua semifinal, torcendo contra ele. Ele perdeu e eu reconquistei o título. Apesar de o Coke Classic, o último evento do ano, ser a maior competição em termos de premiação em dinheiro e pontos, minha liderança era inalcançável. Acabei vencendo meu segundo Pipe Masters, mas não dava para me gabar disso, considerando as condições. No fim, Shane venceu na Austrália, e ficou a duzentos pontos de me alcançar. Após um dezembro tão ruim, em janeiro de 1995, o Havaí proporcionou as melhores ondas que já tinha visto. Infelizmente, todas as competições haviam terminado.

Em breve, descobri que minha missão de vencer todos os principais eventos de 1994 tinha sido cumprida. Ganhei o Circuito Mundial, o World Qualifying Series, e pela primeira vez, o Surfer Poll, um concurso de popularidade anual feito entre os leitores da *Surfer*. Quando adolescentes, Sean e eu preenchíamos nossa cédula todos os anos, religiosamente, e aguardávamos ansiosos para a revista publicar os resultados para vermos se os nossos favoritos tinham vencido. Se os leitores adivinhassem

187

corretamente os dez homens e as cinco mulheres melhores classificados, ganhavam uma viagem ao Havaí. Um cara chamado Walt Novak sempre ganhava, mas já morava no Havaí. Talvez dessem um bilhete para ele ir a Maui no lugar.

A *Surfer* promove uma grande festa para entregar os prêmios da Surfer Poll, e com todos os profissionais, as lendas, as belas garotas e os principais nomes da indústria presentes, é o quem é quem do surfe. Ao ver as fotos nas revistas, em Cocoa Beach, eu sentia como se estivesse lá. Eles pararam de realizar o banquete em meados dos anos 1980 devido ao corte de custos; então, quando estreei como o número dez, em 1991, não havia mais festa. Fiquei em segundo lugar, atrás de Tom Curren, nos dois anos seguintes, e terminei em primeiro lugar em 1994. Não era a mesma coisa sem o banquete, e tive de esperar até o ano seguinte para a *Surfer* decidir voltar a promover a cerimônia. Ir à festa trazia de volta as lembranças da espera junto à caixa postal, imaginando se Sean ou eu tínhamos escolhido os vencedores.

Ganhei o Surfer Poll todos os anos, de 1994 a 2001. Bem, quase todos os anos. Em 2000, perdi para um cara chamado Crazy Randall, o mascote da... Lost, uma companhia de roupas que tem orgulho de ser disfuncional. A companhia fez campanha pelo país afora, oferecendo camisetas a qualquer um que votasse no Randall, e ele venceu. Levando em consideração as circunstâncias, a *Surfer* me deu o prêmio já que tinha sido o segundo mais votado.

Apesar de minha popularidade entre o grande público, tive a sensação de que meus adversários não estavam muito contentes comigo. Na cerimônia de entrega de prêmios da ASP, em Sydney, no começo de 1995, fui coroado campeão tanto do Circuito Mundial quanto do World Qualifying Series, e meus adversários estavam obviamente cansados de me ver ganhar. Como estava na Austrália, não tinha muita torcida mesmo. Eu me senti solitário.

Segundo o ex-campeão mundial Barton Lynch, da Austrália, as pessoas estavam cansadas do meu rosto: "Durante a nossa era, aproximadamente entre 1983 e 1993, havia muitos caras com potencial para vencer. Quando Kelly surgiu, havia grandes surfistas, mas nenhum deles conseguiu corresponder ao seu próprio potencial por causa do domínio dele. Quando ele apareceu, as pessoas dentro do esporte disseram: 'Um campeão mundial norte-americano. É tudo o que precisamos. Vai revolucionar o esporte. Vamos ficar milionários. Será fantástico'. Então, alguns anos depois, passaram a dizer: 'Meu Deus, precisamos de outras pessoas. Ele está matando o esporte!'".

O auge

Dando o troco em Brock Little (esquerda) por ele ter me gozado durante grande parte de minha vida.

Eu sei como Elvis se sentia. Se sua morte é uma farsa, se ele apenas ficou cansado de lidar com as pessoas e montou todo esse teatro para poder viver em paz, não o culpo. O surfe é tão pequeno que as minhas experiências são uma fração da dele, mas a sensação é a mesma.

Aconteceu tudo muito rápido, e na Austrália de todos os lugares possíveis, onde todos surfam e campeões mundiais nascem em árvores. Em março de 1994, depois de perder nas quartas-de-final do Kirra Pro, um evento da World Qualifying Series, na Gold Coast, decidi ficar para acompanhar o resto do evento. Foi um grande erro.

Os eventos sempre foram muito casuais, e não me importava quando pessoas me pediam para tirar minha foto ou assinar um autógrafo. Quando era principiante, dava uma de caçador de autógrafos cada vez que os profissionais vinham à Flórida; portanto, entendia quando jovens surfistas queriam conhecer o atual campeão mundial. Eu ficaria surpreso se não quisessem. Mas garotas chorando histericamente? De onde surgiam? *S.O.S Malibu* tinha colocado meu rosto em cada televisor da terra, e a minha vida particular acabou.

Parei para assinar a programação de alguns garotos que vieram a mim na praia, e a multidão ficou cada vez maior. Antes que me desse conta, não havia escapatória. Eu estava no centro de algumas centenas de pessoas, e fiquei assustado. Elas me agarravam, e pais enfurecidos gritavam comigo para que eu assinasse algo para seus filhos. Finalmente, os seguranças do evento me ajudaram a chegar ao meu carro para que eu pudesse partir, mas o exército de garotas adolescentes não desistia. Elas cantavam, e até gritavam, meu nome. Elas batiam no vidro e sacudiam o carro até que, finalmente, conseguia me afastar. Era um pandemônio. Surfistas nunca tinham atraído esse tipo de atenção, e nenhum de meus amigos no circuito entendia isso.

Em breve, fãs ardorosos tornaram-se um fato comum em lugares como a França, Japão e até a Califórnia. O *timing* deles não podia ter sido pior. Eu queria menos atenção, não mais.

Perdidamente apaixonado

Eu posso resumir minha vida amorosa diversificada com certa facilidade. Aprendemos a partir dos exemplos que nos são apresentados no começo da nossa vida, e acho que posso afirmar com segurança que meus pais não eram exatamente o exemplo de uma relação saudável. Levando em consideração isso e o meu estilo de vida nômade, não é de se surpreender que tive vários relacionamentos pouco perfeitos.

Eu tive de descobrir sozinho o que era uma relação saudável, sem querer desrespeitar meus pais. É como se você tivesse aprendido que cozinhar é abrir o microondas e colocar um jantar pré-cozido e, de repente, alguém pede para você preparar uma refeição com sete pratos. Você não sabe como fazer isso. Você pode até tentar, ou talvez conseguir alguma ajuda de livros, mas é a prática que traz a perfeição.

Acreditem se quiser, mas quando eu estava em *S.O.S Malibu*, não me senti atraído pela Pam Anderson. As pessoas têm dificuldade para acreditar nisso, mas é verdade. Depois que abandonei o programa, não mantivemos contato. Mas, em 1994, alguns meses depois que Bree e eu terminamos nosso noivado, encontrei Pam no Havaí. Ela estava filmando um especial para a TV, e o sentimento se instalou imediatamente. Começamos a namorar, mas não éramos exclusivos. Eu a visitava toda vez que estava na Califórnia. Como não estávamos namorando sério, não dávamos muita importância ao fato e não dissemos nada a ninguém. Queríamos manter a relação longe da mídia. Estar envolvido com alguém bem mais famosa do que eu talvez não tenha sido uma grande idéia. Ela atraía muita atenção por causa do *S.O.S Malibu*, e esse era exatamente o tipo de cobertura de imprensa da qual eu queria distância.

Em janeiro de 1995, fui à Austrália, para o Coke Classic realizado em Manly Beach, em Sydney. Coincidentemente, Pam foi contratada pela Coca-Cola para comparecer ao mesmo evento. Uma foto nossa foi tirada no momento em que estávamos juntos e saiu publicada num jornal local e em algumas revistas de fofoca. A legenda sugeria que éramos namorados, e quando a foto se espalhou pela Austrália e, depois, pelos Estados Unidos, fiquei fora de mim.

Eu gostava de Pamela como amiga, mas quando estávamos juntos, me recordava de minha ligação com *S.O.S Malibu*. Queria ser levado a sério na minha carreira, e minha credibilidade como surfista era mais importante do que qualquer envolvimento. Além disso, tendo recentemente saído de um relacionamento sério, entrar em outro com alguém na posição dela estava fora de questão. Pam queria mais do que eu podia dar a ela. Ela queria assentar e começar uma família, mas para um cara de 22 anos, era a coisa mais distante na minha cabeça.

Alguns dias depois de a notícia de nosso relacionamento ter se espalhado pelos Estados Unidos, expliquei a ela como me sentia. Uma semana depois de nossa conversa, ela conheceu e depois se casou com Tommy Lee. Infelizmente, minha ligação com ela colocou-me novamente em evidência e minha privacidade passou a ser coisa do passado. Eu não estava preparado para a vida de uma figura pública, mas não tive escolha.

Sou sexy demais

Após toda a atenção da mídia, começaram a aparecer convites para trabalhar como modelo. Eu não estava me esforçando para buscá-los, mas já não era mais um adolescente tímido. Se surgisse uma oportunidade, ficava contente de fazer alguns dólares a mais, sorrindo para uma câmera.

A revista *Interview* entrou em contato comigo e pediu para fazer uma matéria sobre mim. Stephanie Gibbs, a esposa de meu antigo treinador Bruce Walker, marcou a entrevista. Stephanie tinha uma agência de modelos, na Flórida, e pediu a um fotógrafo chamado Bruce Weber que tirasse fotos para a matéria. Na época, não sabia que Bruce era um famoso fotógrafo de moda e que a maioria dos modelos arrancaria os olhos do outro para tirar fotos com ele. As fotos saíram muito boas, e acabei na capa da *Interview*, com o título *Kelly Slater: Half Fish, Total Dish* (Kelly Slater: Meio Peixe, Prato Cheio), seja qual for o significado disso.

Após a sessão de fotos, Bruce tirou minhas fotos usando artigos da Versace para um catálogo. Concordei em fazê-las, porque achei que ninguém as veria a não ser compradores de butiques. Eu tinha ouvido falar de Versace, mas o mundo da moda era algo que eu desconhecia e não tinha consciência do estilo de publicidade. Eu tinha de posar com uma cueca apertada branca, e constrangido como estava, Bruce fez um ótimo trabalho para diminuir minha ansiedade. Logo em seguida, as minhas fotos de cuecas estavam estampadas na quarta capa de várias revistas. Elas mostravam mais do que eu desejava revelar, e liguei para Stephanie e disse a ela que queria que parassem de divulgar o anúncio. Segundo Stephanie, a companhia ficou chocada, dizendo que qualquer modelo daria a própria vida para ter uma oportunidade daquelas. Pedi a ela que explicasse a eles que eu não era um "modelo" e que ficaria grato se aquilo acabasse, e acabou.

Outras ofertas lucrativas surgiram, como a campanha da colônia Cool Water, mas estava ocupado demais para posar e preocupado em me afastar de minhas raízes do surfe.

Eu não estava louco para ser modelo, mas gostava das modelos, especificamente de Helena Christensen. Shane Dorian e eu a achávamos

Eu.

sexualmente atraente, e quando ficamos juntos nas viagens que fizemos pela costa sudoeste da França, em 1995, cobrimos as paredes com fotos dela, que tiramos das revistas. Na verdade, era Shane que tinha uma enorme queda por ela, mas acabou passando para mim. Ficávamos fitando suas fotos na parede, imaginando como seria conhecê-la. Em breve, teria minha chance.

Um amigo, em Paris, é dono de uma agência de modelos e me pediu para visitá-lo para fazer uma sessão de fotos naquele verão. Apesar de não ser apaixonado pelo trabalho de modelo, entendi que não me faria mal algum ter um portfólio caso algo realmente bom surgisse em meu caminho. Após uma sessão de fotos, uma noite, fui a um bar da moda com alguns amigos. Depois de gastar 28 dólares em dois drinques, fiquei sem dinheiro e pronto para ir dormir. Ao subir as escadas, em direção ao banheiro, esbarrei num grupo de pessoas. Era Michael Hutchence, do INXS, Bono, do U2, e eis que lá estava Helena Christensen.

Ela estava com Michael; portanto, não quis agir como um idiota. Michael era amigo de Tom Carroll; sendo assim, me apresentei. Eu disse: "Meu nome é Kelly. Sou um surfista da Flórida e gostaria apenas de dizer oi". Ele zombou de mim ao dizer: "Ei, Kelly... surfista". Eu pensei: "Ótimo! Eu não poderia ter sido mais presunçoso". Assim que falei que conhecia Tom, ele ficou muito mais amigável e se ofereceu pagar um drinque.

Apesar de o INXS e do U2 terem sido minhas duas bandas favoritas quando estava crescendo, eu estava mais interessado em Helena, e passei as duas horas seguintes falando com ela, e nem pensei em voltar para casa. Falei sobre um desenho que tinha feito dela, e perguntei se ela podia autografá-lo. Disse que o deixaria na agência de modelos no dia seguinte e que o pegaria depois que ela tivesse tido a chance de assiná-lo. Quando ela me contou que também queria uma foto minha, achei estranho, considerando o fato de que achava que não me conhecia. Quando ela percebeu meu olhar de espanto, se debruçou sobre a mesa e disse: "Kelly, não é o tamanho da onda, e sim o que você faz sobre ela que importa". Nossa, talvez ela realmente soubesse quem eu era! Repentinamente, passei a me sentir uma celebridade. Foi assim que a noite terminou, voltei para casa e tive sonhos agradáveis. Nunca recebi o autógrafo dela, mesmo assim.

Um turista norte-americano,
em Paris, 1995.

© Cortesia da Slater Family Wall of Shame.

Comecei a ser reconhecido por pessoas, mesmo quando não estava na praia, até em Paris, onde esperava ser anônimo. Um grupo de dez italianos me parou quando eu passava por uma rua pequena. O rosto deles ficou iluminado quando me viram, e disseram: "Kelly Slater, *Alerte à Malibu*". Que legal, pensei, Malibu deve ser o único pico de surfe que eles conhecem, mas não tive tanta sorte assim. Eles não conheciam minhas conquistas no surfe. *Alerte à Malibu* é a tradução em francês para *S.O.S Malibu*. Até no centro da Europa, eu não conseguia me livrar do programa.

Quando retornei à Flórida, em outubro, estava assistindo ao evento de Huntington, pela televisão, apesar de ter sido realizado em agosto. (O surfe ainda não tinha autorização para ser transmitido ao vivo. Era preciso ter sorte se passasse na TV meses depois do acontecido.) Os produtores tinham decidido entrevistar pessoas do público e perguntar qual era o surfista favorito delas. Um garoto estava com raiva de mim, e me chamou de traidor por estar fazendo *S.O.S Malibu*. Ele sugeriu que até meu relacionamento com a Quiksilver ia contra o espírito do esporte. Foi a primeira vez que ouvi minha vida particular sendo discutida em público por completos desconhecidos e fiquei magoado. Eu me preocupava com o que as pessoas pensavam a meu respeito e fiquei desesperado para mudar a percepção deles a todo custo.

Decidi que, talvez, eu precisasse romper com a Quiksilver para me tornar mais comovente. Tom Curren tinha conseguido o respeito de surfistas do mundo todo quando, em 1991, deu as costas ao seu patrocinador e surfou com uma prancha sem logotipos. Ele provou que só queria surfar, e eu desejava provar a mesma coisa. Se vencer competições não era o bastante para provar que era um verdadeiro surfista, então, estava disposto a sacrificar meu patrocínio para recuperar minha credibilidade.

Tive uma longa conversa com Danny Kwock, vice-presidente de *marketing* da Quiksilver, e disse a ele que precisava ser fiel às minhas raízes. Contei a ele meus planos para deixar a Quiksilver. A companhia sempre apoiou todas as minhas decisões, e Danny ofereceu ajuda durante esse período difícil. Ele me convenceu de que as pessoas podiam dizer o que quisessem, mas só eu podia determinar se era ou não um traidor. Considerei seu conselho e fiquei com a Quiksilver. Nunca realmente teve nada a ver com eles.

Corrida de três cavalos

Mark Richards era o surfista profissional mais consagrado do mundo. O grande M.R. conquistou quatro títulos mundiais consecutivos, entre 1979 e 1982. Uma vez, ele disse: "Competição nem sempre determina o melhor surfista. Isso raramente acontece". Considerando o fato de ele ter ganho mais títulos do que qualquer outro homem, era algo estranho de ele dizer, mas ele tem razão. Há tantas variáveis quando lidamos com a natureza que nada é certo. É difícil responsabilizar um julgamento subjetivo, um campo de esportes imprevisível ou o destino. Aliado ao fato de nunca estarmos em casa, há motivos o bastante para enlouquecer qualquer competidor. Esgotamento é uma ocorrência comum entre os melhores de nós.

Muitos grandes surfistas não têm sucesso em competições. Infelizmente, eles não conseguem compreender suficientemente bem o sistema para atingir seu potencial competitivo. É emocionante vê-los em ação, especialmente em boas ondas, mas competição não se resume a apenas surfar bem. Como eu estava determinado a esticar os limites de minha *performance*, não tinha intenções de ser um desses surfistas que se recusa a trabalhar dentro da estrutura das competições.

O surfe competitivo é básico: o objetivo é pontuar mais do que seu adversário. Mas a complexidade é infinita. Atenção a detalhes torna um grande surfista um grande competidor. Há várias coisas que você pode fazer para se preparar, que pode incluir treinos, um melhor *design* de seu equipamento, ganhar experiência em diferentes situações, e aprender como quebrar uma onda e os pontos fortes e fracos de seus adversários. Ao me concentrar mais em minha carreira, passei uma quantidade absurda de tempo aperfeiçoando cada pedaço desse quebra-cabeças e tentando eliminar todas as variáveis; porém, algumas fogem de nosso controle.

Eu não conseguia conviver com a idéia de que a vitória nas competições se deve à pura sorte. Para mim, era imperativo conquistar o título mundial de 1995, para me sentir um verdadeiro campeão mundial. Não contei isso a ninguém, mas, lá no fundo de minha mente, eu queria bater o recorde de Mark Richards.

Bem ao meu estilo, comecei com um nono lugar em Bells, seguido de um terceiro no Japão. O evento seguinte seria o Quiksilver Pro, em Grajagan, Indonésia. Grajagan foi uma verdadeira encruzilhada para o surfe profissional, porque a ASP estava sob pressão para reorganizar o circuito. Eles queriam evitar os *beach breaks* de má qualidade e realizar competições em locais aventureiros (apesar que andar na praia de Huntington ser tão aventureiro quanto qualquer outra coisa que eu tenha vivenciado). Grajagan era um desses lugares. Fica localizado na Reserva Florestal de Plengkung, em Java, bem distante de qualquer trilha batida. Nós nos hospedamos em cabanas que ficam a três metros do chão, longe do alcance de tigres javaneses, javalis, lagartos do tamanho de um homem, cobras mamba-verde (cuja mordida pode matar em dois minutos) e todo tipo de bicho selvagem que se esconde na selva. Bem, quase todo tipo.

Ratos gigantes sempre estão em busca de presas, algo com o qual estava acostumado desde que morei em minha antiga casa, em Cocoa Beach. Na Indonésia, eles entram sorrateiramente e comem tudo que estiver pendurado do teto por um fio. Na minha primeira viagem para lá, guardei chocolate numa lata fechada, e, enquanto tirava uma soneca, arrastaram a lata até um canto e abriram a tampa. Não são burros. Eles sabem que você virá atrás deles e colocam o produto de sua pilhagem perto de um buraco para facilitar a fuga. Eu dormia com uma vara de bambu para afugentar os intrusos.

A logística para montar uma competição da ASP num lugar tão distante é impressionante. Chegar lá já é um problema e tanto. É preciso voar da Califórnia à Austrália, que leva quatorze horas, e de Sydney a Bali, outras sete horas de vôo. De Bali, a viagem de ônibus até o cais dos barcos demora umas cinco horas. A maré precisa estar alta para poder tirar o barco do cais, e o passeio leva outros vinte minutos para se chegar ao porto de Grajagan. Somando a isso atrasos, a viagem pode facilmente levar dois dias. As ondas quebram a quatrocentos metros da praia; sendo assim, um palanque para os juízes precisa ser montado sobre o recife. Esse trabalho todo parece não valer a pena até que você vê as ondas. Um vento fraco de terral sopra todos os dias, levando a superfície do mar à perfeição. As ondas estavam duas a três vezes mais altas do que as nossas cabeças durante todo o evento, proporcionando o melhor surfe que já tínhamos visto numa competição da ASP.

Cheguei à final com Jeff Booth. Tanto Jeff quanto eu surfávamos pela Quiksilver, que foi ótimo para a companhia depois de todo o planejamento que foi feito para o evento. Ao remar no mar, fui castigado por várias séries durante dez minutos. Ao contrário de minha primeira vitória contra Gary Elkerton, em Hossegor, na França, em 1992, essa bateria começou sem a minha presença. Jeff havia pego uma onda e já estava novamente no *lineup* quando cheguei lá fora. Por sorte, na minha primeira onda, peguei cinco tubos e estabeleci o padrão para o restante da final. Consegui uma nota dez naquela onda e somei outras boas notas para conquistar uma mágica e memorável vitória.

A temporada transformou-se numa corrida de três cavalos, entre Sunny Garcia, que havia vencido em Bells, Rob Machado, que tinha ganho no Japão, e eu.

O evento seguinte aconteceu em julho, nas Ilhas Reunião, na costa sul da África, e, na quarta rodada, enfrentei meu antigo rival, Gary Elkerton. Novamente, nos deparamos com um simbólico confronto de gerações. Era a Velha Escola Australiana contra a Nova Escola Norte-americana, e ele estava espumando de tanta vontade de se vingar pela derrota em Hossegor. Tínhamos participado de outras baterias desde então, e, a cada vez, arrumei uma maneira de superá-lo. Na praia, parecia que havia uma linha desenhada na areia. Era claro distinguir quem apoiava Elkerton, e ele tinha uma equipe inteira lhe dando incentivo.

As ondas estavam bombando em Reunião, e fiquei desconcertado pela sua agressividade. Peguei as ondas necessárias para derrotá-lo, mas caí algumas vezes e perdi. Foi uma grande vitória para os veteranos e uma pequena desforra para Elkerton. Seus amigos jogavam cerveja sobre sua cabeça e gritavam como loucos, como se ele tivesse ganho a competição em si, apesar de ainda estarmos na quarta rodada. Fiquei furioso com eles por darem tanta importância para a vitória. Gary estava eufórico, veio na minha direção e disse: "Boa bateria, companheiro. Mas levou azar!". Demora algum tempo para engolir uma derrota como aquela, e eu não tinha tido tempo o bastante para digeri-la. Senti que Elkerton estava jogando aquilo na minha cara para me provocar. Olhei para ele e disse: "Vá se danar". Obviamente, exagerei na minha reação, mas naquele momento, havia sucumbido à emoção. Minha mente estava focada no quadro maior: a classificação da ASP; portanto, perder para qualquer um era inaceitável.

Mais tarde, quando tive tempo para pensar, senti-me honrado em saber que outros caras achavam que tinham ganho algo importante ao me derrotarem numa bateria. Ao ver a reação dos amigos dele na praia, percebi o quanto outros competidores queriam me derrotar.

Retornei a Huntington, Califórnia, em agosto, para o U.S. Open, e cheguei à final homem a homem com Rob Machado. Parecia que todas as pessoas na praia estavam torcendo para Rob e me vaiando. As ondas estavam pequenas, e parti o bico de minha prancha. O público teve seu desejo realizado depois que Rob simplesmente me atropelou. É duro sentir que ninguém está do seu lado. Seria legal se o circuito visitasse a Flórida de vez em quando. Provavelmente, não haveria ondas, mas pelo menos eu teria gente torcendo por mim.

Voltamos à Europa logo após o evento em Huntington, em agosto. Consegui resultados consistentes (nono, em Lacanau; terceiro, em Hossegor e quinto, em Biarritz), mas perdi terreno na classificação para Sunny e Rob, que venceram um evento cada, na França. A Europa sempre foi fundamental para o circuito, porque é a sede de muitas competições. Cada bateria é de vida ou morte. Perdi algumas por muito pouco, e fiquei xingando os juízes e, principalmente, eu mesmo por não ter tirado vantagem das situações. Eu não podia descansar nem um pouco nessa corrida, especialmente porque estava disputando com Rob Machado.

Rob e eu éramos grandes amigos, mas, nesse momento, o título mundial começou a desgastar a nossa amizade. Eu me recordo de quando nós enfrentamos, em 1985, no Campeonato Norte-americano, em Sebastian Inlet, na Flórida. Rob veio caminhando até mim com seu pai Jim, que disse: "Oi, Kelly. Sou Jim Machado. Esse é meu filho Rob. Você se importa de tirar uma foto conosco?". Rob ficou muito constrangido, mas nos entrosamos rapidamente. Em 1995, éramos melhores amigos. Viajávamos juntos e tínhamos o mesmo empresário.

O Rio International Pro, no Brasil, realizado em outubro, preparava o palco para o evento final, em Pipe. Uma boa *performance* me aproximaria dos outros competidores e aliviaria um pouco da pressão, mas havia a chance, caso Rob ou Sunny vencesse, de eu ficar fora do páreo. Nas quartas-de-final, enfrentei Barton Lynch, que tinha 32 anos e cuja carreira estava por um fio. Como ele já tinha passado de seu auge, tudo indicava que seria uma disputa fácil, mas Barton é um competidor habilidoso. Ele sabia como penetrar em minha mente, ao me ignorar e agir de forma indiferente antes da bateria. Eu tinha um bloqueio mental quando precisava enfrentá-lo, que originou em nosso primeiro confronto, em 1989, no Aloe Up Cup, em New Smyrna Beach, Flórida. Eu era um amador de dezessete anos, e Barton era o atual campeão do mundo. Ele estava bastante satisfeito com sua carreira na época; portanto, na véspera de nossa bateria, estava numa festa, totalmente embriagado, fumando charutos e se divertindo com um bando de garotas. Entrei na festa e fiquei chocado ao ver que ele não estava nem um pouco preocupado com nossa bateria. Eu não me diverti porque queria estar no melhor de minha forma no dia seguinte. Ele apareceu no evento, cansado e de ressaca, mas, mesmo assim, conseguiu me derrotar.

No Brasil, seis anos mais tarde, ele continuava sabendo como me tirar de meu foco e acabou me derrotando. Se Sunny vencesse o evento, minhas esperanças de conquistar o título acabariam. Sunny e Barton se enfrentaram na final, e Barton tornou-se o surfista mais velho a ganhar uma competição do WCT. O mais importante para mim é que me manteve no páreo. Faltando apenas um evento no ano, o Pipe Masters, minhas chances de ganhar o título eram mínimas. Quando cheguei em casa, na Flórida, já estava resignado em perder.

Você jogou uma bomba em mim

Na manhã do dia 17 de outubro de 1995, estava dormindo confortavelmente em meu condomínio em Cocoa Beach. Apesar de poder passar poucos meses por ano na Flórida, achei que deveria ter meu próprio canto. Minha mãe arrumou um lugar para morar com seu marido e Stephen. Sean e alguns de seus amigos viviam na casa velha que eu havia comprado para a família.

Lá fora, chovia torrencialmente. Era o tipo de manhã que você não quer sair da cama. O telefone tocou, atendi e descobri que era Tamara, uma menina que namorei no verão, em Fort Lauderdale. Como não estávamos mais juntos, sabia que não estava ligando apenas para dizer oi. Ela disse que precisávamos conversar e que estava vindo de carro imediatamente.

O tempo havia transformado a viagem de três horas num tormento de quatro horas e meia. Eu não tinha TV a cabo e nem carro, e não havia ondas. Só me restou ficar sentado esperando. Ela não me deu indício de nada e nem precisava. Contei à minha mãe que ela estava a caminho, e, como toda mãe, temia o pior: "Oh, meu Deus, Kelly. Ela está com Aids!". Disse a ela para se acalmar e que tinha a intuição de que Tamara viria me contar que estava grávida. Aliviada, minha mãe disse: "Oh, bem, isso é bom".

Tamara finalmente chegou e confirmou meu temor. Ela explicou nossas opções, dizendo: "Estou pronta para ter um filho; portanto, vou ficar com o bebê. Posso fazer isso sozinha se não quiser participar. Ou podemos acertar as coisas entre nós. Se isso não funcionar, podemos ficar separados e ambos ser os pais". As opções A e B estavam fora de questão. Já não éramos mais um casal e não passaríamos a ser. Mesmo assim, não conseguia imaginar ter uma criança e não participar da vida dele ou dela; logo, a decisão foi fácil. Disse a ela que estava interessado em participar da criação da criança e a agradeci por ter me contado. A chuva havia parado, e ela voltou para casa.

Depois que ela saiu, sentei e fiquei pensando durante um longo tempo. Quando criança, achava que 23 anos seria uma idade boa para começar uma família, mas agora que tinha chegado lá, a idéia poderia esperar outros dez anos. Eu ainda era uma criança. Até aquele dia, tinha apenas uma responsabilidade, que era vencer competições de surfe. Nunca tinha tido um emprego de verdade ou pago uma conta, mas havia chegado o momento de crescer. As coisas haviam mudado. Eu ia ser pai.

É algo difícil de engolir; mesmo assim, aliviou a pressão de outras formas, ao colocar tudo em perspectiva. Comparado a ser pai, a classificação parecia insignificante. Não posso dizer que deixei de me preocupar com a grande final, em Pipeline, mas, agora, o ponto de vista tinha mudado.

Merda e rosas

Considerei todos os cenários possíveis, e sabia exatamente o que precisava fazer para conquistar o título mundial. Eu estava na terceira colocação. Para chegar ao topo, precisava de um pequeno milagre.

Precisava vencer em Pipe, que era possível. Mas se Rob chegasse à final ou se Sunny avançasse duas baterias, não conseguiria alcançá-los, independentemente de como terminasse o evento. Sunny havia ganho a Tríplice Coroa Havaiana três vezes seguidas, antes de 1995, e surfaria em seu próprio quintal de casa, com o Havaí em peso torcendo por ele. Como estava na liderança, só dependia dele vencer ou perder. Ele não tinha tirado menos do que o nono lugar o resto do ano, e todos esperavam que dominasse em Pipe.

A revista *Surfer* entrevistou Rob, Sunny e eu, em outubro, dois meses antes de Pipeline. Fui o último a ser entrevistado e me disseram o que os outros dois haviam falado. Sunny me soou arrogante, ao dizer: "Eu jamais apostaria contra mim", enquanto Rob não conhecia a classificação e não se importava. Eu disse que, provavelmente, não conquistaria o título mundial, e precisava me acostumar com a idéia. Na minha mente, abordei a situação como se já tivesse perdido. Minha mãe e Bryan Taylor gostavam de dizer que eu podia cair num monte de merda e sair cheirando a rosas. Antes de Pipeline começar, as coisas estavam uma merda.

Quando chegamos ao Havaí, no final de novembro, havia muita vibração em torno do evento. Um amigo, chamado Peter King, um ex-surfista profissional de San Diego, apresentava um programa na MTV, chamado *Sandblast*, e convenceu a rede de televisão a ir ao Havaí para filmar sua *Ultimate Winter Vacation* (Melhores Férias de Inverno). Era como se estivéssemos no recesso de primavera, e eles usaram o confronto final em Pipe como pano de fundo para o programa. Em qualquer direção que olhávamos, havia alguém da imprensa na praia.

Foi uma batalha extenuante entre Rob, Sunny e eu. Cada um de nós montou seu acampamento num raio de um quilômetro e meio de distância do outro, para a temporada de inverno no North Shore. Rob alugou um lugar, em Backdoor; Sunny ficou na famosa pousada de Gerry Lopez, em Pipe; e eu fiquei na casa dos Johnson, em Ehukai. Era estressante demais conviver com Rob; portanto, procurei ficar longe de sua casa. Tínhamos vários amigos em comum, e como ele nunca tinha ganho um título mundial, parecia que a maioria estava do lado dele. Tive a sensação de que as pessoas estavam prontas para ver um novo campeão mundial, que fosse Rob ou Sunny. Eu fiquei um pouco magoado, mas o fato de ter pessoas me vaiando servia apenas para me esforçar mais. Teria sido legal ter pessoas sentadas na varanda de minha casa, torcendo por mim, mas eu tinha um trabalho a fazer.

Assim que a competição começou, uma chave inglesa foi jogada dentro da engrenagem. Mark Occhilupo, de 29 anos, que havia passado alguns anos sentado no sofá, estava em grande forma e participava das triagens do Pipe Masters de 1995. Ele dominou tanto que, mesmo sendo punido com uma interferência, conseguiu avançar para o evento principal. Conforme entrou como o cabeça-de-chave mais baixo, teve de enfrentar o cabeça-de-chave número 1, Sunny. Se Sunny perdesse, haveria uma variável a menos com a qual me preocupar.

Não havia nada que eu pudesse fazer além de tirar meus pompons e torcer silenciosamente por Occy. Fiquei nervoso demais para assistir. Se não tivesse de participar da bateria seguinte, teria deixado a praia. O Havaí em peso queria que Sunny ganhasse, e corria o boato que Occy nem entraria no mar porque temia por sua vida. Foi tenso assim. Ele foi escoltado até a beira d'água pelos seguranças para impedir que fosse atacado por um havaiano enraivecido. Tentei me concentrar na prepa-

Preso numa rivalidade com Occy.

© Sarge.

ração para minha bateria, mas cada vez que levantava a cabeça, Sunny caía e Occy entrava num tubo. Meu monte de merda estava começando a cheirar bem.

Quando Occy percebeu que estava ganhando, ficou desesperado e fez tudo ao seu alcance para perder. Essa competição era tão importante para seu retorno quanto para todos nós, mas não valia a pena a surra que levaria caso eliminasse o filho favorito do Havaí. Não aqui e não agora. Occy distanciou-se do pico e passou a orientar Sunny a entrar nas ondas, tentando desesperadamente não vencer. Para Occy, era o suficiente saber que ainda podia vencer, mas não queria ficar com a vitória. A não ser que escalasse o palanque dos juízes para roubar as planilhas de pontuação deles, Occy não podia perder, pois estava muito à frente. No final, o público estava chocado demais para reagir, e Occy foi embora antes que as pessoas na praia caíssem em si.

Com Sunny fora do quadro, a bola estava em meu campo. Conquistar o título voltou a ficar sob meu controle. Rob estava do meu lado da jogada. Eu só precisava continuar vencendo.

Na manhã do dia 19 de dezembro de 1995, antes de sair da cama para dar uma olhada em Pipeline, fiquei um minuto considerando minhas opções. Eu podia perder a bateria das quartas-de-final para o havaiano Kalani Rob, partir com alguns milhares de dólares em premiação e desperdiçar uma enorme oportunidade. Ou podia vencer a competição, embolsar quase cem mil dólares em prêmios do evento e bônus, conquistar meu terceiro título mundial e selar a Tríplice Coroa.

Até aquele ponto, grande parte da pressão que tinha vivenciado na minha carreira, desde aprender a surfar ondas grandes e conquistar títulos mundiais a ser um traidor do esporte, tinha a ver com realizações a longo prazo. Eu tinha tido tempo para procurar soluções em minha cabeça. Mas, agora, havia muita coisa acontecendo num único dia de surfe. O que estava em jogo era muito maior do que qualquer coisa que tinha enfrentado antes. Eu desejava que não houvesse nada em jogo, que fosse pura diversão, mas havia pontos, dinheiro e carreiras na balança.

Fiquei mais concentrado do que nunca. Eu sabia que tinha de pegar todas as ondas boas e que não podia dar aos meus adversários a menor chance de me derrotar. Mesmo que o surfe competitivo dependa muito do acaso, na minha mente não havia como eu perder.

Depois de derrotar Kalani Rob, nas quartas-de-final, minha próxima bateria seria contra Rob Machado. Se Rob vencesse, ele seria o campeão. Caso eu vencesse, Rob ainda seria o campeão a não ser que eu ganhasse a final.

Pipeline estava clássico, com vento terral e picos de oito pés, quebrando para ambos os lados. Rob e eu concordamos em nos alternar no *lineup* em vez de brigar por ondas; então, tiramos a sorte para ver quem pegaria a primeira onda, e eu venci. Isso ajudou a aliviar um pouco da tensão, e quando chegamos ao *lineup*, não conseguimos parar de rir da situação. Lá estávamos nós, dois grandes amigos, surfando ondas perfeitas diante do mundo inteiro do surfe, valendo o título. Era como treinar boxe com seu melhor amigo, valendo o título do campeonato dos pesos pesados. Era impossível imaginar um cenário melhor.

No decorrer da bateria, as notas ficaram em segundo lugar em relação à diversão do momento. Nossos amigos na praia devem ter ficado divididos em termos de quem apoiavam, mas a situação aproximou Rob e eu como nunca antes. Fui para a esquerda numa onda e saí dela a tempo de ver Rob pegando um tubo perfeito. Ele saiu voando, enquanto eu estava sentado no canal, e levantei minha mão para cumprimentá-lo. Ele deu um *cutback* para preparar o cumprimento e bateu na minha mão ao passar por mim.

Sem dúvida, aquela bateria foi o auge de minha carreira. A melhor parte foi que nossos amigos viram o quanto nós nos divertimos e aquilo aproximou todos nós. Provou que, mesmo no calor da competição, não é preciso odiar seu adversário para conseguir desempenhar no nível mais alto. Nem tem a ver com a outra pessoa, e sim com fazer o seu melhor. A praia inteira compartilhou essa sensação, com exceção talvez de Sunny.

Os juízes estavam arrancando os cabelos para escolher um vencedor. Na época, foi a bateria de maior pontuação da história da ASP. As direitas eram um pouco mais longas; logo, ofereciam um melhor aproveitamento. Fiquei surfando Backdoor durante grande parte da bateria, e acabei vencendo. Se meu ímpeto não me ajudasse a derrotar Occy na final, nada disso teria valido a pena.

Para Occy, a vitória significaria um retorno perfeito, e o fato de ele estar nervoso por se encontrar novamente no centro das atenções me

Minha vitória mais significativa, o Pipe Masters de 1995.

© joliphotos.com.

A última onda de Donnie Solomon (e, segundo ele, a melhor onda de sua vida), em Waimea Bay, em 23 de dezembro de 1995. Aquele sou eu no meio, Ross Clarke Jones está à esquerda, e a prancha de Ross Williams saindo da onda porque ficamos no seu caminho. Eu realmente queria muito que Ross tivesse pego a onda com a gente. Donnie morreu vinte minutos após não ter conseguido pegar outra onda até a praia.

© Cortesia da Slater Family Wall of Shame.

deu uma vantagem. Ele ainda era um de meus heróis; assim, sentia que devia algo a ele. Ao entrarmos no mar para a final, eu disse: "Occy, essa bateria é tão importante para você quanto é para mim. Não pense duas vezes sobre nada. Vá com tudo". Relembrando o fato, foi tão piegas quanto Rocky e Mr. T, mas ele entendeu o que eu quis dizer.

Sempre fui fascinado pelo surfe de Occy, mas algo que ele me disse em 1984 ficou gravado em minha mente. Ele foi citado numa revista, dizendo algo parecido com: "É hora de levarmos isso a sério e acabarmos com esses norte-americanos babacas". Eu tinha apenas doze anos, mas, por ser norte-americano, tomei as dores pessoalmente, nunca me esqueci, e carreguei esse ressentimento comigo todas as vezes que nos enfrentávamos numa bateria.

O confronto com Rob sugou quase toda a minha energia, e me esforcei para manter uma vantagem na final. Occy parecia ter gasto toda a sua mágica também, e acabei vencendo a bateria. O roteiro não poderia ter sido mais bem escrito, mas meu mar de rosas trouxe sentimentos contraditórios. Uma pequena parte de mim queria ter visto Sunny conquistar o título mundial. Outra parte queria ter visto Rob e sua família compartilhar da mesma sensação, já que tinha sido a minha segunda família durante muitos anos. Na classificação final, derrotei Rob por apenas oitenta pontos, na corrida mais apertada da história da ASP.

Donnie Solomon

Apesar de meu temor de ondas grandes ter desaparecido, ainda pegava apenas o que eu considerava um risco calculado. Muitos dos caras com os quais surfava eram loucos completos. No Dia de Ação de Graças, em 1995, Todd Chesser, Shane Dorian e Ross Williams pegaram algumas das maiores ondas que já tinha visto, a quatrocentos metros do litoral. Cada um vivenciou a sensação de quase se afogar naquela sessão. Quando o mar se acalmou um pouco mais naquela tarde, entrei no mar e tomei a maior onda que já tinha visto em cima da cabeça. Ela partiu a minha maior prancha ao meio como se fosse um palito de dentes. Por sorte, havia alguns caras no *lineup* com *jetskis* e fui retirado rapidamente da zona de perigo. Saí de lá achando que podia sobreviver a quase tudo.

Fiquei no Havaí durante algumas semanas após Pipeline, como sempre faço, para surfar com amigos depois que as multidões começam a diminuir. Um *swell* realmente grande chegou nos dias seguintes e, em 23 de dezembro, Waimea Bay estava com vinte pés (a frente da onda media quase o dobro disso).

Era exatamente um ano depois do dia seguinte à morte de Mark Foo, que faleceu surfando em Maverick's, no norte da Califórnia. Ele vivia segundo o lema: "Se você deseja sentir a emoção máxima, você precisa estar disposto a pagar o preço máximo".

Eu estava aproveitando a melhor sessão de Waimea de minha vida, compartilhando ondas com meus amigos Ross Williams e Donnie Solomon. Algumas horas depois, dropei uma onda grande. A onda explodiu atrás de mim, mas, da espuma, surgiu Donnie. Eu havia me jogado atrasado demais; ele devia ter se jogado nela ainda mais atrasado do que eu. Ele conseguiu passar a onda e chegou perto de mim, gritando a plenos pulmões de tanta alegria, afirmando que tinha sido a melhor onda de sua vida. Ele se sentou em cima da prancha, me deu um abraço e voltamos remando juntos. Todos que viram o *drop* dele o cumprimentaram, enquanto remava para fora, e ninguém podia arrancar o sorriso do seu rosto.

Donnie era de Ventura, Califórnia, e passava meses a cada ano no North Shore, surfando ondas grandes, pequenas, tudo. Ele tinha muita experiência surfando em Sunset, Haleiwa e Pipeline. Tínhamos competido como amadores e ficado juntos na casa dos Hill. Depois de pegar aquela onda, ele ficou no topo do mundo. Ele também estava feliz porque sua vida particular estava entrando nos eixos. Há tempos não se dava bem com sua família, mas começou a consertar a situação, enquanto estava no Havaí. Uma semana antes, na casa dos Johnson, ele comentou: "Kelly, que eu me lembre, nunca disse que amava alguém. Conversei com minha avó esta noite, e disse a ela que a amava. A sensação foi ótima". Ele voaria de volta para casa naquele dia para passar o Natal com seu pai pela primeira vez em anos. Ele não podia estar mais feliz.

Após a surpreendente onda de Donnie, decidimos que era hora de tomar o café da manhã e concordamos em pegar a próxima onda até a praia. Ross, Donnie e eu remamos para uma onda, mas Donnie não conseguiu pegá-la e voltou a ficar em posição para pegar outra. Ross e eu fomos até a praia e nos viramos para ver a maior série do dia fechar a baía.

Quando uma série de ondas fecha a baía de Waimea, o pandemônio se instala. Caras soltam suas pranchas, *jetskis* são jogados contra as pedras, e a multidão em terra firme segura a respiração. Vimos um cara subir a parede de uma onda enorme e tentar furar a crista. Ele não conseguiu e acabou sendo jogado de costas para trás. "Minha nossa — comentei com Ross —, aquele cara de calção amarelo acaba de ser morto." Era uma figura de linguagem. Vemos coisas incríveis como essa o tempo todo em Waimea, e os caras voltam à tona.

Outro amigo nosso, Ricky Irons, estava observando do *point* e contou que o cara de calção amarelo não havia surgido antes da onda seguinte. Ricky perdeu-o de vista depois que as ondas contornaram a curva do *point*, mas ele achou que o cara provavelmente tivesse voltado à tona mais no *inside*. Havia outras ondas na série, e pessoas perdiam suas pranchas por toda parte. Estávamos famintos e tínhamos de voltar para casa a fim de pegar dinheiro antes de encontrar Donnie, que tinha ido à praia separadamente, para tomar café da manhã.

A caminho do chuveiro, uma cara havaiano se aproximou e disse: "Os espíritos estão cuidando de você hoje. Posso ver isso; você realmente está em sintonia". Não tenho idéia de quem era esse cara e achei aquilo muito estranho, mas agradeci e Ross e eu fomos embora.

Meia hora mais tarde, voltamos à baía a tempo de tomar o café da manhã e vimos uma aglomeração de pessoas na praia. Quando isso acontece, significa que alguém se machucou. Como conhecia muitas pessoas que estavam no mar aquele dia, encostei o carro para dar uma olhada. Caminhei em direção à multidão, e, quando estava a uns dez metros de distância, ouvi um amigo meu gritar: "Vamos, Donnie!". Meu coração parou. Corri o resto do caminho e vi que a pessoa que estava sendo atendida era Donnie. Os salva-vidas estavam tentando ressuscitá-lo, mas apesar de Donnie estar inchado e pálido, acreditei que começaria a tossir a água para fora e recuperaria os sentidos. Além do choque de ver meu amigo naquela situação, uma onda de culpa tomou conta de mim, ao perceber que Donnie era o cara que Ross e eu havíamos visto ser esmagado pela série que fechou a praia. Eu vi o que aconteceu e fiquei me perguntando se poderia ter feito algo para salvá-lo.

Havia tantas pranchas flutuando por toda parte que demorou trinta minutos para alguém perceber que Donnie estava preso a uma delas. Aparentemente, ele perdeu os sentidos debaixo d'água e se afogou. Fiquei perguntando aos paramédicos se ele ficaria bom, porque não queria aceitar que estava morto.

Donnie estava hospedado na casa de um cara chamado Norm Thompson e sua família, no North Shore. Naquela manhã, ele tinha passado lá para pegar sua prancha e disse a Norm que ia pegar uma última onda em Waimea antes de voltar para casa. Acabou sendo a sua melhor e última onda.

A família de Norm ficou arrasada. Seus filhos adoravam Donnie e passaram toda a manhã de Natal desanimados. Depois de abrirem seus presentes, notaram que havia uma caixa escondida atrás da árvore. Eles a tiraram e perceberam que era um presente de Donnie. Eles não sabiam que ele havia comprado algo para eles, mas, dentro da caixa, havia um punhado de roupas para as crianças. Aquilo ajudou a alegrá-los.

Poucos surfistas já morreram em ondas grandes em toda a história documentada. (Acontece que eu conhecia os três últimos a morrer: Mark Foo, em 1994; Donnie, em 1995, e Todd Chesser, em 1997.) Fora esses caras, não têm ocorrido mortes em ondas grandes há anos. Para meus amigos e eu, a perda de Donnie foi um sinal de alerta para tomarmos mais cuidado, e não algo que nos impedisse de continuar pegando ondas grandes. A morte de Donnie, tal qual a de Mark Foo, que provavelmente ficou com o estrepe preso em torno de uma rocha submersa, pareceu um acidente anormal. Parece que Donnie cometeu um erro fatal ao tentar remar por cima da onda em vez de largar a prancha e mergulhar para o fundo. Com precaução, a probabilidade de morrer em ondas grandes é pequena.

Surfar ondas grandes faz parte da evolução do surfe e do processo de crescimento. Quando somos bebês, nada é mais excitante do que aprender a controlar os dedos e agarrar coisas. Depois, aprendemos a engatinhar, andar e, após alguns meses, queremos fazer algo mais difícil, e essa progressão continua durante toda vida.

O surfe é a mesma coisa. Quando começamos, achamos que remar na água é a maior coisa do mundo. Pensamos assim: "Nossa, já tenho equilíbrio o suficiente para remar. Posso pegar onda sozinho". Logo em seguida, remar é uma tarefa básica, mas conseguimos dar nossa primeira cavada, pegamos nosso primeiro tubo ou executamos nosso primeiro *off-the-lip*. A evolução continua. Não ficamos tão excitados com ondas pequenas depois que pegamos uma de vinte pés. Na vez seguinte, queremos entubar nela. É um desejo insaciável.

A pressão dos companheiros, o ego e muitos outros fatores fazem parte de surfar ondas grandes, mas, basicamente, é um progresso natural. Meu desenvolvimento foi um processo constante e calculado. Cada vez que pegava uma onda maior, sentia medo, mas na vez seguinte, já estava pronto para mais. Dizem que se você não sente medo, está mentindo, mas há certos caras, um punhado deles num determinado momento, que estão dispostos a se jogar em ondas que podem matá-los. Brock Little já me disse: "Não me importo. Eu me joguei em ondas que achava que me matariam, mas me recusava a desistir e parecer um covarde".

Sendo rebocado

Na época da morte de Donnie, um novo desenvolvimento no esporte estava mudando a maneira como víamos ondas grandes. Pessoas estavam sendo rebocadas para dentro delas, e começava a busca para surfar a maior onda do mundo.

Chega um ponto no qual o potencial humano sozinho não é suficiente para entrar numa onda gigante que se move rápido demais para ser pega com os meios convencionais. Quanto maior a prancha, mais rápido conseguimos remar, mas mesmo com as velhas *ten-foot elephant guns*, como eram chamadas as pranchas para ondas grandes, é possível remar até uma certa velocidade. Ser rebocado para dentro de uma onda por uma embarcação pessoal tem sido, até agora, o maior avanço no surfe durante meu tempo de vida. Eu o considero um esporte à parte, mas a essência continua sendo de surfe. A idéia originou-se nos anos 1930, quando algum gênio alugou um helicóptero a fim de puxá-lo para dentro das ondas. A moda não pegou até o início dos anos 1990, quando um grupo de caras em Maui passou a usar *jetskis* para rebocá-los para dentro de ondas grandes demais para serem pegas remando. A grande mudança foi que, como não tinham de remar, podiam utilizar pranchas bem pequenas, o que significa que podiam manobrá-las com facilidade na onda. Funciona assim: um surfista fica em pé na prancha, segurando um cabo de reboque, seus pés ficam presos por presilhas, e ele é puxado por *jetskis*, ou outro tipo de embarcação pessoal, como se estivesse praticando esqui aquático. Quando a onda começa a se formar, ele solta o cabo e entra na onda. O *tow surfing*/ surfe com reboque desenvolveu seu próprio equipamento, usando pranchas curtas, estreitas e pesadas, que são mais fáceis de manobrar do que as pranchas maciças utilizadas para remar. Os *tow surfers* usam presilhas para impedir que sejam lançados da prancha, quando batem num encrespamento no meio do oceano.

Ao ser rebocado, você pode literalmente pegar quantas ondas quiser. No passado, tínhamos sorte de pegar algumas poucas ondas num dia realmente grande. Agora, vemos uma onda e a pegamos. Mesmo que ela já esteja quebrando, a velocidade do *jetski* pode lançar você na posição perfeita para pegá-la. Você pode se posicionar em qualquer parte da onda, seja no ombro, no vale (ou calha ou cava) da parede ou mesmo dentro do tubo. Após anos tentando remar para dentro de ondas grandes, disse a mim mesmo: "O que estou fazendo?".

Teoricamente, você pode pegar uma pessoa que nunca surfou e jogá-la numa onda de trinta pés. E é isso que preocupa os *tow surfers*: surfistas inexperientes que se aventuram em situações de risco de vida. Até o momento, nenhum *tow surfer* se afogou, enquanto um número de surfistas convencionais já perdeu a vida em serviço. Ter um companheiro capaz de entrar no mar para resgatá-lo torna o surfe mais seguro.

A camaradagem ainda existe, mesmo porque você depende de seu piloto para tirá-lo de uma situação difícil. Você agarra um trenó montado atrás do *jetski* e não tem de passar pela terrível experiência de ficar preso no *inside*, apanhando das ondas da maneira antiga.

Fiz minha primeira sessão de *tow-in*, em 1998, num lugar chamado Jaws, em Maui. No ano seguinte, comecei a pegar o jeito para a coisa. Como tudo, foi estranho no começo, mas, desde então, já fiz dezenas de sessões no Havaí, Indonésia, Austrália, Taiti e Fiji. Grande parte delas foi em ondas pequenas, mas já peguei dias grandes nos recifes externos de Oahu. Como requer um grande investimento de tempo e de dinheiro para comprar um *jetski* e aprender as técnicas de resgate, tenho coisas demais para fazer agora que me impedem de prosseguir no *tow-in* o quanto gostaria. Mas existem pessoas que estão esticando os limites todos os anos, e acredito que seja uma questão de tempo antes que alguém ultrapasse a barreira de uma onda de cem pés.

Nunca desista

© Cortesia da Slater Family Wall of Shame.

Sem medo de encarar Pipe.

Encontrar motivação depois de como as coisas terminaram em 1995 foi quase impossível. Eu havia alcançado tudo que queria no surfe. Como tinha cuidado melhor do meu dinheiro, tinha tudo de que precisava. Não havia modo de conseguir mais satisfação nas competições de surfe novamente. Parecia ser um desperdício de tempo tentar. Depois de ver um bom amigo como Donnie morrer e saber que estava prestes a trazer outra vida para este mundo, colocar todo meu objetivo nas competições de surfe parecia algo quase inconseqüente.

Segui em frente porque queria tentar igualar o recorde de quatro títulos mundiais de Mark Richards. Ao mesmo tempo, já pensava à frente, no meu quinto título, que empataria com o recorde de quatro títulos consecutivos de Mark. Mas ninguém deseja apenas igualar um recorde; eu teria de buscar o sexto. Não era arrogância, mas precisava estabelecer objetivos altos para me manter focado. Se não aproveitasse a oportunidade enquanto a tivesse, ficaria velho demais para tentar mais adiante. Não queria ter de olhar para trás e pensar: "eu deveria, eu poderia".

Talvez estivesse tentando ir rápido demais, porque, após meu primeiro lugar, em fevereiro de 1996, no Coke Classic de Narrabeen, Austrália, fui ladeira abaixo dali em diante. Terminei em nono lugar na Gold Coast, da Austrália; décimo sétimo, em Bells; e nono no Japão. Revendo meus resultados de anos anteriores, entendi que precisaria conseguir, em média, a pontuação de terceiro lugar em cada evento para ter chances de conquistar o título. Se eu vencesse alguns, podia relaxar um pouco em alguns outros. Para mim, nono lugar é igual ao trigésimo terceiro, porque significava que não tinha me saído bem, mas também não era tão ruim assim. Eu não queria ficar no meio do caminho. No circuito da ASP, a organização descarta 25 por cento de seus resultados mais baixos na classificação final. Em 1996, aconteceram quatorze eventos; sendo assim, descartariam três eventos do total final. Após minhas quatro primeiras competições, não havia mais margem para erros.

Felizmente, seguimos para Grajagan, no final de maio, para o segundo Quiksilver Pro anual. Mais uma vez as esquerdas estavam perfeitas, e tinha grandes esperanças de repetir minha vitória de 1995. Nas semifinais, enfrentei Gary Elkerton pela primeira vez desde minha derrota em Reunião, quase um ano antes. As ondas estavam impecáveis, e a bateria estava indo a meu favor, até a última onda de Gary. É raro ver alguém tirar um dez em competição. Em alguns eventos, não acontece um sequer; no máximo, talvez, aconteça um punhado deles. Ele precisava de uma nota quase perfeita para virar a bateria. Ele entrou fundo num tubo, marcou o primeiro dez de sua carreira e me derrotou.

Havia tanta agitação da imprensa em torno do confronto de gerações que perder para Gary Elkerton fazia despertar em mim as piores emoções. Estava tão perturbado após a bateria que fiquei no mar berrando e dei um soco na minha própria cabeça. Pelo menos desta vez, fui esperto para aliviar minha raiva longe o bastante da praia para que ninguém me visse. Tirei tudo de meu organismo e, em seguida, fui até a casa na árvore de Gary para pedir desculpas. Tivemos uma ótima conversa e demos um aperto de mãos. Aliás, nos tornamos grandes amigos depois disso.

Elkerton seguiu e enfrentou Shane Beschen na final. Shane venceu, e como havia vencido no Japão anteriormente, conseguiu duas vitórias consecutivas. Ninguém tinha conseguido isso desde Tom Curren, em 1990. Shane abriu uma enorme vantagem na classificação. Ele era um grande competidor e um ímã para ondas, e, em 1996, acertou o passo. Na Gold Coast, pegou três tubos alucinantes em Kirra e tirou uma nota dez em cada um deles, marcando trinta pontos, a única bateria perfeita na história da ASP. Antes disso, meus 29,7 pontos contra Rob, em Pipe, tinha sido a mais alta. Apesar de meu terceiro lugar em Grajagan encaixar no meu plano geral para conquistar o título mundial, Shane estava se distanciando.

Durante minha carreira, criei algumas minirrivalidades com muitos surfistas, mas nenhuma maior do que com Shane. Viajamos juntos na equipe norte-americana e éramos amigos; entretanto, no aspecto profissional, éramos definitivamente rivais. Desde 1985, quando o derrotei na Categoria Menehune, no Campeonato Norte-americano, em Sebastian Inlet, nos enfrentamos cara a cara, sempre em grandes eventos, nos quais brigávamos pelo primeiro e segundo lugar. Começava a parecer que eu tinha uma luta nas mãos para conquistar o título mundial de 1996.

Sem espinhas e com preparo

Durante o verão de 1996, fui ao escritório da revista *Surfing*, em San Clemente, Califórnia, para ver algumas fotos. Há um mural enorme na recepção, no qual as pessoas rabiscam coisas. Escrevem frases como "Alguém esteve aqui" ou tentam escrever algo espirituoso. Eu estava acompanhado de uma namorada de Virginia Beach, chamada Jenny, e quando entramos no escritório, uma das mensagens pareceu saltar da parede. Dizia: "Kelly tem espinhas". Tentei fazer pouco caso, mas por dentro aquilo me consumiu. Eu demorei para amadurecer, e quando tinha dezoito anos, minha pele era muito ruim. Aliás, na primeira vez que uma entrevista comigo saiu numa revista de surfe australiana, foi detalhado em negrito que tinha uma espinha gigante no rosto que eu mesmo estourei. Meu pai e Sean tinham o mesmo problema de pele; portanto, sabia que estava condenado. Jenny percebeu o quanto fiquei aborrecido com aquilo e me convenceu a ver um dermatologista, que me prescreveu Accutane. Como qualquer medicamento, tem uma longa lista de efeitos colaterais; porém, o mais problemático de todos para mim é que tornava minha pele altamente sensível à luz do sol. Tive de me cobrir com protetor solar durante os seis meses que utilizei o medicamento. Mas funcionou, e minha pele clareou.

Na mesma época, recebi a informação que me fez pensar que minha dieta tinha a ver com a minha saúde em geral. Li uma matéria escrita pelo mestre de jiu-jitsu brasileiro, Rickson Gracie (que é um ávido sur-fista), sobre a combinação de alimentos. Ele explicou como o corpo foi projetado para ingerir um alimento de cada vez, e não um bando de coisas diferentes. Com alimentos conflitantes, nossa boca recebe sinais misturados e envia as enzimas digestivas erradas. Quando Rickson come uma cenoura, ele come cenoura e nada mais. Deparei-me com um li-vro, chamado *Fit for Life* (Em Forma para Sempre), que também falava da combinação de alimentos. Fiquei consciente dos efeitos de comer qualquer coisa. A idéia é comer um tipo de carboidrato ou um tipo de proteína numa única refeição, junto com frutas e vegetais. O resultado é um metabolismo mais veloz e uma digestão mais eficiente.

Comecei a entender que não podia mais continuar vivendo à base de Doritos e Oreos e esperar ficar saudável. A mistura de alimentos di-ferentes faz a pessoa se sentir sem energia. Depois de ler esses artigos, e lembrando como eu era pouco saudável quando criança, percebi que podia prevenir muitas doenças se comesse corretamente. Mudei minha dieta e notei que, assim que fiz isso, minha pele e meu nível de energia melhoraram.

O pai sabe pouco

No dia 4 de junho de 1996, ao mesmo tempo em que eu estava socando minha própria cabeça após perder para Elkerton, em Grajagan, nascia minha filha Taylor. Demorei dois dias inteiros de viagem para ir da Indonésia à Flórida para vê-la. Eu queria estar lá para dar apoio à Tamara. Taylor nasceu com uma rara e potencialmente fatal infecção bacteriana, e teve de ficar dez dias na unidade de terapia intensiva. Consegui segurá-la, mas tive dificuldades para saber como agir como pai. Eu praticamente desembarquei do avião que saiu de Grajagan, deixei minhas malas em casa e fui ao hospital. Foi como se a cegonha tivesse largado um pacote no meu colo e disse: "Aqui está seu bebê". Eu me senti perdido e ansiava pelo apoio de minha própria família, mas ninguém foi ao hospital.

Era desconfortável estar tão próximo de Tamara. Ela ainda queria que trabalhássemos nossa relação, mas eu tinha seguido em frente e estava namorando Jenny, que ficou triste por não ter contado a ela antes sobre Tamara e a gravidez. Mas eu não sabia como contar isso a ninguém, muito menos à minha namorada. Eu tinha um pouco de vergonha de ter um filho com alguém com a qual não tinha uma relação, e apesar de soar egoísta, estava preocupado com o modo como a mídia lidaria com a situação. Alguns de meus amigos mais próximos não sabiam que eu era pai, até que anunciei o fato numa entrevista na revista *Surfer* com Matt Warshaw, dois anos mais tarde.

Ser um bom pai é algo muito difícil, mais difícil ainda quando não está nunca presente. Antes de ter tempo de aprender a fazer o bebê arrotar ou a trocar suas fraldas, eu já havia partido para o evento seguinte.

Vencer a todo custo

A temporada estava quase na metade, e eu estava bem atrás. O estresse e a expectativa de conquistar mais um título mundial estavam me desgastando. Coloquei tanta pressão em mim mesmo para diminuir a vantagem de Shane Beschen que não conseguia surfar solto. Outro nono lugar me deixaria tão distante de Shane que acabaria perdendo as esperanças.

O evento seguinte aconteceu nas Ilhas Reunião. Quando não estávamos surfando, meu amigos e eu passávamos o tempo jogando um jogo que parecia jogo de malha, sem taco. Havia um tabuleiro e nos alternávamos lançando discos sobre ele. No último lançamento, podíamos tirar as peças de todos os outros do tabuleiro e vencer a partida. Cada vez que jogávamos, eu começava perdendo feio, mas acabava vencendo na última jogada. Jogar esse jogo repentinamente me mostrou uma nova perspectiva para o surfe. Percebi que ficar olhando para o quadro maior estava me segurando para trás. Eu precisava me concentrar no que fazer a cada segundo e manter em mente que, enquanto houvesse tempo no cronômetro, ainda tinha chance.

Avancei com dificuldade pelas primeiras baterias antes de chegar à quarta rodada. Meu adversário era o brilhante estrategista Barton Lynch. Eu ainda brigava com o bloqueio mental que tinha quando competia contra Barton, mas tudo estava prestes a mudar.

Em Reunião, as ondas facilmente quebram duas vezes acima de nossas cabeças. Meu objetivo era focar o momento; porém, naquele momento, eu estava perdendo. A remada até o *lineup* era longa, e passei a prestar atenção a cada braçada que dava, a cada respirada, a cada movimento. A caça ao título tornou-se secundário ao aqui e agora. Quebrei tudo em passos de bebê: coloquei um braço na frente do outro para remar e não pensei em mais nada.

Peguei uma onda momentos antes da buzina, sabendo que precisava de uma nota alta. Em vez de me sentir preso, me soltei completamente. Ao chegar na parte mais rasa e imprevisível da onda no *inside*, arrisquei e dei uma batida com a prancha sob o *lip*, escapando bem na hora que ela ia quebrar sobre minha cabeça. Completei a manobra e derrotei Barton. Demorei sete anos, mas quebrei o feitiço dele. A sensação foi ótima.

A seguir, vieram as semifinais, nas quais tive de enfrentar Sunny Garcia. Sunny conseguiu uma nota dez na primeira onda. As ondas estavam enormes, e montanhas de espuma nos esmagavam. Os competidores venciam baterias com uma pontuação total de doze ou treze pontos em três ondas. Não havia muitas chances de conseguir outra nota dez lá fora, mas deixei de pensar nas notas de Sunny e me concentrei em mim mesmo. Encontrei uma bela onda e consegui um 9,5, enquanto Sunny foi varrido por algumas séries e quase não pegou nenhuma outra onda. Acabei vencendo a bateria e a competição. É verdade: você nunca está eliminado até que a competição acabe.

Em julho, já me sentia insuperável, com o circuito rumando para um de meus lugares favoritos no mundo: Jeffrey's Bay, África do Sul. Lá, na bateria semifinal, o australiano Luke Egan precisava apenas de uma onda nota dois para me derrotar, mas o mar ficou liso. Ele não conseguiu encontrar a onda que precisava antes que o tempo se esgotasse. Tive sorte e fui à final contra Taylor Knox.

É meados de inverno, em julho, em Jeffrey's, e as manhãs são terrivelmente frias, mesmo usando uma roupa de borracha completa. (Não há ondas no verão, quando faz calor.) A areia faz seus pés sentirem tanto frio que doem de tanto queimar, enquanto você corre na água; é preciso usar botinhas de borracha só para andar na praia. Eu usei botinhas durante a final, mas me faziam escorregar sobre a parafina de minha prancha. Tive de embalar minha prancha com cuidado em algumas manobras para tentar entubar. Felizmente, havia muitos tubos. Consegui um cinco na minha primeira onda, um dez e acabei com todo o gás de Taylor. Ele percebeu que não podia me alcançar e parecia nem estar tentando, o que era algo bom, porque sentia tanto frio que nem conseguia juntar meus dedos.

De lá, voltamos a Huntington, Califórnia, em agosto, para o U.S. Open, onde, por capricho do destino, Shane Beschen e eu acabamos na final. No meu ponto de vista, essa bateria determinaria o título mundial, uma vez que cada um de nós tinha vencido dois dos quatro últimos eventos antes desse. A vitória aqui estabeleceria o padrão para a Europa. Ele estava surfando com tanta força e confiança que acabei ficando nervoso.

Assim que começou a bateria final, Shane e eu remamos para a mesma onda. Ninguém tinha prioridade; portanto, o surfista que estivesse mais próximo do pico da onda teria o direito de passagem. Tecnicamente, era minha onda, mas ele não percebeu que eu tinha remado para ela. Vencer com uma interferência não deixa de ser uma vitória; logo, não ia recuar. Entrei na onda atrás dele, subi na prancha, e saí da onda. Shane nem viu que eu estava lá, mesmo assim, os juízes lhe deram uma nota zero pela onda por interferência e, como punição, poderia contar apenas suas duas melhores ondas em vez das três usuais. Ele foi até a praia na onda, alheio ao que estava acontecendo. Ele voltou remando e pegou mais duas ondas até a praia. Se a competição tivesse sido julgada com base apenas no surfe, ele teria vencido. Mas com a punição, não havia meio de ele me vencer.

Na metade da bateria de 25 minutos, ele finalmente ouviu o locutor dizer: "Shane Beschen, você precisa de uma onda nota doze para alcançar Kelly". Em princípio, ele ficou confuso, e, em seguida, furioso. Ele me perguntou a mesma coisa que eu já tinha perguntado a tantas pessoas que tinha utilizado a mesma jogada comigo: "Como? Você não pode me derrotar sem chamar uma interferência?!". Ele me acusou de estar com medo dele, e, para ser sincero, em termos daquela competição, eu estava mesmo.

Todos os vinte mil espectadores estavam torcendo por Shane. Era Califórnia contra Flórida, o certo contra o errado, um desportista correto contra um cara que estava sendo escroto. Havia pressão vindo de Shane, do público e da minha própria consciência. Considerei dropar em cima de Shane para ser punido e diminuir minha pontuação e tentar vencer apenas com meu talento. "Não", pensei, "seria estúpido." É como jogar 21. Se você já tem 21, você não pede outra carta. Eu já tinha a vitória nas mãos, e se não a aceitasse ali mesmo, poderia me custar o título mundial, que era meu objetivo final. Tive de engolir e aceitar as críticas.

Ao pegar minhas últimas ondas, fui vaiado na praia e as pessoas falavam mal de mim. Senti que havia queimado minhas pontes em Huntington Beach. No palco para receber os prêmios, o clima era tenso. Shane quase se recusou a comparecer, o que me fez me sentir ainda pior, mas ele aceitou o troféu de segundo lugar relutantemente. Ele considerou um elogio o fato de eu ir a tal extremo para derrotá-lo, mas ficou aborrecido por eu ter estragado o seu ímpeto para o resto do ano.

O circuito mundial não é um concurso de popularidade, e apesar de muitas pessoas não estarem de acordo com minha tática furtiva, eu estava numa fase vencedora. Na França, continuei vencendo. Após um quinto lugar, em Lacanau, consegui dois primeiros lugares consecutivos, em Hossegor e Biarritz. Nas quartas-de-final, em Grande Plage, em Biarritz, as ondas eram tão pequenas que se considerou cancelar o evento e dividir os pontos e a premiação em dinheiro entre os oito competidores restantes. Shane já havia perdido no evento; portanto, obviamente eu queria a oportunidade de vencer e abrir outros duzentos pontos de vantagem entre nós dois. Mesmo se eu perdesse, ele não ganharia terreno sobre mim. Estávamos bem à frente dos demais competidores, e ninguém mais tinha chance de nos alcançar durante a temporada. Fiz minha parte de convencer os organizadores a seguir com a competição e acabei vencendo. Dali, eu só precisava comparecer ao evento seguinte, em Figueira da Foz, Portugal, para ser campeão mundial.

Tínhamos quase o mês de setembro inteiro para descansar antes de Portugal, e voltei para casa, na Flórida. Estava cansado de viajar e precisava dar um tempo; além disso, tinha uma filha que estava esperando me ver.

© Cortesia da Slater Family Wall of Shame.

Não há nada igual ao apoio de sua torcida local: um cartaz inesperado no Festival de Surfe do Dia do Trabalho, no píer, em Cocoa Beach.

Carma instantâneo

As empresas aéreas nunca colocaram um tapete de boas-vindas para os surfistas, e eu definitivamente me incluo nisso. Golfistas não precisam pagar taxa por excesso de bagagem para transportar seus tacos no avião, mas as taxas para pranchas de surfe são ultrajantes. Por algum motivo, as empresas aéreas se recusam a me dar um cartão, que diz: "Kelly Slater, Surfista Profissional, Pranchas Viajam de Graça". A cobrança média é de 80 dólares, mas já paguei em torno de 300 dólares ao retornar do Japão, depois que um inspetor abriu minha mala e cobrou por prancha individualmente. Alguns inspetores deixam você passar sem fazer caso; outros adoram extorquir dinheiro.

Depois de ficar em casa durante algumas semanas, após a fase francesa do circuito, dirigi até Orlando, no último dia de setembro, para pegar meu vôo para Portugal. Como a corrida para o título mundial estava praticamente decidida, não me preocupei em partir antes para me aquecer para o evento. Eu só precisava surfar uma bateria, vencendo ou perdendo, para somar pontos o suficiente para ter uma liderança inalcançável; então, planejei chegar na manhã da primeira rodada. Cheguei ao aeroporto de Orlando com tempo o bastante para fazer o *check-in*, mas o inspetor de passagens demorou uma hora para decidir quanto me cobraria pelas pranchas, um problema que os surfistas sempre enfrentam.

Eu já tinha feito meu *check-in* no vôo para Portugal, mas o inspetor continuava atrasando meu lado. Eu disse: "Ouça, cobre o quanto quiser. Não me importo. Tenho de partir". Ele não perdeu tempo, acabou me cobrando 50 dólares e disse: "Corra até o portão. O avião está prestes a partir". Quando cheguei lá, o avião tinha decolado.

Liguei para a ASP para avisar que não chegaria, mas o diretor Graham Stapleberg disse: "Você precisa conseguir. Não pode deixar de comparecer para conquistar o título mundial. Não pode fazer isso com a ASP". Se embarcasse no próximo vôo, que só sairia no dia seguinte, não chegaria antes das três da tarde, e minha bateria começava às oito da manhã. Graham prometeu segurar minha bateria até o final do dia; sendo assim, fiz minha reserva para o próximo vôo.

No dia seguinte, fui colocado na primeira classe por causa de meu contratempo e cheguei meia hora antes de minha bateria contra Bruno

Charneca, um convidado local do qual ninguém fora de sua cidade natal tinha ouvido falar. Mais para o final, eu precisava apenas de um 5,5 para vencer, mas deixei algumas ondas passar. Eu tinha completado meu serviço para o ano, e a vitória significava muito mais para ele do que para mim. Com o tempo se esgotando, achei que não ficaria bem nem tentar me esforçar. Minha natureza competitiva tomou conta de mim e lutei para encontrar uma onda no final. Nenhuma veio, e ele venceu. Ele se tornou um herói local instantâneo. Alguém me disse mais tarde que ele não teria que pagar por uma refeição na cidade nunca mais em sua vida devido ao seu novo *status*.

Foi anunciado após a bateria que eu tinha conquistado meu quarto título mundial. Mesmo assim, não tive moleza quando voltei à empresa aérea. No vôo de volta para casa, a empresa aérea se recusou a me colocar na primeira classe, conforme prometido. Fiquei uma fileira atrás, olhando para um assento vazio na cabine da frente o resto da viagem. Eu ganhava dinheiro o bastante, na época, para pagar um vôo na primeira classe, mas por que pagar mais por uma passagem de avião do que ganho numa competição? Eu sabia por experiência própria que não podia contar que meu dinheiro sempre estivesse à minha disposição; portanto, tinha medo de gastá-lo. Quando alugava carros, sempre escolhia a opção mais barata. Eu só precisava me locomover do ponto A ao ponto B, em algo que pudesse colocar minhas pranchas e partir. Sempre acabava sendo um Geo Metro verde. Ninguém costumava comprar esses carros compactos; então, acabavam nas firmas de aluguel de carros de baixo custo.

Mesmo assim, o assento vazio na primeira classe me atormentava. Ao sofrer para engolir uma péssima refeição, só podia pensar: "Aquele assento deveria ser meu". Era como um episódio de *Seinfeld*, aliás, acho que algo parecido aconteceu com Elaine. Talvez fosse o carma que eu precisava pagar por ter surrupiado Shane, em Huntington.

Depois de assegurar meu título, senti saudade de casa. Não havia jeito de pegar um avião para o Brasil, para o Rio Pro, na semana seguinte. Viajar e competir eram as últimas coisas que eu queria fazer. Até outubro, fiquei 35 dias sem surfar. Estava contente de estar na Flórida. A ASP tentou me multar em cinco mil dólares por não ter ido ao Rio, que era o que se ganhava quando se tirava terceiro lugar. Consegui um atestado médico porque estava fazendo fisioterapia por causa de meu antigo problema de quadril; logo, evitei a multa e consegui permanecer na Flórida. A mídia brasileira foi à loucura, dizendo que era um insulto o campeão mundial não competir no evento. Achavam que eu tinha algo contra o país, o que não era o caso. Eu tinha me esforçado tanto na temporada que estava cansado de tanto viajar.

Com o título mundial nas mãos, não quis nem ir ao Havaí, em novembro, para o início da temporada de inverno. Pela primeira vez, desde 1990, não competi na Tríplice Coroa Havaiana. Aliás, não competi em nenhum dos eventos do World Qualifying Series daquele ano. Estava concentrado apenas em competir e vencer baterias homem a homem no Circuito Mundial. Tinha dado tudo de mim por tanto tempo que nem queria olhar para a água.

Cheguei ao Havaí quando o Pipe Masters estava começando em dezembro. Era o único evento havaiano que não perderia por nada nesse mundo. Serviria de descarga emocional depois do evento de alta pressão de 1995, mas minha mãe veio comigo, o que me deu um bom motivo para vencer a competição. Ela nunca tinha ido ao Havaí; então, comprei um bilhete e arrumei um lugar para ela ficar com alguns amigos meus. Sean e Stephen também estavam no Havaí naquele inverno, mas ficamos em locais diferentes no North Shore. Nós nos encontrávamos na praia todos os dias, mas havia tanta coisa acontecendo em torno da competição que não passamos muito tempo juntos.

Foi o primeiro ano em que o Pipe Masters mudou de baterias de quatro homens a baterias homem a homem, que torna a competição mais demorada. Os surfistas locais sempre reclamam da quantidade de tempo que seus picos são ocupados pelas competições, e eles têm razão. Eles agüentam todo o verão, quando não há ondas, e assim que o *swell* de inverno chega, o *crowd* fica fora de controle. As baterias homem a homem são melhores para competição, mas não alegram os surfistas locais.

Cheguei à final com o havaiano Sunny Garcia. Pessoas que não conhecem Sunny acham que ele é brigão porque sempre está com a cara fechada. Ele é alguns anos mais velho do que eu, mas se profissionalizou quando tinha apenas quinze anos e já ameaçava e arrasava os profissionais. Ele provavelmente ainda fala mais besteira do que qualquer outro surfista profissional. Quando eu tinha quinze anos, media um metro e meio e corria por aí, com minha voz estridente, assustado demais para falar com os profissionais. Sunny e eu nos conhecemos, no Havaí, no Campeonato Norte-americano, de 1982, e sempre tivemos uma boa amizade. Ele ficou algumas vezes com a minha família, na Flórida, e é como um filho para minha mãe. Competir contra Sunny no Havaí costuma ser intenso, mas minha mãe aproximou-se dele antes da final e falou brincando: "Não mexa com Kelly, senão te bato!". Sem o título mundial em jogo, parecia que estávamos surfando por diversão.

Sunny abriu a bateria com um dez, mas acordei e assumi o controle com alguns belos tubos em Backdoor. Eu tinha a final nas mãos perto do fim, quando ambos começamos a remar para a mesma onda. Sunny

No banquete da ASP de 1996.

olhou para mim e disse: "Não vou deixar você pegá-la de jeito nenhum!", e dropou em cima de mim. Ele sabia que os juízes o penalizariam, mas ele não podia me alcançar mesmo. Entramos no tubo juntos e, para piorar as coisas, cheguei perto dele e o empurrei da prancha. Ele caiu e eu surgi em pé. Foi minha terceira vitória consecutiva em Pipe.

Com isso, terminei a temporada com uma premiação em dinheiro recorde na ASP, com 140.400 dólares, além de um bônus da ASP de 50 mil dólares por ter conquistado o título. Eu estava com tudo. Venci metade dos eventos daquele ano, sete no total, igualando o recorde da ASP.

Minha família alugou uma casa após a competição, e passamos o primeiro Natal juntos, desde 1992. Contudo, não chegamos a ficar juntos ou abrir os presentes na manhã de Natal. As ondas estavam muito boas; então, todos os rapazes foram surfar, deixando nossa mãe caminhando na praia. Ela encontrou uma bóia de vidro de uma rede de pesca japonesa que fora arrastada até a praia. Bóias de vidro não são usadas há muito tempo, e é extremamente raro encontrar uma. Elas costumam trazer boa sorte.

Homenagem a Cheese

Billabong Pro, Gold Coast, Austrália.

No dia 13 de fevereiro de 1997, eu estava na feira de comércio da indústria do surfe, em Long Beach, Califórnia, fazendo uma exibição para a Quiksilver. Contornei uma esquina e vi os surfistas de ondas grandes havaianos Mike Stewart e Shawn Briley se abraçando e chorando em plena luz do dia. Quando vemos dois caras grandes e robustos chorando como bebês, ou estão embriagados ou algo terrivelmente errado aconteceu. Um grupo de amigos se juntou rapidamente, e Shawn deu a notícia de que um amigo do Havaí tinha ligado para dizer que Todd "Cheese" Chesser tinha se afogado.

Todd era um de meus melhores amigos. Ele começou a surfar em Cocoa Beach alguns anos antes de mim, mas sua mãe, Jeannie, que era uma ótima surfista, decidiu mudar para o Havaí em vez de sofrer nas ondas da Flórida. Minha lembrança mais carinhosa dele aconteceu numa

230

noite na Califórnia, depois que bebemos algumas cervejas com amigos. Quando voltamos para a casa na qual estávamos hospedados, Todd não podia esperar para usar o banheiro; então, mijou por cima do teto do carro — eu não disse em cima, e, sim, por cima. Parecia um arco-íris. Foi inacreditável. Não achava que fosse possível.

Todd surfou profissionalmente durante vários anos, antes de se estabelecer como um dos melhores surfistas de ondas grandes do Havaí. Ele era ultra bem-preparado, fazia centenas de abdominais cada manhã, e ficava logo atrás de Brock Little em termos de destemor. Ele era um pouco mais velho do que minha galera; sendo assim, ficávamos algumas braçadas atrás dele. Quando Todd não conseguia nos convencer a pegar ondas gigantes, ele ia sozinho. No dia em que Donnie Solomon morreu, Todd surfou ondas num recife a oitocentos metros da praia que eram tão grandes que disse ter se sentido como uma formiga.

Em 13 de fevereiro, Todd deveria estar em Maui, Havaí, trabalhando como dublê para Hollywood, num filme chamado *In God's Hands* (Nas Mãos de Deus), mas permaneceu em Oahu para passar o Dia dos Namorados com sua noiva. Faltavam três dias para seu aniversário de 29 anos e poucos meses para seu casamento.

O *swell* naquele dia aumentou rapidamente. Assim que as ondas no recife externo estavam grandes o bastante para começarem a quebrar, Todd estava em pé na sua caminhonete com um par de binóculos, verificando as condições. A Defesa Civil passou pelas ruas, alertando as pessoas que as ondas iam crescer rapidamente, mas Todd virou-se para seus companheiros Cody Graham e Aaron Lambert, que também eram surfistas profissionais, e comentou: "É, que se dane. Eles não sabem nada a respeito do oceano". Os três pegaram suas pranchas e foram surfar.

Quando entraram na água, as ondas estavam enormes. Derek Ho, campeão mundial de 1993, do Havaí, estava dirigindo em direção à praia e viu uma gigantesca, e aparentemente interminável, série de ondas. Lá fora, no recife externo, a série quebrou na frente de Todd, Cody e Aaron. Quando a primeira onda quebrou, eles soltaram as pranchas e mergulharam para o fundo. Cody desmaiou temporariamente, mas conseguiu voltar à tona, o mesmo acontecendo com Aaron. Todd não voltou. Ele ficou submerso durante várias ondas, e Cody e Aaron conseguiram alcançar a prancha dele para puxá-lo para a superfície pelo estrepe. Se estivessem fazendo *tow surfing* com um *jetski*, Todd provavelmente teria sido resgatado e sobrevivido. Entretanto, eles não tiveram forças para voltar para buscar ajuda. As ondas estavam grandes demais para tentar levar Todd até a praia; então, Aaron voltou para procurar um salva-vidas. Quando retornou, era tarde demais para salvar Todd.

No centro de exposições, na Califórnia, a notícia se espalhou logo, e todos ficaram incrédulos. Todd eram bem-conhecido no mundo do surfe, e o choque se alastrou por todo o prédio. Todos se sentaram e choraram.

Viajamos ao Havaí, onde uma enorme cerimônia foi realizada na praia de Haleiwa, um dos picos favoritos de Todd. Centenas de surfistas do mundo todo vieram se despedir de Cheese e ajudar a espalhar suas cinzas no Pacífico.

Eu não conseguia colocar a morte de Todd em perspectiva e chorei sem parar durante duas semanas. Pareceu-me que as mortes de Donnie Solomon e Mark Foo tinham acontecido por mero acaso. Donnie tomou

No Havaí, com Stephen, Todd Chesser,
Rob Machado e Donnie Solomon.

uma decisão errada ao tentar remar por cima da onda em Waimea, em vez de soltar a prancha e mergulhar embaixo d'água por segurança. Mark tinha voado a noite toda, saindo do Havaí, para chegar a Maverick's, no norte da Califórnia, e provavelmente não estava acostumado com a água fria. Todd simplesmente foi pego por uma onda grande e se afogou, algo muito difícil de compreender, já que ele parecia invencível.

Todd era uma parte tão grande de nossas vidas que, como lembrança permanente, alguém teve a idéia de todos fazerem tatuagens na parte interna do braço, com a inscrição: *"In loving memory of Todd Chesser"* (Em memória carinhosa a Todd Chesser). Estávamos na casa de nosso amigo Ross Williams, no North Shore, sendo tatuados por um tatuador, quando, de repente, alguém mencionou que Todd odiava tatuagens e gozava pessoas que as tinham. Todos riram e aqueles que ainda não tinham sido tatuados, inclusive eu, fomos poupados. Eu não tinha nenhuma tatuagem, e fiquei feliz de ter escapado dessa.

Para fazer algo em sua homenagem, pedi a Quiksilver para imprimir em alguns calções a foto de Todd. Foram feitos 45 calções para eu distribuir para meus melhores amigos e parentes no North Shore, mas foi difícil escolher. Um fluxo incessante de pessoas veio à minha casa, dizendo: "Preciso de um calção do Chesser". Os calções eram realmente especiais para mim, portanto, não me via distribuindo-os para todas as pessoas no Havaí. Não foram feitos mais do que os 45 originais; sendo assim, tornaram-se itens de colecionador.

Vamos decidir isso logo

Voei de volta à Flórida alguns dias depois da cerimônia de Todd e pensei no ano que estava por vir. Movido a pesar, prometi conquistar o título mundial para Todd. E não estava disposto a esperar até o fim da temporada. Queria resolver a parada o mais rápido possível.

Seguindo meus planos, fui à Austrália, em março, e venci os dois primeiros eventos, em Sydney e na Gold Coast. Fiquei em nono, em Bells, e, depois, segui para o Japão, em maio, onde ganhei os dois eventos seguintes. A parada estava praticamente decidida, e nem tínhamos chegado à metade da temporada. Em alguns casos, eu pressentia que ia vencer, como se tivesse visualizado tudo em minha mente com antecedência.

Meu rival mais próximo naquele ano foi Mark Occhilupo, que fazia seu primeiro circuito completo no WCT, depois de se qualificar por meio do WQS, e parecia mais forte e magro do que nunca. Ele estava tão concentrado que eu sabia que tinha de estar no melhor da minha forma.

No primeiro evento japonês, o Tokushima Pro, enfrentei Occy na final. Tokushima tem algumas das melhores ondas no mundo, mas, infelizmente, a competição foi realizada no período errado do ano para boas ondas. Parecia que Occy e eu brigaríamos pelo título mundial; portanto, era importante para mim estabelecer uma vantagem. Entrei na final, achando que seria uma bateria muito disputada, mas comecei com algumas boas ondas, enquanto Occy não encontrou seu ritmo naquelas condições. Venci sem achar que tinha me esforçado muito.

O evento seguinte foi o Maui Pro, em Torami Beach, Japão. Torami tem uma janela de tempo muito curta para boas ondas. A maioria dos *swells* passa direto por ela, mas desta vez tivemos sorte. Cheguei à final com Shane Beschen, que eu não tinha enfrentado numa bateria desde nosso desentendimento em Huntington, em 1996. Antes do evento, em Torami Beach, a O'Neill, patrocinadora de Shane, publicou um anúncio de duas páginas sobre ele nas principais revistas de surfe, com a manchete: "Da próxima vez que o enfrentar numa bateria, o bicho vai pegar!". Ele tentou convencê-los a desistir de usar o anúncio, mas Shaun Tompson, campeão mundial de 1978 e diretor de *marketing* da O'Neill, na época, achou que geraria interesse e que Shane conseguiria cumprir com suas palavras. Quase todos que seguem o surfe profissional sabiam que a frase era dirigida a mim e que incendiaria a rivalidade entre nós, algo que aceitei de bom grado. Qualquer coisa que servisse para me motivar era bem-vinda. A pressão de corresponder às suas palavras aumentou para Shane.

Não disse nada a ninguém sobre o anúncio antes da bateria. Shane tinha conseguido as melhores pontuações em cada bateria antes da final, o que assustou muita gente. Eu tinha aprendido a me dosar. Na final, é permitido detonar o adversário, porque você não terá outra chance mesmo. E foi exatamente o que eu fiz. Peguei todas as melhores ondas e não dei nenhum centímetro de espaço para Shane. Num determinado ponto, o locutor anunciou: "Shane Beschen, você precisa de uma nota dezoito para voltar à liderança". Como tinha sido o comentário de Shane que me motivara, achei engraçado. Shane não estava rindo.

No avião, no dia seguinte, sentei duas fileiras atrás dele. Ele se virou e disse: "Quero saber apenas uma coisa. Você viu aquele anúncio na revista?". Eu respondi que sim, e ele entrou numa discussão com Shaun Tompson por tê-lo publicado. Tendo competido contra mim durante tantos anos, Shane sabia o efeito que aquilo teria em mim.

O elo que faltava

Competitivamente, estava tendo a melhor fase de minha vida, e posso dizer com confiança que isso aconteceu porque comecei a jogar golfe. Mitch Varnes, um corretor da bolsa, da Flórida, que tinha contratado para ajudar a gerenciar meu dinheiro, em 1995, convidou-me para jogar golfe para discutirmos negócios quando começamos a trabalhar juntos. Desde os primeiros nove buracos, fiquei viciado. O golfe é uma atividade na qual não me incomodo em gastar um pouco. Tenho amigos que trabalham na Titleist e Taylor Made; então, ganho tacos de graça. Mas quando jogo muito, as taxas para jogar golfe somadas podem custar o equivalente a um pagamento mensal de hipoteca. Quando vou a um torneio de golfe, sinto-me como uma criança numa competição de surfe profissional. Estudo todos os jogadores, observo o equipamento que usam e me sinto fascinado.

Sou o primeiro a admitir que, superficialmente, o surfe e o golfe não têm nada em comum. O estilo de vida dos clubes campestres, o tédio de correr atrás de uma bola pequena o dia todo, e os shorts ridículos, são completamente o oposto do surfe. O elemento-chave que tirei do golfe foi que os jogadores com melhor técnica são também os mais consistentes. O golfe parece um esporte fácil, mas é extremamente difícil ser um bom jogador. Tantas coisas pequenas podem dar errado durante a tacada, e isso me fez pensar na minha técnica sobre uma prancha. Fiquei obcecado em ver fotos para tentar entender onde meu peso estava sendo distribuído

Futura promessa no PGA.

© Cortesia da Slater Family Wall of Shame.

sobre a prancha, como isso se aplicava à curvatura da onda, se eu saía das cavadas com mais ou menos velocidade, e se isso era intencional. Eu raciocinei que, se tivesse de me recuperar numa manobra, eu a tinha executado ligeiramente errado.

Em vez de ficar totalmente satisfeito com meu surfe, constantemente buscava maneiras de melhorar. Sempre há espaço para aperfeiçoamentos. Posso fazer uma manobra que dá a sensação de ter sido a melhor possível, mas, no vídeo, percebo que estava desequilibrado ou que havia uma maneira melhor de abordar a onda de forma a seguir em frente um pouco mais. Há uma posição perfeita para cada lugar na onda, e o segredo é encontrá-la. Quando o surfista a encontra, ele deve conseguir ser o mais radical possível, sem jamais perder o controle. Em tese, o surfista pode mudar de direção em qualquer lugar da onda sem perder velocidade.

Considerando que as ondas têm uma superfície que muda constantemente, é um processo complexo prever o que a onda vai fazer para fazer o ajuste necessário. Eu chamo minha teoria de "lição de surfe", e

236

estou tomando notas, na esperança de, um dia, transformá-la num livro, que se aplicaria a todos que querem melhorar seu surfe, de um principiante a Mark Occhilupo ou qualquer um entre eles, desde que estejam dispostos a aderir às regras.

Eu me concentrava na minha técnica toda vez que surfava, e ainda faço isso hoje. Não acho que tenha sido uma coincidência o fato de que, quando comecei a aplicar minha teoria, meus resultados melhoraram drasticamente.

Após o Japão, tinha vencido dez de meus últimos treze eventos, de longe a seqüência mais vitoriosa da minha carreira. Com um começo tão rápido na temporada 1997, tive o luxo de poder relaxar na segunda metade. Em Grajagan, no início de junho, as ondas estavam novamente impecáveis, e o australiano Luke Egan conquistou sua primeira vitória depois de doze anos frustrantes, durante os quais foi considerado um surfista abaixo da média no circuito. Era o tipo de mar com o qual os surfistas sonham, possivelmente as ondas mais perfeitas do mundo. Perdi para Luke Egan, numa excelente bateria na quarta rodada, na qual ambos conseguiram notas nove e dez. Perder nunca é uma boa sensação, mas é uma grande emoção participar de uma bateria tão excitante.

Para conquistar o título, eu não precisava fazer muito durante a fase européia, que durou de agosto a setembro, ou, portanto, não me concentrei demais em vencer. Depois de conseguir um segundo lugar no Lacanau Pro, na França, tive uma série de resultados ruins, incluindo um nono e dois décimo sétimo lugares. No Figueira Pro, em Portugal, precisava terminar pelo menos em nono lugar para acumular pontos o suficiente para garantir o título da ASP. Infelizmente, fui eliminado uma bateria antes, mas ainda tinha chances. Occy era o único surfista que podia me alcançar na classificação; então, fiquei na área e o observei nas ondas contra outro australiano, Shane Powell. Shane estava alheio ao fato de que estava eliminando seu compatriota para mim, e derrotou Occy, dando a mim o meu quinto título mundial.

Apesar de a corrida ter terminado, senti a obrigação de ir ao Brasil para o Kaiser Summer Surf Pro, no Rio, já que tinha faltado à fase do circuito no ano anterior. No final, foi uma decisão acertada. Tive uma bateria inesquecível contra meu amigo havaiano, Ross Williams. Enquanto Ross levava uma série de ondas na cabeça durante quinze minutos, eu peguei uma onda perfeita, entrei num tubo incrível, e consegui o mais longo *floater* de minha vida, flutuando acima da crista da onda durante um tempo que parecia uma eternidade (apesar de ter sido alguns segundos). O público ficou completamente fora de controle. Todos na praia se levantaram e gritaram. Por causa desse momento, entendi como deve ser a sensação de acertar a jogada vencedora no campeonato mundial de beisebol. Foi a primeira vez em minha carreira que me senti como um superastro e não apenas um surfista. Acabei enfrentando Occy novamente na final, e o derrotei.

O surfe estava ótimo, mas quando o circuito chegou ao Havaí, para o Pipe Masters, eu só queria jogar golfe. Se as ondas não estavam perfeitas, e, às vezes, mesmo quando estavam, eu ia ao Turtle Bay Golf Course, que é um dos únicos campos de golfe do North Shore, para obter minha dose diária de *fairways*/área de grama lisa entre a saída e a chegada de um buraco e *greens*/área de grama, próxima ao buraco, local das tacadas de precisão. Muitos de meus amigos também começaram a jogar golfe, e eu sempre tinha com quem jogar. De manhã, ligava para Rob Machado e falava: "Vamos jogar uma partidinha rápida?". As partidinhas rápidas se tornaram eventos de um dia inteiro. As pessoas perguntavam: "Não vi você no mar, onde você surfou hoje?". Tudo entrava num ouvido e saía pelo outro. Eu estava seriamente viciado em golfe.

Antes do evento principal do Pipe Masters, é realizada uma triagem para os principais surfistas locais. Como Pipe é uma onda extremamente exigente, os havaianos costumam surfá-la melhor do que os profissionais do circuito, tornando as triagens mais difíceis do que o evento principal. Eu sentia que podia comandar uma *performance* sólida quando quisesse, e não me preparei para o evento. Poucos surfistas passam pela triagem, e como eu era o cabeça-de-chave número um do evento, enfrentei o último cabeça-de-chave, um local que saiu das triagens, chamado Johnny Boy Gomes. Na minha bateria homem a homem, na primeira rodada (na qual os dois melhores avançam), fiquei em segundo, atrás de Johnny. Estávamos programados para nos enfrentar novamente numa bateria homem a homem mais tarde naquele dia. Com tempo para gastar, Rob e eu pegamos nossos tacos e fomos jogar golfe. O tempo todo fiquei estressado para voltar a tempo para a minha bateria, mas não deixei que isso estragasse meu jogo. Compareci na hora exata para surfar e caí várias vezes nas ondas por nenhum motivo aparente. Sabia que não estava mentalmente focado para competir contra Johnny, e acabei na décima sétima colocação, minha pior atuação em Pipe.

Mesmo assim, naquele dezembro, terminei muito à frente de Occy, conquistando assim meu quinto título mundial, com a maior vantagem de todos os tempos e igualando o recorde de quatro títulos consecutivos de Mark Richards. Ganhei 208.200 dólares pela temporada, ultrapassando meu recorde de 1996 em 50 por cento. Como Todd Chesser havia sido uma grande parte de minha inspiração naquela temporada, dei meu troféu à mãe de Todd, Jeannie.

O dia 13 de fevereiro de 1998, exatamente um ano após a morte de Todd, foi o mais frio do ano, em Cocoa Beach, Flórida. Eu era a única alma viva na praia. Em homenagem a Todd, tinha raspado minha cabeça e estava usando o calção com sua foto. Estava congelando de frio, mas surfar de calção num dia gelado era o tipo de coisa que Todd adorava fazer. Eu queria correr para me proteger do frio dentro de meu condomínio, mas a lembrança de Todd me manteve fiel. Minha única opção foi ignorar a dor e entrar no mar. Era o que ele teria feito.

"Não está tão ruim assim", pensei ao remar para as ondas. Mas, assim que parei de remar, percebi como estava frio. Uma pequena onda surgiu na minha frente, e eu a peguei, tomando cuidado para não cair e prolongar minha dor.

Cheguei na areia e corri direto para meu condomínio. Tudo em nome da homenagem.

Vencer não é tudo

os surfistas são:

peter king, rob machado e kelly slater

o álbum de estréia de songs from the pipe

nas lojas em 21 de julho

produzido por t-bone burnett

www.epicrecords.com   www.thesurfers.com

© 1997 Sony Music Entertainment Inc.

The Surfers.

O Circuito Mundial da ASP estava programado para começar na Gold Coast da Austrália, em meados de maio. Havia tanta pressão dos patrocinadores, da mídia, do público e principalmente de mim mesmo, que meu cabelo começou a cair. Talvez fosse hereditário; mesmo assim, não estava disposto a pentear meu cabelo ao contrário só para cobrir minha calvície aos 26 anos. Decidi continuar raspando a cabeça, não apenas em homenagem a Todd, mas para atender à minha própria vaidade também.

Não tinha motivação para competir. Francamente, estava de saco cheio do Circuito Mundial. Nos últimos sete anos, minha vida tinha sido um enorme acúmulo de atrasos em aeroportos, sessões de autógrafos e camisetas de competição. A única coisa que me mantinha nas competições era a idéia de perder.

Intencionalmente, nunca esperei o final de uma bateria para ligar meu ímpeto competitivo, mas houve vezes que ele só funcionou nos últimos minutos. Isso não deveria ser uma surpresa, uma vez que tudo sempre aconteceu tarde para mim em minha vida. Eu fui teimoso na hora de sair do útero, o último adolescente a atingir a puberdade e o último a chegar à carteira antes de o moroso sinal tocar na escola. Chego atrasado para as baterias, casamentos, vôos — você escolhe. Mas numa bateria, quando alguém abria vantagem sobre mim, ficava furioso e fazia de tudo para alcançá-lo. Se tivesse perdido todas as baterias que venci no minuto final, teria hoje apenas um ou dois títulos mundiais.

Vencer tanto em 1996 como em 1997, me deu uma tonelada de confiança, mas também me fez sentir culpa. Eu não estava me divertindo. Estava sendo movido a raiva. Senti que tinha de ficar com ódio de meu adversário para vencer. Eu era tão determinado que me distanciei das pessoas que me ajudaram a chegar lá. Ficou impossível, para mim, diferenciar meu "módulo competição" de minha vida real, e deixei de perceber o que estava acontecendo com minhas amizades.

Parti numa viagem de barco de três dias para a Indonésia, em 1997, com Ross Williams, Taylor Knox, Pat O'Connell e Chris Malloy, todos amigos muito próximos. Não percebi que quase não havia conversado com eles durante toda a viagem. Ninguém me disse nada diretamente, e por isso, demorei um pouco para entender o recado. Chris me disse que a coisa mais estranha foi que, no vôo de volta para casa, tive uma conversa de cinco horas com um estranho, um senhor que sentou ao meu lado. O cara não tinha idéia de quem eu era e o anonimato era a coisa pela qual eu mais ansiava.

Estou com a banda

Acho que sempre quis ser cantor. Quando era mais jovem, meu pai tocava violão dentro de casa e minha mãe tocava banjo e cantava. Era a maior bagunça. Quando tinha quatro anos, memorizei a letra de *Midnight Blue*, de Melissa Manchester, e me apresentava para toda a família em pé no banco de trás do carro. Durante meus anos de timidez, na adolescência, ignorei minha ânsia de cantar, mas quando fiz dezoito anos, meu amigo Peter King, um ex-surfista profissional, de San Diego, mostrou-me alguns acordes no violão. Depois daquilo, gastava grande parte de meu tempo livre no Circuito Mundial, tocando com Peter, Rob Machado, Jack Johnson, Donavan Frankenreiter e, às vezes, Tom Curren. Esses caras eram bem melhores do que eu no violão, então, acabei cantando. Ficávamos compondo músicas e tocando por diversão.

Peter passou na minha casa, em 1994, com um amigo que trabalhava na Sony Music, chamado Roger Klein. Estávamos brincando com algumas canções e Roger nos perguntou o que estávamos fazendo com nossas músicas. Fora fazer algumas fitas para dar de presente no Natal, a resposta foi "nada". Peter sugeriu nos contratar, de brincadeira, e Roger disse: "Vou mesmo". E foi simplesmente assim que entrei numa banda. Fizemos uma demo num equipamento de quatro canais que havia comprado após vencer meu primeiro Pipe Masters, e por meio de um contato que Roger tinha conseguido, fomos contratados pela Epic Records. Rob concordou em se juntar a nós e começamos a gravar em 1996.

Não tínhamos um nome quando começamos as sessões de gravação. A idéia de Peter era *Fear of Hair* (Medo de Cabelo), mas era bobo demais para meu gosto. Eu queria algo mais profundo, como *Thoughtspace* (Espaço para Pensamento) ou *Tomorrow in Review* (O Amanhã em Retrospectiva). Todos no estúdio se referiam a nós como "Os Surfistas". Eles diziam: "Os Surfistas estão gravando hoje". De repente, tudo tinha escapado de nosso controle e o selo da gravadora estava tomando todas as decisões. Um dia, recebi uma ligação de Peter, e ele disse: "É isso mesmo: somos Os Surfistas". Achei tolo. Eu queria que a banda não tivesse nada a ver com o surfe. Mas não entendia nada. Era apenas o vocalista. Assim, nos tornamos uma novidade. Ele me disse que não soava tão ruim assim, e eu retruquei: "Eu sei. Vai soar pior ainda". Isso significava que nossa música seria mal-interpretada desde o início.

Toda vez que estávamos na Califórnia, gravávamos, duas semanas aqui, um mês ali, e trabalhávamos em horários muito estranhos. A banda estava invadindo a nossa vida. Todos os dias, gravávamos do meio-dia à meia-noite ou mais. Estávamos nos tornando vampiros, quase não víamos o sol, e muito menos o surfe. Quando acordava, nenhum restaurante

servia mais o café da manhã. Comecei a pensar: "O que estou fazendo?".
Mas antes de voltar à consciência plena, tinha de partir para outra competição em algum lugar do mundo.

Dei aos nossos empresários o benefício da dúvida e fui suportando
a situação, mas tínhamos nos distanciado tanto do que havíamos pro-
posto no começo que não estávamos mais nos divertindo. Gravávamos
uma canção durante dois dias, e voltávamos para tocá-la para nosso
produtor, T-Bone Burnett. T-Bone é um produtor de música dos mais
bem-sucedidos. Ele trabalhou com músicos como Los Lobos, Elvis Costello e Counting Crows, e ficávamos fascinados quando estávamos com
ele. Freqüentávamos a sua casa, e Elvis Costello costumava visitá-lo. Ele
abria cartas de Puff Daddy e falava ao telefone com o U2.

T-Bone é um perfeccionista, e nos mandava trocar as músicas completamente e regravá-las. Era frustrante, mas me ensinou muito sobre a
estrutura de uma canção, produção e *performance*, coisas que não teria
aprendido de outra forma. No todo, nossa visão não foi passada através
do disco. *Songs from the Pipe* vendeu em torno de setenta mil cópias,
principalmente no Japão. Naquela ocasião, as pessoas responsáveis pela
nossa contratação com a Epic Records, o vice-presidente Richard Griffiths
e Roger Klein, amigo de Peter, não estavam mais na companhia. Nosso
disco tornou-se baixa prioridade e não recebeu a atenção necessária.

Parece que a mídia popular não tinha se preocupado em ouvir nossa
música e só se interessou em perguntar por que éramos chamados Os
Surfistas. Fizemos um pequeno programa numa rádio da faculdade, no
qual fomos entrevistados e tivemos a oportunidade de conversar sobre
nossa música, e isso foi legal.

Nossa empresária, Justine Chiara, juntou fundos para uma pequena
excursão pela Costa Leste, que serviu de aprendizado para mim. Eu não
tinha idéia de como tocar numa banda, me comportar no palco ou lidar
com os fãs da música. Viajar como músico, dormindo de dia e ficando
acordado à noite, foi muito mais difícil do que viajar como surfista. No
circuito de surfe, fico na água o dia todo e permaneço num único lugar
durante uma semana ou mais. Na excursão com a banda, mudávamos
de lugar constantemente, dormíamos pouco e, como resultado, fiquei
muito doente. Fiquei de cama quase uma semana e tive de beber muito
chá para tentar cantar.

© Steve Zeldin.

Meus quinze minutos como astro de rock.

Por causa de meu *status* de "astro de rock", tive a chance de ir à cerimônia de premiação do Grammy, em 1996. Conhecia apenas duas pessoas, mas reconheci quase todos. É o quem é quem da música popular. Numa das mesas, estavam Boyz 2 Men, Stevie Wonder, Mariah Carey e Brandy. Numa outra mesa, estava Eddie Vedder, do Pearl Jam. Pearl Jam era a banda quando estava no segundo grau, porque quase todo adolescente angustiado se identificava com suas letras. Como Eddie Vedder e eu tínhamos amigos em comum, fui na direção dele e me apresentei. Antes de completar o caminho até ele, ele me olhou e disse, ou quase cantou, num tom meio embriagado: "Estou de olho em vooocêêê!". Conversamos um pouco e Eddie me contou que cresceu surfando. Fiquei sabendo que Rob Machado e Al Merrick foram à mesma escola que ele. Nossos interesses pelo oceano e música criaram um elo instantâneo.

Dois anos mais tarde, em 1998, Rob e Eddie haviam se tornado grandes amigos; então, Rob pediu se podíamos abrir um *show* do Pearl Jam um dia. Eddie ficou bastante impressionado com nosso disco. Ele disse: "Pensei que seria algo no estilo punk rock, mas soa como um bom álbum de Neil Young". Ele deu um jeito para termos a chance de abrir um show deles. Tocamos diante de dezoito mil pessoas, num local perto de West Palm Beach, Flórida. Ficamos num palco lateral, mas todos podiam nos ouvir. Quando o Pearl Jam entrou, corremos como crianças para os bastidores a fim de assistir ao show. Algum tempo depois, Eddie e eu ficamos bons amigos. Ele adora surfar, e, às vezes, nós nos encontramos no Havaí e em outras partes do mundo para pegar onda.

Na noite seguinte, saímos de West Palm Beach e fomos a Miami, em nosso própria excursão. Um furacão estava se aproximando do litoral; logo, Miami estava deserta. A área foi evacuada, e a tempestade chegaria naquela noite.

O vento uivava, chovia, e quando chegamos ao estacionamento para passar do som, havia apenas dois carros no local. Pouco antes de entrarmos no palco naquele noite, contei vinte e sete pessoas no público, e isso incluía os caras da banda que tocou antes de nós. Nossa empresária, Justine, reuniu-se conosco para uma conversa de incentivo. Todos bebemos uma dose de tequila e decidimos não nos preocupar com o público para apenas nos divertir. Na verdade, foi nosso melhor show porque não havia pressão. Depois, dançamos numa discoteca o resto da noite e, às quatro da manhã, Rob, Peter e eu decidimos deixar a cidade e dirigir de volta para minha casa, em Cocoa Beach. O resto da banda ficou no hotel, e ficaram tão bêbados que acabaram dormindo na sacada. Eles foram acordados por uma chuva de cento e trinta quilômetros por hora. Ouvi dizer que as ondas chegaram a seis pés e estavam perfeitas, em South Beach, no dia seguinte.

Entre 1998 e 1999, The Surfers (Os Surfistas) excursionaram pela Califórnia e Alemanha. A música era meu passatempo; assim, ficou impossível dedicar tempo e energia o suficiente para que desse certo. Não estava disposto a sacrificar minha carreira no surfe, e Os Surfistas acabaram seguindo rumos diferentes. Em maio de 2000, fizemos nossa despedida, no Japão. O público, no Japão, nos olhava com fascinação, como cervos diante do farol de um carro. Tentei mergulhar do palco para a multidão, mas o público não estava acostumado a esse tipo de conceito. Todos recuaram e caíram como peças de dominó. Em seguida, me vi espremido por um monte de pessoas, e esmagando pobres meninas japonesas com meus joelhos. Ninguém se machucou, mas foi uma maneira interessante de terminar minha carreira de astro do rock.

Ainda curto tocar, compor, cantar e ouvir música diariamente. Já compus várias canções que desejo gravar algum dia, mas, provavelmente, vou acabar distribuindo-as como presentes de Natal.

Um eu mais afável e dócil

Decidi que as coisas seriam diferentes, em 1998. Queria continuar me sentindo positivo e ligado às pessoas à minha volta. Como eu usava o surfe para fugir de minhas emoções, havia construído um muro que me separava de minha família e de meus amigos. Durante anos, me concentrei tanto em vencer que exclui todos. Eu não era próximo da minha família, amigos e filha, e meus relacionamentos amorosos eram tensos, porque mantinha minhas namoradas à distância. Eu queria atingir meu objetivo final de seis títulos mundiais, mas sem sacrificar todo o resto. Vencendo ou perdendo, queria me divertir.

Devido à minha decisão, me senti notavelmente solto, na Austrália, no primeiro evento do ano, o Kirra Pro. As finais foram realizadas num lindo dia de março, com ondas pequenas e perfeitas, e meu adversário era meu amigo Pat O'Connell. Sentado no *lineup*, aguardando o início da bateria, virei-me para Pat e disse: "Veja só. Todos aqueles anos, surfando em Salt Creek (o pico local de Pat, em San Juan Capistrano, Califórnia), com caras dropando em cima de nós, e agora, toda essa galera está nos assistindo. Não é fantástico?". Era tudo parte do novo eu. Eu surfava por diversão, mas isso não significava que estava entregando a bateria. Não detonei Pat na água, mas venci.

Consegui um décimo sétimo lugar, em Bells, em abril, seguido de um quinto, no Coke Classic, em Manly Beach, em Sydney. Apesar de ter perdido nas quartas-de-final, meu resultado no Coke Classic foi estranhamente satisfatório. Na rodada anterior, peguei uma onda nos últimos cinco segundos e derrotei o australiano Richie Lovett. Fiquei tão perto de terminar em nono, mas algo me permitiu pegar aquela onda. Considerei aquilo um presente, e tive a impressão de que aquela bateria seria significativa ao final do ano.

Em maio, no Tokushima e Marui Pro, no Japão, o australiano Danny Wills surgiu do nada para vencer os dois eventos consecutivamente, um feito que não tinha sido alcançado desde que Shane Beschen e eu fizemos o mesmo dois anos antes. Vencer dois eventos em seguida faz com que o surfista tenha mais chances de conquistar o título mundial. Danny era um jovem que não tinha conseguido nenhum resultado expressivo até então; logo, não o tínhamos levado muito a sério. Repentinamente, ele estava liderando o circuito. Minha abordagem brilhante e alegre estava me mantendo no páreo por pouco.

Durante o verão, na África do Sul e na Europa, o quadro continuou quase o mesmo. Terminei perto do topo, mas minha classificação piorou. Danny também vacilou, e seu melhor amigo, Mick Campbell, tinha nos ultrapassado. Despenquei para a quinta colocação, após Jeffrey's Bay, minha pior posição desde 1993. Estava começando a perder meu foco. O estresse de possivelmente não conquistar o título estava começando a me afetar. Sabia que o maior propósito de minha vida era me sentir bem, e meu estado emocional era mais importante do que os resultados das competições; entretanto, estava correndo o risco de voltar ao "módulo competição" e de estragar todo o progresso que tinha feito.

Quando o circuito voltou à América, para o U.S. Open, em Huntington Beach, Califórnia, minha filosofia foi seriamente testada. Consegui chegar ao último dia do evento, às quartas-de-final, e enfrentei meu bom amigo Shane Dorian. Shane estava vencendo, mas na metade da bateria, consegui prioridade de onda e tive a chance de pegá-lo numa interferência. Ele remou para uma onda sem prestar atenção em mim. Eu não teria conseguido passar a onda, mas, quando você tem prioridade, isso não importa.

Teria sido escancarado, mas muitos pensamentos passaram pela minha mente. Principalmente, pensei no que ocorreu dois anos antes com Shane Beschen, no mesmo lugar. Muitas pessoas na praia sentiram que foram injustiçadas naquela competição. No nível mais profundo, eu sabia que tudo fazia parte do jogo, mas não queria ser rotulado como alguém que vence baterias daquela forma.

Shane Dorian nunca tinha me derrotado numa bateria homem a homem, e parecia que isso ia acontecer de qualquer maneira. Sendo assim, não peguei a onda que teria penalizado Shane. Pensei que conseguiria reagir com meu surfe, e, se conseguisse, me sentiria muito mais confiante na vitória. Mas estava muito atrás. Foi difícil engolir a derrota. Era de manhã cedo, no último dia do evento, e tive de sentar na praia e assistir ao resto do evento.

Perder em Huntington Beach foi bom para meu bem-estar, mas não ajudou na minha classificação. Quando chegamos ao Brasil, para o penúltimo evento, os dois lados de minha personalidade estavam em conflito. Mick Campbell e Danny Wills estavam bem à frente, e não havia muito tempo para alcançá-los. Enfrentei Mick, na semifinal, mas ele não facilitou. Mesmo assim, não deixei que aquilo me incomodasse.

Ele me destruiu na bateria. Assisti à final da área dos competidores e observei a classificação da ASP. Comecei a calcular minhas chances antes de partirmos para Pipeline. Se Mick vencesse no Rio, eu não teria margem para errar em Pipe. Para conquistar o título, teria de vencer o evento, e ele e Danny teriam de perder logo no início. Se ele perdesse, teria um pouco mais de espaço para respirar.

Mick enfrentou um brasileiro, chamado Peterson Rosa. Não havia ondas muito boas entrando, e Mick estava vencendo a bateria. Tudo seria decidido na última onda de Rosa, que precisava de um 7,5, uma nota quase impossível, considerando as condições do mar. Rosa executou algumas boas manobras e arriscou tudo num aerial totalmente incomum para um pico de praia. Ele conseguiu a nota de que precisava e venceu a bateria. Ele tornou as minhas chances de reagir e conquistar o título em Pipe bem mais fáceis.

Confronto final

O Circuito ASP assumiu a forma da derradeira rivalidade entre australianos e norte-americanos. Eu estava encostado contra a parede antes de Pipeline, em dezembro, mas entre Danny, Mick e eu, era eu quem sentia que tinha o mando de campo. Nem Mick nem Danny tinham muita experiência em Pipe. Não havia outros norte-americanos no páreo, e isso era uma nova experiência para mim. Ter o apoio do Havaí pela primeira vez me deu uma boa sensação.

Eu estava estressado. Se não ganhasse, nunca mais teria a chance de ganhar cinco títulos consecutivos. Tinha de arrumar um modo de não pensar nisso; então, entre as baterias, comecei a construir um violão.

No início daquele ano, tinha viajado para alguns eventos, na Europa, com meu amigo Jack Jackson, que estava fazendo um filme chamado *Thicker Than Water*, um tipo de documentário sobre um grupo de amigos. Jack e eu estávamos lendo *The Ultimate Guitar Handbook* (O Melhor Manual de Violão), que incluía uma seção sobre como montar um violão. Foi isso que deu início a tudo.

Quando chegamos ao Havaí, tornamos aquilo um desafio. As regras eram simples: só podíamos utilizar coisas encontradas na garagem do pai de Jack. Ele terminou seu primeiro violão em dias e seu segundo violão, quando eu ainda estava ocupado com meu primeiro. Eu sabia que, se terminasse, minha atenção voltaria à competição, e precisava manter minha mente limpa.

As ondas, em Pipe, estavam realmente grandes, dificultando ainda mais para meus rivais, já que não tinham muita experiência no Havaí. A primeira bateria de Mick foi extraordinária. Ele avançou, mas ficou frente a frente com um jovem havaiano, chamado Bruce Irons, na segunda rodada. Apesar de Bruce ter apenas dezoito anos, já era considerado um dos melhores surfistas de Pipe. No final, Mick não conseguiu completar um único drope e só somou 1,9 ponto em três ondas. Foi a menor pontuação em três ondas da história da ASP.

Consegui avançar pela primeira bateria e tive de enfrentar outro havaiano talentoso, Braden Dias, num dos confrontos mais difíceis da competição. Ele conhece o lugar melhor do que ninguém, especialmente quando está grande. As ondas estavam quebrando três vezes acima de nossas cabeças, mas comecei com uma boa onda, em Backdoor. Isso me deu uma boa vantagem, e Braden nunca me alcançou.

Danny Wills derrotou outro especialista em Pipe, Pancho Sullivan, e avançou para a rodada anterior às quartas-de-final. Se ele ganhasse mais duas baterias, não havia nada que pudesse fazer, pois Danny seria o campeão mundial. Sua confiança era imensa quando enfrentou Ross Williams. Eu estava na bateria seguinte, com Rob Machado, e ambos ficamos sentados no quintal da casa dos Johnson, olhando para Pipe e nos preparando para sair. Ross quebrou uma quilha em sua primeira onda e passou os dez minutos seguintes da bateria de 25 minutos esperando que seu *caddie* levasse a prancha reserva até ele.

Sentia a tensão subindo pela minha espinha. A bateria entre Danny e Ross foi muito apertada. Danny precisava de uma nota mediana nos minutos finais. Ele dropou numa esquerda decente, foi até a base, mas saiu rodopiando como um peão. Não havia tempo para ele pegar outra onda, e assim, perdeu e foi eliminado da competição.

Minha nossa! Ali estava a minha chance. Minha temporada, minha carreira e meu legado seriam decididos numa sessão de 25 minutos com Rob Machado. Eu poderia aproveitar a oportunidade ou sucumbir à pressão, e já me sentia sucumbindo.

Extenuado, desapareci dentro da casa dos Johnson para tentar recobrar meus sentidos. Felizmente, Tom Carroll percebeu o que estava acontecendo. Ele me ajudou quando conquistei meu primeiro título, em 1992, e me ajudou a lidar com as situações de pressão no decorrer de minha carreira. Ele notou que eu estava estressado e me orientou durante uma sessão de ioga relaxante para que eu pudesse voltar ao momento.

A ioga ajudou, e no último minuto, apareci com meu calção com Todd Chesser estampado, pronto para partir. Alguns de nossos amigos perguntaram a Rob se ele ia entregar a bateria, mas Rob sabia que eu não gostaria que ele me entregasse nada. Preparamos nosso equipamento em cantos opostos do quintal, evitando qualquer contato visual. Ele estava dividido entre querer que eu ganhasse e se recusar a conceder a bateria. Ao entrar na água, Rob disse: "Espero que pegue umas boas ondas", sugerindo que não ia facilitar. Tiramos a sorte para ver quem pegava a primeira onda e venci.

Em 19 de dezembro de 1998, as ondas estavam sinistramente iguais àquelas de 1995, com direitas e esquerdas perfeitas de seis a oito pés. A única diferença é que todos nossos amigos estavam unidos em sua torcida. Eles queriam me ver derrotar os australianos.

Rob surfou muito bem e me forçou a ultrapassar meus limites. Escolhi pegar as ondas ligeiramente mais longas, em Backdoor, enquanto Rob surfou principalmente as esquerdas, em Pipe. Foi uma excelente bateria, mas venci. Era difícil imaginar que, quatorze anos antes, eu tinha visto Backdoor pela primeira vez e pensei: "O que aquele cara está pensando ao dropar para a direita, em Pipe?". Agora, tinha se tornado o grande marco de minha carreira, proporcionando-me mais um título.

Assim que a buzina encerrou a bateria, fui até a praia com minhas mãos levantadas no ar. A pressão tinha acabado. Meus amigos levantaram Rob e eu e nos carregaram até a areia. Eu aproveitei o momento, torcendo para que ele nunca terminasse. As semifinais vinham a seguir, mas não significavam nada. Tinha ganho meu sexto título mundial e não tinha mais nada a provar.

Bati o recorde de títulos consecutivos de Mark Richards, algo que ele e muitos outros achavam que jamais aconteceria. Mark me contou que estava convencido de que ninguém seria capaz de conquistar mais do que quatro títulos seguidos. Quando consegui, me elogiou, dizendo: "Se eu tinha de ver meu recorde ser batido, estou feliz de ver que foi por alguém que mudou nossa percepção do que é o surfe competitivo de alta *performance*. Detestaria ver o recorde ser batido por alguém que venceu um bilhão de competições ao pegar quatro ondas até a praia em vez de um cara que esticou os limites". Foi o maior de todos os elogios.

Teria sido fácil ficar convencido. Apenas alguns dias antes, conquistar o título parecia algo impossível. Agora, aos 26 anos, eu era o surfista mais vitorioso da história. Estava cercado de amigos, fãs e repórteres, e meus pensamentos estavam nas nuvens. No meio de toda a emoção, localizei minha filha Taylor, na praia. Tamara me fez a surpresa de levá-la ao Havaí alguns dias antes. Achei que Taylor ficaria impressionada com o que tinha feito, mas durante o momento mais decisivo de minha carreira, ela estava de costas para o mar, construindo um castelo de areia.

Eu arrastei a multidão que me cercava até onde ela estava brincando, e ela olhou para mim e disse: "Papai, me ajude a construir castelos". Para ela, nós éramos os dois únicos humanos na Terra.

Voltei à realidade e percebi que minha mente não estava nas nuvens. Eu estava enterrado na areia.

Toda a comemoração não significava nada para Taylor. Ela queria passar algum tempo com o pai dela, fazendo coisas que importavam para ela, como construir castelos de areia e manter laços de família. Seguindo minha resolução, eu não estava totalmente voltado para as competições, mas ainda estava deixando de lado os prazeres mais simples da vida.

Minha filha Taylor e sua coleção global de conchas.

Na cerimônia de entrega de prêmios da Associação de Surfistas Profissionais, na noite seguinte, anunciei que me aposentaria. Eu já tinha informado isso a Quiksilver, meu patrocinador, mas, fora eles, não tinha contado a mais ninguém. Eu sabia, durante o Pipe Masters, que aquele seria meu último evento no circuito. Não minha última competição, mas, possivelmente, minha última participação como competidor em tempo integral.

Aposentado

© Cortesia da Slater Family Wall of Shame.

Que tal esse, Sean?

Durante a maior parte de minha vida, deduzi meu próprio valor de acordo com o modo como surfava minha prancha. Apesar de não ter consciência disso, desde que tinha onze anos e minha família se desfez, nada era mais importante do que o surfe. Na minha mente, vencer competições, sair em fotos de revistas e ganhar dinheiro determinavam meu valor. Eu achava que, quanto melhor me saía, mais as pessoas gostariam de mim. Obviamente, esse não era o caso. Tinha muitos fãs, mas isso é superficial.

Eu mudaria o modo como passei meus anos no circuito se pudesse? Não, não mudaria. Não sei se teria realizado as coisas que realizei de outra forma, e tenho orgulho disso. Mesmo assim, tinha perdido muita coisa. Minha família quase não me conhecia, e eu não me conhecia realmente. Num piscar de olhos, saí de Cocoa Beach para chegar ao topo do mundo. Passar algum tempo longe do circuito me permitiu conhecer melhor a minha família, meus amigos e a mim mesmo. A vida tinha de oferecer mais do que apenas a tentativa de aderir ao critério de como os outros achavam que eu devesse pegar uma onda.

Reconheço como fui extremamente afortunado. Se tivesse abandonado o surfe antes, não teria conseguido me aposentar sem ter de assumir outro emprego. No meu tempo de vida, o surfe evoluiu de um passatempo de hippies a uma indústria próspera e um legítimo plano de carreira.

Quando me afastei das competições em tempo integral, ao final de 1998, em vez de aumentar minha barriga de chope e reduzir meu *handicap* no golfe, fiquei com um desejo ainda maior de surfar do que tive em anos. Graças à Quiksilver, basicamente tinha passe livre para fazer o que queria. Se as ondas estivessem boas em algum lugar do mundo, e estivesse com vontade de surfar, a companhia me mandava lá. Eu ainda competia em alguns eventos da minha escolha e fazia aparições promocionais, mas estava praticamente liberado. Graças ao apoio da Quiksilver, mantive meu alto padrão de vida sem ter de me preocupar com títulos mundiais.

Permanecendo no jogo

Eu estaria mentindo se dissesse que não me importava mais em vencer competições durante minha aposentadoria. Eu estabeleci o objetivo de ganhar um evento do WCT por ano. Não era a coisa mais importante, mas serviria de lembrete para mim mesmo de que ainda sabia surfar. Eu planejei competir em qualquer evento do Circuito Mundial, patrocinado pela Quiksilver, e em quaisquer outros que fossem realizados em lugares que gostasse e que me dessem a chance de atingir meu objetivo.

Mesmo me esforçando, não consegui tirar Pamela Anderson de minha mente. Em 1998, começamos um relacionamento de idas e voltas, que só terminou realmente em 2000. Após três anos de casamento, dois filhos e mais tempo exposta à opinião pública do que o presidente, Pam decidiu que estava buscando uma vida mais fiel às suas raízes, como eu estava levando. Seu marido, Tommy Lee, a havia maltratado e estava cumprindo pena por agressão à esposa, e enquanto ele estava na prisão, ela se divorciou. Sua popularidade tinha se tornado tão extrema que foi impossível manter nosso relacionamento em segredo. De repente, fiquei mais famoso por namorar com ela do que por tudo que tinha conquistado no surfe. Eu aparecia nas revistas de fofoca todas as semanas. Um programa de fofocas, no *E! Channel*, chegou a dizer que estava ficando calvo e que Pam ia cortar o cabelo dela para fazer uma peruca. Olhamos um para o outro, como quem diz: "Que diabos foi aquilo?". Na época, não era verdade, mas se ela estiver interessada agora, meu cabelo está ficando ralo e posso aceitar sua oferta.

Durante a maior parte de nosso relacionamento, Pam e eu ficávamos a sós. Quando estava na Califórnia, permanecíamos em sua casa, em Los Angeles. Levávamos os filhos dela para a praia ou para o *playground*, saíamos para jantar, e, às vezes, me encontrava com ela quando gravava *V.I.P.* Ela ficou algumas vezes no meu condomínio, na Flórida, e conheceu todos os meus velhos amigos. Apesar de passarmos muito tempo com seus filhos, não me senti à vontade para apresentá-los a Taylor. Como eu mesmo não via Taylor com freqüência, achei que a deixaria confusa ao me ver com uma namorada.

Devido ao *status* de símbolo sexual de Pam, ela era uma presença praticamente permanente no *The Howard Stern Show*; e ainda é. Ela adora tentar chocar Howard, e, por isso, é como uma deusa para ele. Ele gosta de falar mal de quem estiver saindo com ela, em parte por ciúmes, e em parte pela diversão do programa. Ele queria saber como um surfista *punk* podia estar dormindo com Pamela Anderson. Acho que ele nem sabia o meu nome. Não tinha idéia de nossa amizade anterior, e, para ele, isso não importava. Durante um programa, Howard ligou e disse: "Oh, cara, estou com minhas mãos sobre ela. A sensação é ótima. O que acha disso?". Eu respondi: "Acho maravilhoso. Você pode passar o telefone para a Pam agora? Conversarei com ela, enquanto você passa a mão nela". De acordo com Howard, todos os relacionamentos de Pamela são uma piada. Em nosso caso, tenho de respeitar o cara por ser capaz de prever o futuro.

Em março de 1991, surfei no Billabong Pro, na Austrália, em um de meus picos favoritos, Kirra. Como tinha me aposentado apenas três meses antes, não tinha muita vontade de competir. A Quiksilver queria minha presença na Austrália para fazer algumas promoções; então, pensei que seria legal pegar ondas perfeitas e ganhar algum dinheiro na competição. A Gold Coast estava passando pelo seu pior período de falta de ondas em anos; portanto, as ondas não ofereciam grande incentivo. Além disso, meu relacionamento com Pamela estava balançando. Em vez de permanecer na Austrália, parti antes de minha bateria da terceira rodada e voei de volta à Califórnia.

Pam e eu no Op Pro de 1998, em Huntington Beach, Califórnia.

Depois de cumprir dezesseis semanas na prisão, Tommy foi libertado, em setembro de 1998. Ele passava na casa de Pam para apanhar as crianças e suas visitas passaram a ser gradualmente mais pessoais. Ela e Tom reataram em abril de 1999. Nunca conheci Tommy e não tenho nada contra ele, mas acho que tinha muitos problemas de insegurança. Por causa disso, Pam não queria nem falar comigo. No lugar de lutar contra isso, fui embora e decidi lidar com isso sozinho.

No final de maio, fui ao Quiksilver Pro, que foi transferido de Grajagan, por causa da instabilidade política da Indonésia, para Tavarua, em Fiji. As ondas em Tavarua são tão fantásticas quanto as de Grajagan, mas não havia muito *swell* para o evento. Cheguei à semifinal, com um brasileiro chamado Victor Ribas. Eu precisava apenas de uma nota mediana para derrotá-lo, mas ele me seguia onde quer que eu remasse e me impediu de pegar qualquer coisa.

Mais tarde, naquele verão, fui à França e África do Sul para sessões promocionais, antes de seguir para uma feira de negócios, no Brasil. Eu não tinha visto de viagem, mas, de alguma forma, permitiram-me embarcar no avião, na África do Sul. Quando cheguei a São Paulo, Brasil, os fiscais da alfândega me disseram que não podia entrar no país e teria de voar a Miami no próximo vôo. Liguei para um amigo que trabalha na Quiksilver, no Brasil, e contei a ele o que havia acontecido. Ele espalhou a notícia na feira de negócios, e em seguida, algumas pessoas ligaram para o aeroporto em meu nome, incluindo o governador de São Paulo. Pouco antes do vôo decolar para Miami, o fiscal da alfândega me disse: "Não sei quem você é, mas alguém realmente quer você nesse país. Isso nunca aconteceu antes, mas você está livre para entrar".

Após a feira de negócios, voltei a Huntington Beach, Califórnia, para a última encarnação do Op Pro, que era chamado Gotcha Pro. Gotcha, uma companhia de roupas, queria ser o único patrocinador do evento, mas, no ano seguinte, voltou a ser o U.S. Open. As ondas, em Huntington, estavam tão ruins que não me importei em perder nas quartas-de-final. Eu não conseguia me motivar e me sentia aliviado de não estar no circuito. Pela primeira vez, me senti feliz por perder.

Ainda estava na fossa por causa de meu rompimento com Pam, mas, no Halloween, já estava pronto para rir de tudo. Estava em Cocoa Beach, pensando na fantasia que ia usar na festa, quando recebi um telefonema da minha velha amiga e agente de modelos, Stephanie Gibbs. Ela disse: "Tenho a fantasia perfeita para você. Venha aqui e vamos fantasiá-lo de Tommy Lee". Foi algo terapêutico, exatamente do que precisava. Ela desenhou tatuagens temporárias por todo meu corpo e penteou meu cabelo com pequenas contas. Coloquei círculos pretos ao redor dos olhos, rasguei uma calça jeans e uma camiseta e era Tommy Lee. Fui a sensação da festa.

Contudo, meu objetivo de vencer estava escapulindo, mas ainda sobrava Pipeline. Passaram-se 21 meses desde que vencera o Billabong Pro, na Gold Coast da Austrália, em março de 1998, e tinha me esquecido da sensação de estar no círculo dos vitoriosos.

Felizmente, as ondas em Backdoor estavam fantásticas. Enfrentei Occy, na semifinal. Ele já tinha garantido o título mundial, naquele ano, e estava desesperado para validar sua conquista me derrotando. Ele me arrasou durante a maior parte da bateria, mas, faltando três minutos, me aproximei dele, ainda precisando de um 8,5. Occy me impediu de pegar ondas, mas fingi estar interessado em algumas pequenas direitas e ele mordeu a isca, entrando numa e passando a prioridade para mim. Achei que tinha visto uma onda no horizonte, mas, quando olhei novamente, não havia nada. Olhando para o alto-mar, comecei a rir e a pensar: "Muito bem. Nenhuma onda vai aparecer no último minuto. Minha sorte acabou". Como sempre, um lindo pico surgiu, e consegui dropar por pouco, entrei num tubo e saí para cravar uma nota dez. A galera australiana na praia ficou chocada, e disse: "Ahhh, de novo, não!". Occy era o campeão mundial, mas, para minha confiança, precisava mostrar a ele que eu ainda podia vencer. Meu ímpeto me acompanhou na final contra outro australiano, Shane Wehner, e meu objetivo foi alcançado. Tinha conseguido uma vitória no ano.

Meu pai, o rastafari, e eu, como Tommy Lee, no Halloween de 1998.

Palhaço de rodeio

Alguma coisa em relação ao Circuito Mundial havia inibido minha imaginação; a estrutura pode tirar a diversão da competição, uma vez que os juízes tradicionalmente recompensam consistência e escolha de

© Art Brewer.

Livre das competições.

onda em detrimento da criatividade. Sem ter de me preocupar com a politicagem da competição, estava livre para experimentar pela primeira vez na minha vida. Eu queria ver se as manobras que tinha imaginado quando criança eram possíveis.

Antigamente, os skatistas imitavam os surfistas. Quando o mar estava liso, os surfistas pegavam seus *skates* e surfavam em terra. Agora, mais de trinta anos depois, nós estávamos começando a imitar as manobras do *skate*. Estamos bem atrás dos skatistas (e mesmo dos *bodyboarders*) em termos de executar giros no ar. A razão principal é o tamanho da prancha. É muito mais difícil controlar e aterrissar com uma prancha de seis pés do que com um *skate* de dois pés e meio. Além disso, a onda é um alvo móvel, ao contrário de uma rampa ou calçada. Os *bodyboarders* enfrentam o mesmo problema, mas eles andam de barriga e seguram as laterais da prancha o tempo todo. Como todo o foco é voltado para saltos no ar, as pranchas estão ficando cada vez mais especializadas; logo, é só uma questão de tempo para alcançá-los.

Todo surfista mentaliza o surfe ao fitar as ondas e visualizar o que é possível. Eu sento na praia de Pipeline e imagino o quanto atrasado posso entrar numa onda e se há espaço para um aéreo. Eu visualizo rodar dentro do tubo e sair limpo. Assim, quando não estou no mar, meu corpo tenta copiar o que minha mente visualizou. Isso me ajuda a aperfeiçoar meu surfe, porque treina minha mente a acreditar que a manobra é possível. Tenho feito isso desde criança.

Meu pai, eu, Sean e Stephen, em Cocoa Beach.

© Cortesia da Slater Family Wall of Shame.

Quando comecei a fazer 360º invertidos, em 1989, foi uma extensão do que vi caras mais velhos, como Matt Kechele, John Holeman e outros caras em Sebastian Inlet, fazerem. Na minha mente, eu me visualizava fazendo as manobras deles e, depois, indo um passo além. Entretanto, a manobra que realmente se fixou em mim foi aquela no Surfside Playhouse, que achei ter visto Buttons executar um *flip* completo, no filme. Desde então, aquilo ficou no fundo de minha mente. Portanto, quando me aposentei, decidi tentar a manobra seriamente. Ainda estou longe de controlar a manobra, mas já consegui completar algumas, pousando nas costas da onda. É muito mais difícil acertar o pouso num alvo móvel.

Aposentado ou não, o Pipe Masters é um evento que jamais perco. No Pipe Masters, de 1999, tentei o *flip* numa bateria com Rob Machado e quase completei. Girei 540º e errei a aterrissagem. Voltei da bateria e caminhei até a casa dos Johnson. Jack Johnson me perguntou qual nome daria à manobra, e respondi: *Rodeo Clown* (Palhaço de Rodeio), por causa de uma canção que ele havia escrito para G. Love and Special Sauce, uma banda que eu curtia na época. Existe uma manobra que *snowboarders* executam no *half-pipe*, chamada *Rodeo Flip*, que é similar. Desde então, já completei alguns *Rodeo Clowns*, usando presilhas nos pés. Alguns garotos, Jamie O'Brien, do Havaí, e Aaron Cormican, da Flórida, já executaram variações do *flip* algumas vezes. Acho que, dentro de cinco anos, surfistas estarão executando essa manobra consistentemente.

Os Slater invadem o Taiti

Em fevereiro de 2000, estava numa feira de comércio da indústria do surfe, em Long Beach, Califórnia, assinando alguns pôsteres no estande da Quiksilver. Bruce Raymond, um de meus chefes na Quiksilver, me disse que as ondas no Taiti iam ficar ótimas nos próximos dias e me perguntou se eu queria ir. A Quiksilver tinha organizado uma viagem de barco contínua, chamada *The Crossing* (A Travessia). A companhia pegou uma embarcação de 75 pés para mergulho e pesquisa, chamada *Indies Trader*, fez um trabalho bonito de pintura nele, e partiu para descobrir novos picos de surfe e documentar o estado dos recifes de coral do mundo para o programa ambiental, patrocinado pelas Nações Unidas, chamado *Reef Check*. Cada etapa da viagem dura duas semanas, e há espaço a bordo para quatro surfistas, um fotógrafo, um cinegrafista, um biólogo marinho, um capitão, um cozinheiro e três membros indonésios da tripulação.

Tive a permissão para escolher os outros três surfistas para a viagem, e escolhi Shane Dorian e meus irmãos. Como Sean e eu estávamos brigados há alguns meses, achei que a viagem nos daria a oportunidade para resolver a questão.

Alguns meses antes, estava no Havaí quando soube por um amigo que Sean estava morando no meu condomínio e dirigindo meu carro sem minha permissão. Liguei para Sean, do Havaí, e disse que estava furioso com aquilo. Ele nunca me falou, mas percebi que sentia que eu o havia deixado de lado em minha vida. Era óbvio que precisávamos de tempo para resolver as coisas.

Stephen, Sean e eu nunca tínhamos ido juntos numa viagem de surfe. Como cada um de nós viaja pelo mundo, às vezes eu me encontrava e surfava com Stephen, que também é patrocinado pela Quiksilver. Não importa onde esteja, de algum modo ele consegue me encontrar. Se fosse ao Chile amanhã, ele provavelmente estaria lá também. Sendo assim, foi fácil convencê-lo a ir na viagem. Ele jogou alguns calções dentro da capa de pranchas e estava pronto para partir em minutos. Com Sean, não foi tão fácil. Ele realmente tem outras responsabilidades, além do surfe, hoje em dia. Depois de sair da Quiksilver, foi para uma companhia, chamada Volcom, para treinar sua equipe de surfe, na Costa Leste, e a equipe Spy Sunglasses. Além disso, ocasionalmente escreve matérias para a *Transworld Surf* e shapeia pranchas Slater Surfboards, uma companhia que ele começou, em meados dos anos 1990. Ele estava reclamando de algumas obrigações e não achava que podia viajar. Se há algo que motiva Sean, é pescar; então, disse a ele que a pesca no Taiti é fenomenal. Ele estava convencido e todos os compromissos anteriores foram varridos para debaixo do tapete. Sean, Stephen, Shane e eu nos encontramos na Califórnia e voamos juntos para o Taiti para pegar o barco.

Antes da viagem, tive tempo para me colocar na posição dele e pensei como ele deve ter se sentido, quando éramos adolescentes e

surfávamos juntos. Apesar de não competirmos um contra o outro freqüentemente, deve ter sido difícil para ele me ver receber tanta atenção.
Quando estávamos na viagem ao Taiti, não tivemos a conversa franca que
costumamos ver na TV, não houve choro, abraços ou qualquer momento
do tipo *Oprah*, mas a jornada serviu para nos aproximar. Taiti trouxe de
volta os velhos tempos. Quando não surfávamos, pescávamos. O tempo
que passamos juntos fortaleceu nosso relacionamento.

Isso não quer dizer que deixamos de ser competitivos. Ele continua
dizendo que é melhor pescador, e mostra fotos para provar isso, apesar
de, aparentemente, sempre pegar muitos peixes quando não estou por
perto.

Maverick's

A maioria das pessoas liga a Califórnia à diversão e ao sol em vez
de um sério perigo. Mas, a uma hora de carro ao sul de San Francisco,
existe uma onda capaz de matar. Ela quebra a quatrocentos metros da
praia, e há muitos tubarões e rochas grandes para somar à temperatura de
dez graus. Um surfista local, chamado Jeff Clark, surfou a onda sozinho
e apelidou a onda com o nome de seu cachorro, Maverick. O mundo do
surfe só descobriu Maverick's no início dos anos 1990, e ela se tornou
uma alternativa de água fria para o North Shore.

A Quiksilver começou a patrocinar um evento em Maverick's, em
1999, chamado *Men Who Ride Mountains* (Homens que Surfam Montanhas). O nome por si só já dá a idéia de ser um evento singular. Jeff Clark
escolhia a dedo vinte surfistas a cada ano para a competição, e, em 2000,
entrei na lista. Nunca tinha surfado em Maverick's, e o pré-requisito era
ter pego onda lá pelo menos uma vez antes de realmente competir no
evento. Fiquei de olho no tempo e, em janeiro, quando vi que havia um
pequeno *swell*, peguei o vôo noturno do Havaí e quase não dormi no
caminho. Após dois copos de café (e nunca bebo café), estava acordado
e pronto para surfar.

Era um dia de ondas pequenas, em Maverick's, talvez vinte pés na
face da onda, e, após algumas horas, estava com frio e cansado. Bem

nesse momento, a maior série do dia entrou. Fui pego de surpresa e estava fora de posição para pegar a onda, mas tinha de ir nela, só para dizer a Jeff que tinha pego uma. Cheguei à base da onda, mas estava atrasado demais para escapar da espuma. Não tive outra escolha a não ser saltar da prancha antes de ser atropelado pela onda. Quando voltei à tona, segundos depois, outra onda estava quebrando em cima de mim. Como eu disse, não era um grande dia; então, não estava com medo de mergulhar por baixo dela. Já tinha enfrentado ondas bem maiores, mas essa coisa me levantou e marretou o meu corpo como se fosse um lutador super-humano. Fui puxado para debaixo d'água e jogado para todo lado como um boneco de pano. Fiquei sem fôlego e comecei a entrar em pânico. A onda finalmente me soltou, mas ainda tinha de nadar até a superfície e chegar a tempo de lidar com outro daqueles monstros. Após tomar uma segunda surra, não estava em condições de tomar a terceira. Felizmente, um cara apareceu num *jetski* e me tirou da zona de perigo. Percebi por que Maverick's é a onda mais assustadora do mundo. Tive sorte de começar num dia pequeno.

No dia 1º de março de 2000, fiquei gripado no sul da Califórnia, e não conseguia sair da cama. E, como era de se esperar, recebi uma ligação naquele dia avisando que o evento em Maverick's seria provavelmente realizado no dia 3; então, me arrastei até o aeroporto no dia seguinte para voar até San Francisco, com meu *shaper*, Al Merrick. Não havia conseguido dormir o bastante e compareci na manhã seguinte, em Maverick's, sentido-me letárgico. O vento soprava forte, a temperatura da água estava 11 graus e as ondas mediam 25 pés (quarenta pés na face). Estava maior do que qualquer coisa que já tinha surfado. Eu não conseguia respirar fundo sem tossir, e fiquei em dúvida se correria minha bateria ou não. Coloquei minha roupa de borracha, mas avisei ao primeiro reserva do evento para se preparar, caso me acovardasse. Teria hesitado surfar naquele dia, mesmo se tivesse em perfeito estado de saúde; portanto, sair nas condições em que me encontrava era arriscado. Do *lineup*, decidi que as ondas eram surfáveis, e decidi encará-las.

Minha primeira onda foi a maior que peguei naquele dia. Cheguei à base e pensei que estivesse seguro. De repente, a espuma explodiu em cima de mim por trás. Foi a repetição de minha primeira experiência numa escala maior. A onda me levantou e me afundou uns seis metros debaixo d'água. Felizmente, os salva-vidas estavam lá quando voltei à tona e não tive de lidar com o resto da série. Decidi ser cauteloso o resto do dia, e consegui chegar à final, terminando em segundo, atrás de Flea Virotsko, da vizinha Santa Cruz. Ele surfa em Maverick's o tempo todo, e se jogou em ondas enormes que nenhum dos demais sequer tentou pegar. Remávamos para nos manter vivos, mas foi divertido. Tenho um enorme respeito pelos surfistas que surfam em Maverick's. Ficar em segundo foi uma grata surpresa para mim, considerando que, naquela manhã, tinha dúvidas se ia pegar onda, muito mais chegar à final.

Pamela, tomada três

No início de 2000, Tommy e Pam se separaram, e ela voltou a me ligar. Contra meu melhor juízo, demos outra chance ao relacionamento. Dessa vez, parecia que ela realmente tinha terminado tudo com Tommy, e começamos a nos dar muito bem. Houve boatos na mídia que tínhamos noivado, mas eram falsos. Ouvi dizer que ela havia dito que eu queria casar com ela, mas era ela que queria comprar uma casa para morarmos juntos. Acho que, depois de tudo o que ela tinha passado, a idéia de casamento tinha começado a perder sentido, e ela brincava com isso com facilidade. No fundo, nossas vidas eram diferentes demais.

Em maio de 2000, parti numa viagem de três semanas ao Japão, Taiti e Fiji. Enquanto estava fora, Pam não retornava minha ligações e nunca era encontrada. Eu costumava ligar para ela de todos os cantos do mundo, e era fácil entrar em contato. Sabia que havia algo de errado, mas tentei convencer a mim mesmo que tudo estava normal. Quando fui ao aeroporto, em Fiji, para voar para casa, parei numa banca de jornal, e lá, na capa de uma revista de fofoca, havia uma foto da Pam com seu braço ao redor de um garanhão. A manchete dizia: "O Novo Namorado de Pamela". Fiquei sabendo que não era um novo namorado, e sim apenas um cara com o qual ela havia dançado, mas ela estava de namorado novo, um supermodelo, chamado Marcus Schenkenberg.

Fiquei arrasado, principalmente porque ela não conseguiu me contar. Somente em Hollywood, alguém fica sabendo que foi chutado por meio de um tablóide. O relacionamento me ensinou muito sobre mim mesmo e como tomar decisões melhores. Desta vez, estava acabado para sempre.

Pouco depois de ter voltado de minha viagem, dei uma entrevista à revista *ESPN*. Estava excitado. Sou louco por esportes, e o fato de ter sido finalmente reconhecido como um verdadeiro atleta foi uma honra. A revista mandou um repórter de avião de Nova York, e passamos algum tempo juntos, no Havaí. Estava ansioso para ver a revista, mas, anexado à minha cópia, havia um pedido de desculpas. Estava escrito: "Kelly, perdoe-me por isto. Não tive como controlar. Meus editores passaram por cima de mim e mudaram tudo no último minuto. Não havia nada que eu pudesse fazer". Eu pensei: "Será que está tão ruim assim?".

Depois, olhei para a página do sumário: "Chutado por Pamela Anderson Lee, Kelly Slater se levanta novamente numa onda". Era uma matéria sobre Pamela que não tinha quase nada a ver comigo. Mencionava minhas credenciais no surfe, mas servi apenas de trampolim para colocar o nome de Pamela para vender revistas.

Mas esse não foi o único caso. Fui convidado para ir ao *The Craig Kilborn Show*, um show, muito, muito, muito, muito, muito tarde. Foi logo depois de Pam e eu termos terminado, provavelmente o único motivo pelo qual o programa me convidou. Cada vez que me perguntavam sobre Pam, eu mudava de assunto; sendo assim, ele passou a zombar do fato de eu fazer do surfe meu trabalho. Estava cansado daquilo e decidi que precisava retaliar. Eu tinha algo na manga contra ele, pois ele estava tentando sair com uma amiga minha, que o estava evitando. Enquanto a fita rodava, disse: "Temos uma amiga em comum. Ela mandou um oi para você". Ele fingiu não saber do que eu estava falando, olhou para o câmera, e disse: "E é aqui que cortamos. Voltaremos em três, dois, um ... então, Kelly ...", e seguiu com a entrevista, cortando fora totalmente minha retaliação. Quando acabou a entrevista, se aproximou de mim e disse: "Ei, diga oi a ela". Fiquei furioso, mas não havia muito que pudesse fazer no *set* do programa dele. Saí de lá, pensando: "Que idiota!".

ASP 2000

Maverick's não era um evento válido para o WCT; portanto, minha primeira oportunidade de manter meu objetivo de vencer um evento a cada temporada veio em maio, em outra onda assustadora, num lugar no Taiti, chamado Teahupoo. Isso tudo aconteceu durante o fiasco com Pamela. Como Maverick's, Teahupoo era um fenômeno relativamente recente. As pessoas consideravam a onda impossível de ser surfada até meados dos anos 1990, quando meu amigo Vetea David, do Taiti, conseguiu surfá-la, junto com outros locais e algum visitante ocasional retardado. A onda não chega a ser tão grande quanto Waimea ou Maverick's, mas acumula a mesma força e é bem mais difícil de surfar. Durante alguns anos, tinha visto vídeos e matérias em revistas sobre Teahupoo, e estava frustrado de não ter ido lá para encarar o desafio. A onda é mais poderosa do que a de Pipeline, e se tornou o lugar onde a habilidade de o surfista pegar um tubo num mar perigoso é julgada. Como eu não estava no circuito em tempo integral, tive de participar das triagens, de onde sairiam três surfistas para o evento principal. O nível do surfe nas triagens era inacreditável; portanto, achei que tive sorte de ficar em segundo, atrás do havaiano Andy Irons, que deu uma das demonstrações mais incríveis já vistas de como pegar tubos.

Surfei contra Mark Occhilupo nas semifinais e venci, mantendo minha invencibilidade contra ele. Depois, disse a ele: "Não se preocupe. Sempre existe a semana seguinte", o que se tornou profético. Para a final contra Shane Dorian, um vento lateral tinha arruinado as ondas, pelo menos para o padrão de Teahupoo. Se a onda não for um tubo perfeito, as pessoas nem querem surfar lá. Entretanto, em qualquer outro pico, pessoas se matariam por aquele tipo de onda. Parecia que todas as boas ondas vinham na minha direção, e consegui alcançar meu objetivo de vencer um evento, em 2000.

Quando chegamos a Tavarua, Fiji, na semana seguinte, para o Quiksilver Pro, minha motivação tinha se esvaído. Como a Quiksilver patrocinava o evento, tive de competir. O evento foi realizado em Cloudbreak. Na terceira rodada, surfei contra Occy, que ainda estava furioso por ter perdido para mim no Taiti. Ele tentava me vencer há anos; meu comentário após aquela bateria provavelmente fez com que ele se esforçasse ainda mais em Tavarua. Estava completamente fora de ritmo, e Occy simplesmente me atropelou. Foi uma grande vitória para ele; mas, para mim, a derrota não significou muita coisa.

Por outro lado, o Billabong Pro, em Trestles, no sul da Califórnia, naquele setembro, foi um evento que estava motivado a vencer. Como era o local de minha primeira vitória como profissional, no Body Glove Surfbout, de 1990, vencer diante de meus chefes da Quiksilver e do resto da indústria do surfe seria fantástico. Como não competia em tempo integral, senti a pressão de marcar presença quando participava. Eu estava me sentindo um pouco nostálgico; então, pedi a Al Merrick que fizesse uma réplica da prancha usada no evento de 1990, decorada com o mesmo desenho característico, em azul, laranja e amarelo. A Quiksilver

© Jeff Hornbaker.

Estou usando meu traseiro para diminuir a velocidade e esperar que a onda me pegue.

tinha relançado o calção coberto de estrelas, que usei à época; portanto, meu conjunto era uma volta ao passado.

Minha prancha estava linda, mas era fina e estreita para ondas boas que nunca chegaram. Stephen estava voando para a Califórnia, e pedi a ele que me trouxesse minha prancha para ondas pequenas da Flórida. É impressionante como empresas aéreas conseguem perder uma prancha, em trânsito, mas isso acontece periodicamente. E aconteceu desta vez. Tive de usar a prancha errada e perdi na primeira rodada, o que não é o fim do mundo. Em vez de ir direto para a terceira rodada, tive de competir na segunda, contra Shane Dorian. As ondas não melhoraram, e muito menos a minha *performance*. Perdi uma bateria emocionante e terminei na trigésima terceira colocação, em último lugar, pela segunda vez desde 1993. Shane tinha motivação extra para vencer porque eu tinha acabado de começar a namorar sua ex-namorada, uma modelo de Los Angeles, chamada Lisa Ann. A situação era complicada, mas senti uma forte atração por ela e Shane havia me dito que, por ele, estava tudo bem.

Não senti que perder para Shane foi o fim do mundo. Ele estava no circuito; portanto, a vitória significava muito mais para ele do que para mim. Enquanto o resto do circuito seguia para o Brasil, para competir nos péssimos *beach breaks*, vim direto para a Europa, para surfar um mês de ondas perfeitas.

Ficando popular

Em julho de 2000, filmei um episódio de *The Jersey*, um programa infantil na HBO, e não sabia do que se tratava. Não tive tempo de ler o roteiro de antemão; logo, literalmente compareci com dez minutos para memorizar minha parte de cada cena; então, passei o dia inteiro sem ter idéia do que estava filmando. Como muitos atletas famosos tinham participado do programa, confiei no julgamento deles e achei que não fosse ruim demais. Mais tarde, descobri que o programa era sobre um garoto que veste a camisa de um atleta profissional e adquire a força daquela pessoa, enquanto o atleta vira criança. Infelizmente, ainda não assisti ao programa; portanto, não sei como foi minha atuação. Todos que viram o episódio disseram que foi ótima. Assim, comecei o segundo capítulo da minha carreira em Hollywood.

Tive outras ofertas e as aceitei, como fazer um camafeu, no filme *One Night at McCool's* (Um Perigo de Mulher), além de um pequeno papel num episódio da série da HBO, *Arli$$*. Também recusei algumas ofertas, incluindo o papel principal em *In God's Hands* (Nas Mãos de Deus). Matt George, um surfista que também atuou no filme, escreveu o roteiro. O filme tinha um grande orçamento, mas foi outra péssima representação do surfe por Hollywood, um pouco mais tolerável do que *Point Break* (Caçadores de Emoção) ou *North Shore*. Meu empresário, Bryan, leu o roteiro e me ligou para falar a respeito. Até ele o achou ruim, e se Bryan achou ruim, era muito ruim mesmo. O diálogo era piegas e a trama não foi trabalhada, mas a idéia básica de ter um grupo de amigos viajando o mundo surfando era bastante legal. Eu recusei e o papel ficou com Shane Dorian. Pelo menos o surfe no filme era espetacular.

O escritor de surfe, Matt Warshaw, disse o seguinte numa matéria sobre filmes de surfe: "O único filme de Hollywood que deu certo foi *Apocalypse Now*". Ele estava certo. Mencionou o surfe o suficiente para mostrar que era algo pelo qual as pessoas ficavam apaixonadas e arriscariam a vida, mas não fazia o surfe, ou os surfistas, parecerem idiotas. *Big Wednesday* foi outro bom filme. Foi lançado em 1978, estrelando Jan-Michael Vincent, Gary Busey e William Katt, no papel de três amigos que lidavam com a responsabilidade de crescer enquanto surfavam na Califórnia. Mas *Point Break* errou feio. Existem imprecisões demais nele. Por exemplo, um *swell* de cinqüenta em cinqüenta anos? O que é isso? E todos que surfam sabem que, quando Bells Beach está com vinte pés, a duas horas dali, o *swell* tem quarenta pés. Portanto, por que Patrick Swayze foi a Bells?

Gostaria de ver um filme de surfe que falasse sobre um surfista como Duke Kahanamoku, Miki Dora ou Jeff Hackman. São as lendas do esporte e viveram vidas de cinema. Todos passaram por grandes dificuldades pessoais. Duke apresentou o surfe ao mundo, mas teve de lidar com o preconceito por ser havaiano; Miki rebelou-se contra a sociedade, e Jeff jogou fora uma carreira lucrativa na indústria do surfe, porque ficou viciado em drogas. Ele eventualmente se recuperou e conseguiu sua carreira de volta. Se alguém fizer um desses filmes, pode me incluir.

O que vem a seguir? Cuecas Kelly Slater?

Se visitarem o Universal City Walk, em Hollywood, encontrarão o Kelly Slater Quiksilver Boardriders Club, localizado entre uma loja de calçados Vans e uma Hollywood Harley-Davidson. Não me encontrarão trabalhando atrás do balcão, mas há uma grande vitrine com velhos pertences meus. Como um bônus no meu contrato com a Quiksilver, a companhia me ofereceu uma porcentagem da nova loja de surfe. A Quiksilver tem Boardriders Clubs espalhados pelo mundo, que expõem apenas produtos da Quiksilver e de sua linha feminina, a Roxy. Teria sido legal se tivessem inaugurado uma na Disney World, por ser próximo da minha cidade-natal, mas isso não aconteceu. Tive de aceitar Los Angeles. Durante meses, recolhi lembranças, como troféus, fotos, recortes de jornais, pranchas velhas, tudo com exceção de minha roupa de borracha velha, fedorenta e mofada. A minha segunda prancha, a que usei na minha primeira foto publicada, está pendurada a lado da prancha que usei na minha vitória no Pipe Masters de 1999. Também ajudei a projetar o visual da loja e aprovei o layout interno. A loja foi inaugurada em abril de 2000, e começou muito bem. Tivemos uma grande festa de inauguração, com a presença de meu amigo Jack Johnson tocando violão no BB King Club, na esquina. Havia centenas de pessoas e *paparazzi* do *Access Hollywood, E!,* e muitos outros programas de televisão. Não sou o dono da loja, mas recebo *royalties* dela.

Em 2000, comecei a trabalhar no meu videogame. Em dezembro de 1999, recebi uma ligação de um agente chamado Peter Hess, que havia ajudado Tony Hawk a fechar um acordo para criar "Tony Hawk's ProSkater". Devido ao sucesso do jogo de Tony, a indústria do videogame estava interessada no mercado de esportes de ação para futuros títulos. Peter queria saber se eu estava interessado em ter meu nome ligado a um jogo similar de surfe.

Não sou viciado em jogos de videogame; portanto, não sabia muito a respeito da indústria quando ingressei. Quando garoto, jogava fliperama, Asteroids e Pac-Man, no bar Islander Hut e no rinque de patinação Starlite Roller Rink, nada além disso. Recebi ofertas de seis companhias diferentes para produzir "Kelly Slater's ProSurfer", mas tive uma boa sensação após me encontrar com o pessoal da Activision, e o envolvimento com Tony com essa companhia me deu a certeza de que Activision seria a melhor escolha.

Vários jogos já tentaram reproduzir a experiência de surfar, mas nenhum obteve sucesso por um único motivo: criar uma onda realista é um pesadelo. Você procura uma onda que seja interessante, natural e em constante mudança. Do contrário, o jogo se torna maçante depois de jogar algumas vezes.

A Activision contratou uma companhia da Califórnia, chamada Treyarch, para criar o jogo. Basicamente, um animador, chamado Craig Dregeset, trabalhou doze horas por dia durante mais de um ano e fez quase tudo sozinho. As manobras no "Tony Hawk's ProSkater" foram criadas usando várias câmeras em sessões de filmagens, nas quais Tony andava de *skate* numa roupa de lycra preta, coberta com bolas brancas de pingue-pongue. Como as câmeras tinham de pegar três ângulos diferentes, o mesmo processo não podia ser utilizado no surfe, porque ele não acontece num ambiente controlado. O animador teve de observar milhões de fotos de surfe minhas e de outras pessoas no jogo e inserir cada posição de cada parte de nossos corpos no computador. O programa que Craig Dregeset usou tinha *stick figures*/bonecos palitinhos ou marionete numa prancha, e ele movimentava as partes do corpo para reproduzir o estilo de cada um. Graças aos avanços tecnológicos, o jogo ficou assustadoramente real.

A Activision e eu recrutamos uma incrível lista de surfistas, incluindo Tom Curren, Tom Carroll, Rob Machado, Bruce Irons, Lisa Anderson, Kalani Robb, Donovan Frankenreiter e Nathan Fletcher, e incorporamos todos os estilos e abordagens usados no surfe de ondas, das potentes cavadas e surfistas que adoram manobras a mestres de estilo. O único problema que tenho com esse programa é que o meu personagem surfa melhor do que eu.

Lições de paternidade

Parece que as coisas mais difíceis na vida são aquelas que trazem mais alegria e cura. Durante a minha vida, nunca fui muito ligado ao meu pai. Depois que ele e minha mãe se separaram, não vi e não ouvi muito sobre ele. Em outubro de 2000, quando estava na França, competindo em alguns eventos, minha mãe me ligou para dizer que ele tinha sido diagnosticado com câncer de garganta. Ligado a ele ou não, ele era meu pai, e voei para casa para estar ao seu lado e oferecer ajuda.

Mark "Doc" Renneker é um amigo meu. Ele é um respeitado surfista de ondas grandes de San Francisco, Califórnia, também é médico e trata pacientes com câncer. Quando descobri que meu pai estava doente, liguei para ele porque apreciava seu conselho. Eu queria saber quem Doc procuraria caso tivesse câncer. Ele me deu o nome de dois médicos, um dos quais também era surfista, que morava em Chicago, chamado Keith Block. Keith é conhecido pelo seu tratamento alternativo para o câncer. Ele se concentra muito na dieta dos pacientes, para que o corpo tenha os nutrientes necessários para criar células saudáveis e energia para combater as ruins. Ele prescreve muitos suplementos vitamínicos e um mínimo de radiação e quimioterapia.

Quando Keith explicou seu programa ao meu pai, sabia que era o médico certo para nós. Ele entendia o estilo de vida de meu pai e o tratamento agressivo que prescreveu parecia melhor do que o procedimento médico padrão. Keith escreveu o custo total do tratamento num pedaço de papel, em torno de 80 mil dólares, e o entregou a mim. Algumas das drogas utilizadas são extremamente caras, mas como sua abordagem é considerada alternativa, grande parte não é coberta pelo seguro. Meu pai viu o valor e disse: "Vou para casa. Você não vai gastar essa quantia de dinheiro comigo". Mas eu insisti. Com todo o dinheiro que havia ganho no decorrer dos anos, meu pai nunca havia me pedido um centavo. Ele não quis pedir nem quando sua vida dependia disso. Ele estava preocupado que eu gastasse todo meu dinheiro e estragasse meu futuro. Sua falta de egoísmo mostrou-me muito a respeito de seu caráter. Eu estava disposto a pagar qualquer preço para tornar meu pai

© Cortesia da Slater Family Wall of Shame.

Com Stephen, meu pai e Lisa Ann.

saudável de novo. Como Keith vivia em Chicago, ele queria que meu pai mudasse para lá para ser tratado, mas meu pai se recusou a ir. Ele tinha vivido toda sua vida na Flórida e queria estar perto de seus amigos e familiares. Como favor, Keith concordou em supervisionar o tratamento de meu pai a distância.

Primeiro, meu pai fez uma cirurgia para retirar o câncer. Tiveram de cortar fora sua veia jugular interna, remover os músculos do pescoço e nódulos linfáticos de seu peito e garganta. Ele não podia mais levantar seu braço após a cirurgia; sendo assim, havia muita coisa que ele não podia mais fazer. Ele não podia surfar. Não podia realmente pescar, porque não conseguia lançar o anzol mais do que alguns poucos metros. Não podia fumar cigarros ou beber cerveja. Seguia uma dieta rígida e

A primeira onda de Taylor.

perdeu treze quilos e meio. Basicamente, tudo que ele amava na vida tinha sido tirado dele.

Meu pai e eu ficamos mais próximos por causa de sua doença. Confrontar a mortalidade o ajudou a admitir muitos de seus erros, e finalmente conseguimos dar seqüência às nossas vidas. Passamos algumas semanas no Havaí, em 2001, e ele me viu competir no Pipe Masters pela primeira vez. Cheguei à final, e terminei em segundo, atrás do havaiano Bruce Irons. Como sempre, usei a casa dos Johnson como base em Pipe; sendo assim, meu pai assistiu às minhas baterias do quintal da casa deles. Não entendia por que, cada vez que eu voltava de uma bateria, meu pai estava em pé na praia, e não no quintal com meus amigos. Um ano depois, quando ele estava no hospital, lhe perguntei por quê. Ele me disse que tinha tanto orgulho de mim que começava a chorar durante cada uma de minhas baterias. Ele não queria que ninguém o visse, e então, saía andando.

Ser pai também me ajudou a ver o quanto pode ser difícil esse trabalho. Apesar de não estar presente tanto o quanto desejaria para ajudar Taylor, passo muito tempo na Flórida, entre competições, tentando conhecê-la melhor. A mãe dela faz um bom trabalho, explicando por que raramente estou presente, e eu coleciono conchas para Taylor de todas as praias que visito. Ela estima sua coleção e se recorda do dia em que recebeu cada uma, como se recorda de tudo o que fizemos juntos, e diz: "Papai, você se lembra de quando fizemos isso?".

Taylor é alucinada por água. Logo após seu segundo aniversário, eu a levei para surfar no pranchão de Stephen, em Cocoa Beach. As ondas estavam pequenas e, enquanto eu a carregava, empurrava a prancha e subia nela para um pequeno passeio. A mãe dela tirou uma foto. Estou segurando Taylor em meus braços e ambos estamos olhando para a prancha.

Eu dei a ela um colar, no Natal de 1999, e ela tirou um anel de sua caixinha de jóias e me pediu para usar. Não uso jóias desde que meu colar de conchas *pooka* de 1985 foi aposentado, mas não tirei o anel de meu dedo mindinho desde que ela me deu. Era verde, mas a cor já desbotou.

Isso é aposentadoria?

Entre trabalhar no meu videogame, filmar programas de televisão e fazer promoções para a Quiksilver ao redor do mundo, 2001 foi o ano mais agitado de minha vida. Meu namoro com Lisa Ann tinha se tornado bastante sério e eu passava o máximo de tempo possível com ela, em Los Angeles. Felizmente, a maioria de meus trabalhos estava no sul da Califórnia; portanto, era um lugar conveniente para montar meu acampamento. Eu surfava ao redor de Malibu e fui assistir a tantas partidas dos Lakers que comecei a me sentir californiano. Pela primeira vez em vinte anos, as competições despencaram na minha lista de prioridades.

Passaram-se mais de dois anos desde que competi em tempo integral, e fiquei imaginando quanto tempo conseguiria ficar longe antes de ficar velho demais. Na minha ausência, Occy tornara-se o campeão mundial mais velho da história, em 1999, aos 33 anos, e Sunny Garcia venceu, em 2000, quando tinha 30 anos. Eu tinha apenas 29 e senti que ainda havia tempo.

Fui à Austrália, em fevereiro de 2001, para o Quiksilver Pro. Houve uma coletiva de imprensa antes da competição, e falei ao lado de alguns outros atletas da Quiksilver. Grande parte da mídia australiana estava presente. Eles fizeram perguntas a respeito do evento, e depois me perguntaram se ou quando eu voltaria às competições em tempo integral. Eu escorreguei e respondi: "Existe uma chance de eu talvez retornar". Essas foram as minhas exatas palavras. A mídia do surfe aproveitou a frase e, por toda parte, as manchetes apelavam: "Ele está retornando!". Um ano depois, as pessoas continuavam me cobrando isso. Com toda a agitação, pensei seriamente em desistir da idéia.

Minha série de vitórias em um evento a cada ano tinha chegado a nove, um a menos do que o recorde de dois Toms, Curren e Carroll. Em Bells Beach, em abril, fui derrotado duas vezes pelo meu velho rival, Sunny Garcia, que era o atual campeão mundial. Não competi no Taiti ou no Brasil. A temporada foi encurtada para quatro eventos, devido à insegurança de viajar causada pelo fatídico 11 de setembro, e eu só competi em dois dos quatro. Em Sunset Beach, no evento final, não consegui passar das triagens e perdi para um havaiano de dezesseis anos e um desconhecido do Brasil. No Pipe Masters, que não era um evento oficial, porque nenhum patrocinador apareceu com o dinheiro a tempo, terminei em segundo, atrás de Bruce Irons. Apesar do final positivo, foi o pior ano da minha vida em termos de competição. Senti que estava surfando melhor do que nunca, mas as distrações em minha vida me impediram de vencer. Minha natureza competitiva estava sendo surrada, e tinha chegado a hora de fazer algo a respeito.

Voltando à ação

© Cortesia da Slater Family Wall of Shame.

2001 Independence Pro, Soup Bowls, Barbados.

Eu podia até ficar longe das competições, mas não consegui tirar a competitividade de dentro de mim completamente. Não me entendam mal: enquanto eu estava longe do circuito, dei passos largos na melhoria de meus relacionamentos pessoais. Tornei-me uma pessoa melhor em vários aspectos, mas ainda sinto que tenho um longo caminho a percorrer. Comecei a ter consciência de coisas que não percebia enquanto estava apenas preocupado em vencer. Mas o que posso fazer? Gosto de competir e sinto falta do circuito. Portanto, em 2001, estava pensando em retornar.

Quando Occy retornou, a ASP disse a ele que teria de se provar no World Qualifying Series, porque não tinha competido de forma alguma há vários anos. Se eu tivesse que batalhar ao redor do mundo para me qualificar para o World Championship Tour, teria continuado na aposentadoria. Depois de tudo o que tinha conquistado, não conseguia me ver voltando à estaca zero. Eu não estava sentado no sofá, comendo batatas fritas quando não estava no circuito. Eu estava surfando e competindo em eventos, aqui e ali. Quando me aposentei, perguntei a Rabbit Bartholomew, campeão mundial de 1978 e diretor da ASP, se poderia retornar quando quisesse. Ele deixou claro que haveria uma vaga esperando por mim.

Sempre senti que atletas que alcançam um *status* elevado durante suas carreiras deviam ser compensados com a qualificação de poder participar de competições de alto nível mesmo depois da aposentadoria. Seria absurdo proibir Tom Curren de surfar em qualquer evento de sua escolha. Se um surfista vence um evento, ele deveria poder competir naquele evento para sempre, e se ele conquista um título mundial, deveria ser bem-vindo a qualquer evento nos cinco anos seguintes. No golfe, funciona assim. Se um golfista vence um dos grandes eventos, está isento de ter de se qualificar para o circuito por vários anos e pode competir naquele evento para sempre. Muito depois que Tiger Woods se aposentar, ele provavelmente continuará participando do Circuito PGA (Associação de Golfistas Profissionais). Precisamos desse tipo de tradição no surfe. Aumentaria a atenção do público, além de oferecer aos jovens profissionais algo pelo qual aspirar.

Em 23 de outubro de 2001, distribuí uma nota à imprensa, anunciando que estava pronto para retornar ao circuito em tempo integral, no início do ano seguinte. A ASP me concedeu um *wildcard*/convite para toda a temporada 2002.

O Eddie

Eddie Aikau é uma verdadeira lenda havaiana. Um de seis filhos, cresceu pobre, largou a escola e trabalhava num emprego sem perspectivas na fábrica de abacaxis Dole, em Oahu, quando descobriu sua missão de vida. Durante um gigantesco *swell* que atingiu o North Shore, no inverno de 1967, Eddie, um desconhecido, entrou remando em Waimea Bay, o maior pico conhecido ao longo de todo o litoral. Ele ofuscou os melhores surfistas de ondas grandes da área e ganhou a reputação de surfar as maiores ondas que o North Shore conseguia produzir. Na época, não havia salva-vidas patrulhando as praias, e Eddie solicitou à cidade de Honolulu que o indicassem para o posto. Em breve, salva-vidas foram postos em cada praia principal, e Eddie conseguiu se concentrar em sua amada Waimea Bay, onde nenhuma vida foi perdida sob sua vigilância. Ele era fascinado pela sua herança havaiana, e em 1978, se juntou a uma tripulação que viajaria 3.800 quilômetros, de Oahu ao Taiti, a bordo de uma réplica de uma antiga canoa de travessia polinésia, a *Hokule'a*. A embarcação teve problemas logo no início e naufragou numa tempestade. Eddie partiu numa remada de vinte quilômetros em direção à ilha mais próxima para conseguir ajuda, enquanto o resto da tripulação se segurava nos destroços. A tripulação foi resgatada no dia seguinte, mas Eddie nunca mais foi encontrado.

Ao desaparecer no mar, Eddie tornou-se um personagem mítico. Começando em 1987, um evento de ondas grandes por convite tem sido realizado, em Waimea, em sua homenagem. Para que o *Quiksilver in Memory of Eddie Aikau* (Quiksilver em Memória a Eddie Aikau) ocorra, a exigência mínima para o surfe são vinte pés, segundo a medição havaiana, que pode chegar ao dobro na face. Apenas trinta dos melhores surfistas de ondas grandes são convidados a cada ano por um painel dos melhores e mais influentes *watermen*/desportistas aquáticos, o que torna "O Eddie" o evento de maior prestígio no mundo. Ser convidado significa que você está entre os maiores *watermen* do mundo. O evento se resume em desafiar ondas grandes. A grande maioria dos convidados não é de competidores em tempo integral. São apenas caras que adoram surfar ondas grandes e carregam com eles o espírito de Eddie Aikau.

O formato é diferente daquele de outras competições de surfe. Os trinta surfistas são divididos em três grupos de dez, e cada grupo tem duas horas dentro d'água, uma vez de manhã, e outra, à tarde. De todas as ondas, as quatro melhores do dia inteiro de cada competidor são somadas para sua pontuação final. Não existe uma final; o surfista com a pontuação mais alta é o vencedor e recebe uma premiação em cheque de 50 mil dólares.

Desde a competição inaugural, em 1987, Waimea só atingiu o tamanho exigido em um punhado de ocasiões. Por muitos anos, o período de espera de três meses veio e se foi sem que o diretor do evento, o legendário surfista havaiano e *shaper*, George Downing, convocasse os competidores. Mas quando as ondas estão grandes o suficiente e o evento acontece, o trânsito pára ao longo de todo North Shore. As pessoas se aglomeram ao longo do penhasco para ver a ação.

Eu finalmente tomei coragem para entrar em Waimea quando tinha dezessete anos. Meus amigos já surfavam no lugar há muitos anos; sendo assim, eu precisava alcançá-los. Em 1993, depois que conquistei o título mundial, fui convidado para ser reserva. (Também porque a Quiksilver era o patrocinador.) Eu já estava surfando Waimea há alguns anos, mas nada acima dos vinte pés. Eu estava com medo e não sentia que merecia o convite mais do que os surfistas que surfavam Waimea regularmente. Não queria que as pessoas pensassem: "O que esse cara está fazendo nessa competição?". Eu estava disposto a entregar minha vaga de reserva à próxima pessoa na lista.

Uma noite, estava jogando cartas com Brock Little, e ele me perguntou o que eu faria se tivesse que competir no evento. Eu respondi: "Com minha sorte, sou capaz de vencer". O que queria dizer era que provavelmente pegaria algumas ondas, conseguiria passá-las, enquanto todos os outros caras surfariam tão forte que acabariam com as ondas, mas não ganhariam muitos pontos. Brock riu e disse: "É a sorte de Slater. Você provavelmente *venceria* o danado do evento!".

Felizmente, as ondas não estavam grandes o bastante para que o evento fosse realizado naquele inverno; logo, não precisei me preocupar. Aliás, depois que o evento aconteceu em 1990, os elementos não se juntaram até 1999. Quando isso aconteceu, estava louco para participar da competição. Cada vez que meus amigos Ross Williams, Shane Dorian, Keoni Watson e eu ouvíamos falar da possibilidade de um grande *swell*, ligávamos um para o outro e fofocávamos como um grupo de garotas adolescentes.

Quando o dia perfeito finalmente aconteceu, em 1999, Noah Johnson, de 24 anos, venceu o evento. Eu fiquei em nono, mas ter alguém de minha geração vencendo me fez sentir como parte da competição. Com exceção de Brock, que já era uma atração em Waimea há uma década, sempre esperava que uma galera mais velha e experiente dominasse o pico. Em 2000, estava liderando após duas ondas, com metade do evento já corrido, quando as ondas pararam de quebrar e a competição foi cancelada. No ano seguinte, em 2001, o australiano Ross-Clarke Jones venceu e eu fiquei em quinto.

Quando a convocação foi feita para o evento, em janeiro de 2002, eu estava surfando em Maui, com Lisa Ann e alguns amigos. Com poucas horas de sono, pegamos um vôo cedo para Oahu. Normalmente gosto de assistir algumas baterias para sentir como estão abordando as ondas, mas não tive tempo de observar as condições por estar na primeira bateria da competição. Fui o primeiro a chegar ao *lineup*. Os salva-vidas tinham tirado todos os não-competidores da área e o resto dos surfistas estava remando uns cinqüenta metros atrás de mim. Pela primeira vez em minha vida, era a única pessoa lá fora, em Waimea. Em ondas normais, isso é uma bênção, mas aqui, você precisa de outros surfistas no *lineup* para usá-los como pontos de referência. Tive de confiar em meus instintos.

Em muitos picos de outras grandes, tartarugas ficam bem na beira do recife, onde há o encontro com a água mais profunda. Vi uma tartaruga flutuando perto de mim e achei que estivesse bem na saliência do recife, mas nenhuma onda tinha quebrado naqueles poucos minutos e não me sentia seguro. Eu também observo o *lineup* pelo morro. Quando todos na praia e no canal começaram a vibrar, sabia que uma série estava entrando, e eu ainda estava sozinho. A série era boa demais para deixar passar, e valendo ou não para a competição, quis aquecer minhas pernas. Foi uma onda boa e fácil, e acabou sendo uma das ondas válidas para a minha pontuação ao final do dia. Dali em diante, tive paciência em esperar por algumas boas ondas. Minhas notas foram bastantes boas, mas nada que me desse a certeza da vitória.

Quando soube que a competição iria ocorrer em Waimea, liguei para Eddie Vedder para convidá-lo. Ele disse que não poderia ir, mas que pensaria em mim. Quando voltei da minha primeira bateria, estava andando no vestiário e lá estava Eddie. Ele não queria me estressar, tendo de ajudá-lo a ir do aeroporto à praia; então, voou de uma ilha externa sem me dizer. Sentamos com alguns de nossos amigos, e quando chegou a minha vez, entrei no mar e peguei outras boas ondas. Havia um grande placar de líderes na praia, e segundo as notas, eu estava em terceiro lugar, atrás de dois havaianos, Tony Ray e Paul Paterson. Precisava de dois pontos para vencer e estava furioso comigo mesmo por não ter arriscado um pouco mais para chegar ao topo. Chegar tão perto numa competição de tamanho prestígio e não vencer foi frustrante. Lembrei de algumas ondas que havia deixado passar e que desejaria ter pego. Meus amigos ligaram para me parabenizar pelo terceiro lugar, que era meu melhor resultado até então no Eddie.

Durante a cerimônia de premiação, na praia, olhei para o placar e percebi que tinham somado uma nota errada em uma de minhas ondas. Eles estavam chamando o quinto colocado, quando disse a Brock: "Eles escreveram minhas notas errado. Eu tenho três pontos a mais. Eu venci o Eddie Aikau". Quando contei isso aos diretores do evento, eles pararam a cerimônia por cinco minutos para verificar as contas. Um dos organizadores foi até o placar, diante de uma multidão enorme que havia se juntado para a premiação, e mudou as notas. No meio do público, um grupo de australianos começou a resmungar: "Ah, o que estão fazendo? É marmelada!". Eles achavam que era uma conspiração porque era um evento da Quiksilver, e eu competia por eles. Comecei a me sentir culpado por ter visto o erro. Certamente, pareceu suspeito quando colocaram meu nome no alto do placar, mas tinha vencido.

Vestindo meu calção com a estampa de Todd Chesser, aceitei o cheque (onde estava escrito "Quiksilver" e 55 mil dólares, cinco mil dólares a mais do que tinha de ser) e dediquei minha vitória a Todd, Donnie Solomon e Mark Foo. Nunca tinha me imaginado como um surfista de ondas grandes. Num dia normal, sentia que me garantia com qualquer um no mar, mas quando a coisa ficava mais séria, durante uma competição, ainda idolatrava a geração mais velha de Waimea. Eu não tinha alcançado o nível deles em minha mente. Vencer o Eddie foi um tipo de auge na minha carreira, já que eu tinha evoluído das pequenas marolas da Flórida para um dos eventos de ondas grandes mais importantes do mundo.

Uma dura lição

No início de março, parti para a Austrália, para o começo do Circuito Mundial de 2002. O primeiro evento da temporada, o Quiksilver Pro, na Gold Coast, foi realizado em direitas perfeitas. Perdi para Joel Parkinson e fiquei em nono. Passaria quase um mês antes do evento seguinte, Bells Beach, e estava ansioso para passar um tempo com meu irmão Stephen e meu melhor amigo de infância, Johnny Ross, na Austrália.

Subimos o litoral de carro até a casa de um amigo nosso, onde recebi um telefonema de Lisa Ann, dizendo que tinha de ligar para minha mãe imediatamente, porque meu pai não estava muito bem. Falei com minha mãe ao telefone, e ela disse: "Se quiser ver seu pai ainda vivo, é melhor voltar para casa agora".

Em janeiro, meu pai tinha escorregado e caído nas escadas do meu condomínio na Flórida. Ele machucou o quadril e ficou deitado num sofá durante semanas. Ele não era do tipo de pessoa que fica parada dentro de casa e, após a queda, percebeu como seu estado era ruim. O câncer havia se espalhado para os pulmões, e ele começou a murchar.

A garganta de meu pai doía tanto que ele não conseguia comer. Quando Stephen e eu voamos de volta da Austrália, ele estava pesando 49 quilos. Foi horrível ver o que o câncer faz com uma pessoa. Ambos os seus pais haviam morrido de câncer de garganta, e dava para perceber que ele temia seguir o mesmo caminho. Eles haviam colocado um tubo de alimentação nele, mas não estava melhorando.

Foi um momento difícil para nós, mas ficamos unidos. Meus pais disseram que se amavam pela primeira vez em quase vinte anos. Durante toda essa experiência dolorosa, ele nunca reclamou ou sentiu pena de si mesmo. Continuava sentado na cama, contava piadas ou me contava como estava ficando mais forte para poder viajar comigo novamente. Sempre estava muito animado.

Ele me contou todo tipo de história de sua infância, como quando venceu a primeira competição de surfe que entrou: ganhou cem dólares e queria usar o dinheiro para voar para a Califórnia, mas não era o suficiente para chegar lá. Meu pai me pediu para louvar a Deus em cada momento de minha vida e apreciar as coisas todos os dias. Ele sempre se divertiu, o que pode não ter sido uma boa coisa em termos de família.

Num determinado momento, quando eu estava em casa, meu pai lembrou que estava perdendo a competição em Bells. Eu não queria que ele soubesse, mas ele ouviu alguém mencionar o fato. Ele estava alheio durante grande parte do tempo em que eu fiquei em casa; então, pensei que ele fosse se esquecer. Ele se sentou e disse: "O quê? A competição em Bells Beach está rolando? Que diabos está fazendo aqui?". Contei a ele que queria passar mais tempo com ele, e ele disse: "Isso não está fazendo bem a nenhum de nós dois. Vá lá e faça o que tem de ser feito. Vá lá e vença!". Ele continuava dizendo: "Você consegue, Kel!". Eu ficava rindo, porque ele só estava preocupado comigo, considerando o estado em que se encontrava.

© Cortesia da Slater Family Wall of Shame.

Essa foi a última foto que tiramos com meu pai poucas semanas antes dele falecer. Meu pai aproveita sua última cerveja no Festival de Frutos do Mar, no Cabo Canaveral, comigo, Sean, Stephen e nosso meio-irmão Matt.

Fiquei muito estressado, preso dentro de casa por dias a fio, e liguei para o Dr. Block para ver se havia algo que ele pudesse fazer pelo meu pai. Ele disse que tinham feito todo o possível. Ouvir aquilo me deu a permissão que precisava para relaxar e curtir os últimos dias com meu pai. Pude deixar a coisa acontecer sem achar que podia mudar algo. Parecia que, a cada dia, eu ganhava um ano em maturidade. Parei de pensar que o mundo girava ao meu redor e passei a ser mais homem e pessoa.

Após semanas em casa, parti numa viagem para tirar fotos e sabia que poderia ser a última vez que viria meu pai vivo. Felizmente, ele piorou rapidamente daquele ponto em diante, e não teve de sofrer muito tempo. Voltei dez dias depois, quando ele faleceu, para espalhar suas cinzas no oceano, no final da Minuteman Causeway, onde ele jogava fliperama e se divertia com seus amigos. Muitos amigos de meu pai compareceram para se despedir e contar histórias sobre ele. Num determinado momento, vi quantas pessoas ele havia tocado e como as pessoas gostavam de estar ao seu lado. Desde então, meus irmãos e eu já lançamos suas cinzas no Taiti, África do Sul, Austrália e Nicarágua. Literalmente, levamos uma parte dele onde quer que estejamos.

A próxima geração

Em toda geração, em todo esporte, há pessoas que apagam os feitos de gerações anteriores. Durante quarenta anos, as pessoas que acompanham o beisebol disseram que o recorde de *home runs*/jogada vencedora não podia ser batido, até que Mark McGuire bateu o recorde, em 1998. Depois, três anos mais tarde, Barry Bonds apareceu e bateu o recorde de McGuire, fazendo a tarefa parecer fácil. Algum dia, quando outro surfista entender a combinação correta de habilidade para surfar e conhecimento competitivo, meu recorde de seis títulos será batido. Eu torço por isso e espero estar vivo para testemunhá-lo.

Sou humano. Sei que não posso continuar me sobressaindo no surfe para sempre. Não digo que já atingi um patamar, mas caras como Bruce e Andy Irons estão ficando cada vez melhores. Tenho

um enorme respeito por esses caras e adoro vê-los tentando manobras radicais em ondas grandes. Ao ficar mais velho, tenho mudado
minha abordagem. Quando o mar está muito grande, vejo ondas que
me tornam humilde. Algum dia, quando me casar, o surfe ficará em
segundo lugar em relação à minha família. Continuo me vendo esticando os limites em ondas gigantes, mas tenho certeza de que terei
outras prioridades exigindo mais de mim. Espero continuar competindo
durante muitos anos. Adoraria competir em Pipe o tempo suficiente
para surfar contra garotos, como Jon Jon Florence, o herdeiro pré-
-adolescente ao trono do North Shore. Jon Jon tem apenas dez anos,
mas já está arrebentando em Pipe. Quando ele tiver vinte anos, espero
ter a chance de surfar contra ele.

Nesse momento, jovens surfistas australianos, como Joel Parkinson,
Taj Burrow e Mick Fanning estão causando um grande impacto no Circuito
Mundial. Metade do WCT vem da Austrália. Sempre foi um país dominante
no surfe profissional, mas quando comecei a ganhar um punhado de títulos mundiais para os Estados Unidos, serviu de sinal de alerta para eles.
Em resposta, um grupo de australianos, incluindo Rabbit Bartholomew,
deu início a um programa de base. Ele inclui escolinhas de surfe para
iniciantes, e um Circuito Profissional Junior, para os intermediários, que
proporcionou aos aspirantes a profissional um caminho nítido a seguir.
Quando essa nova safra de surfistas chegar à ASP, já terá acumulado uma
enorme experiência em competições. Esse tipo de trabalho de base não
existe nos Estados Unidos há muito tempo.

Os norte-americanos, em geral, ficaram mimados, e nossos surfistas não são uma exceção. A indústria do surfe e a economia aqui são
muito mais fortes do que em qualquer outro lugar. A América agüenta
perder um certo tempo antes de começar a se organizar. Precisamos de
um programa nacional parecido com o australiano para gerar talentos. A
competição é uma parte fundamental de nosso esporte, porque por meio
dela aumentamos nossos esforços e os limites do surfe.

Em relação à minha temporada de retorno, nunca realmente comecei.
Perdi alguns eventos, cheguei a apenas uma final (ficando em terceiro no
Pipe Masters), e nunca ameacei conquistar o título mundial. Na classificação ao final do ano, terminei em nono. O havaiano Andy Irons largou
na frente, na Austrália, e não foi desafiado durante o resto do ano. Achei

que, ao começar a temporada, demoraria alguns eventos para encontrar meu ritmo, mas não pensei que fosse demorar tanto. Voltei ao circuito em 2003, e queria mais um título mundial.

Fazendo do mundo (e do circuito) um lugar melhor

Voltei ao Circuito Mundial porque queria ganhar mais um título mundial, e não teria voltado se esse não fosse meu objetivo. Mas algo estranho aconteceu quando retornei: decidi que as competições não eram de vida ou morte. A morte de meu pai me deu mais perspectiva para a vida. Tanta coisa tinha ocorrido na minha vida, e tinha tantos motivos para ser grato por isso que não podia pedir muito mais. Porém, de algumas maneiras, voltei a me fechar no meu mundo novamente.

Waikiki, onde nasceu o surfe moderno.

Percebi que queria ajudar mais a melhorar o surfe do que a ganhar um título mundial. Em vez de me manifestar verbalmente, comecei um sutil confronto com a ASP para mudar algumas coisas. Todos os surfistas profissionais ficam frustrados com a falta de dinheiro e de exposição. Eles sonham em ser vistos como atletas legítimos e em ser assistidos na TV, como jogadores de basquete, ou mesmo skatistas. Eu queria ajudá--los. Antes de deixar as competições, eu só pensava em me encaixar no sistema e vencer. Agora, quero melhorar o sistema para os competidores e espectadores.

Tenho tido várias idéias sobre um formato novo e muito diferente para o surfe profissional. Acho que precisamos de um placar de líderes em cada evento, para que possamos competir contra todos os outros. Do modo atual, os dois melhores surfistas de um evento se enfrentam na terceira rodada e o perdedor é eliminado. Quero desenvolver um sistema, no qual um surfista pode ser dar mal num dia e continuar competindo para ter uma chance de vencer no último dia. Sinto que o surfe não pode se resumir a entrar numa bateria e derrotar um cara. Deveria ser orientado para a *performance*. Quando eu parar de competir, espero que o circuito seja mais profissional, mais emocionante e que os competidores não tenham que dizer: "Droga, tenho de ir ao circuito novamente!".

O próximo desafio

No oceano, os *swells* duram um tempo determinado e são impre-visíveis. Qualquer um de um número de elementos, como maré, vento, acúmulo de areia e a presença frenética de tubarões, pode arruinar um dia perfeito. A probabilidade de tudo se encaixar ao mesmo tempo é pequena. Além disso, mais e mais ondas naturais estão sendo destruídas pelo que muita gente chama "progresso". Muitos picos de surfe maravi-lhosos ao redor do mundo desapareceram graças às marinas, estradas e conjuntos habitacionais, mas também encontramos alguns novos. Isso levou ao aumento da população do surfe, porque há cada vez menos lugares que suportam multidões. Devido a tudo isso, os surfistas sonham em construir a máquina de ondas perfeita. Esse aparato perfeito levaria o surfe a todas as cidades norte-americanas, e tornaria o esporte tão popular quanto o futebol. Pessoas que nunca viram o oceano poderiam se tornar surfistas ávidos e hábeis. Todos meus amigos poderiam deixar seus empregos e se tornar profissionais residentes. Contudo, mesmo que máquinas de ondas se espalhem pelo país afora, como lojas Wal-Marts, o surfe continuará sendo um esporte modesto e preso a influências culturais e modismos.

As piscinas de ondas têm sido a grande e ainda não concretizada profecia do surfe. Em 1969, a primeira piscina de ondas do mundo, terrivelmente apelidada de *Big Surf*/Ondas Grandes, foi apresentada em Tempe, Arizona, mas as ondas eram tudo, menos grandes. Em 1985, o Circuito ASP decidiu parar para uma competição em Allentown, Pensilvânia, a 160 quilômetros do litoral, provocando olhares estranhos típicos de uma genuína aparição de um OVNI. A competição foi realizada numa piscina de ondas, e as ondas eram tão ruins que a maioria dos competidores não conseguiu surfar. O surfe profissional mergulhou no maior buraco de todos os tempos. Se as piscinas de ondas fossem o verdadeiro futuro do esporte, então o futuro seria negro.

Pouca coisa melhorou desde então, mas algumas pessoas estão tentando criar uma onda artificial perfeita. O mais perto que chegamos até agora tem sido com o desenvolvimento de ondas verticais. O inventor do *Flow Rider*, Tom Lochtefeld, criou uma máquina que reproduz a água fluindo num rio que é interrompida por uma mudança abrupta no contorno do fundo, que lança a água verticalmente para cima. Apesar de o surfista ficar no mesmo lugar, o fluxo d'água dá a sensação de estar surfando uma onda. *Snowboarders*, *skateboarders* e *wakeboarders*, que usam pranchas de dois bicos, como aquela usada no *Flow Rider*, adaptaram-se rapidamente, mas para os surfistas, cujo bico e rabeta da prancha são diferentes, a transição é tão dura quanto o concreto que se encontra centímetros abaixo da superfície.

Lochtefeld está trabalhando em outros tipos de ondas artificiais, incluindo o *Water Wing*/Asa de Água, que é um enorme aparelho em forma de asa de avião, que corre horizontalmente sobre um trilho no fundo do mar para criar uma onda. Tem muito potencial porque não é necessário construir uma piscina gigante. Utilizando asas de tamanhos variados e se aproximando da praia de diferentes direções é possível criar ondas de vários formatos e tamanhos.

Algum dia, eu vou me aposentar – de verdade

Apesar de ter decidido tentar o Circuito Mundial mais uma vez, estou planejando mais à frente para quando me aposentar em definitivo. O Havaí representa o melhor do surfe e é meu lugar favorito; portanto, é lá onde vou morar. É sempre bom voltar à Flórida, que me é familiar, mas o Havaí sempre foi meu lar, com os Johnson, os Benji, o Lar dos Hill, e todos nossos amigos que formam um grupo muito unido.

O North Shore de Oahu já é muito bonito, mas as outras ilhas do Havaí são ainda melhores. A diferença entre os dois é tão drástica quanto a diferença entre Los Angeles e Oahu. Uma pessoa mediana chegaria ao North Shore e diria: "Nossa, esse lugar é bonito e relaxante". Mas com a vida que eu levo, o North Shore é como trabalho. Tenho de lidar com as multidões e o fato de ser reconhecido.

Comprei um terreno no Havaí, e estou preparando-o para construir uma casa, na qual vou envelhecer. Meu terreno fica nas montanhas, nos arredores da cidade; então, se eu quiser ficar na companhia de pessoas ou sair à noite, eu posso; mas na maioria do tempo, quero ficar longe de todos e ficar sozinho. É o retiro perfeito para mim. Sempre quis plantar minha própria comida e, agora, tenho a terra suficiente e o clima certo para fazer isso. Tem praticamente tudo que eu poderia desejar. Há muitos lugares para surfar apenas com meus amigos, é agradável e fresco à noite, e posso pescar, jogar golfe, nadar e me manter saudável.

Ao ficar mais velho, vou dedicar mais tempo ao golfe. Posso querer me tornar um profissional no Circuito Veterano, quando estiver na casa dos cinqüenta. A maioria dos jogadores nesse circuito provavelmente não terá muita motivação depois de terem jogado a vida toda, mas eu estarei jogando com a excitação de um principiante. Se me inscrever, tenho potencial para jogar. Não me vejo competindo contra Tiger Wood, mas quem sabe.

Financeiramente, tenho de organizar meus investimentos antes de me aposentar. Em geral, levo uma vida bastante simples. Minhas maiores despesas são com restaurantes, contas telefônicas e golfe. Não sou de comprar carros, aviões e coisas desse tipo. Meu terreno terá muitos abacateiros; portanto, se ficar muito desesperado, vou vender abacates ao longo da estrada.

Calção de estrelas.

Porém, meu maior objetivo é ser feliz, ter um lar saudável e aguardo por isso ansiosamente. Para mim, é importante casar um dia e construir uma família. Meu pai me disse que quando ele tinha oito anos ele decidiu a mesma coisa. Meu relacionamento com Lisa Ann não deu tão certo quanto ambos desejávamos, e rompemos no final de 2002. Acredito que ainda estou no processo de aprender muitas lições e, quando finalmente conseguir, sei que terei concretizado uma parte de minha vida.

É engraçado. Quando criança, achei que chegaria um momento no qual eu diria: "É, consegui!". Porém, quanto mais envelheço, mais vejo que esse não é o caso. Ainda tenho um longo caminho a percorrer. Um amigo meu, John Swift, me disse uma vez: "É realmente fácil aprender tudo que todos sabem, mas, a partir daí, é preciso trabalhar baseado em teorias, então, o processo fica mais lento. É preciso descobrir coisas novas".

A vida é um processo constante de descoberta, como me distanciar cada vez mais do Islander Hut para pegar ondas cada vez maiores. Na minha carreira, já cheguei ao *lineup*. Agora, ao retornar ao circuito e ao olhar para a minha vida futura, sinto como se tivesse chegado à praia e precisasse remar novamente de lá para fora.

Arrepiando.

© Jeff Hornbaker.

Apêndice A
Listas dos 10 melhores de Kelly

Ondas favoritas

1. Pipeline (Oahu, Havaí): o lugar que sonhei surfar quando criança. Proporcionou-me os meus momentos mais especiais em competições e ainda me excita a cada dia.

2. Kirra/Snapper Rocks/Greenmount (Gold Coast, Austrália): o melhor tubo num *pointbreak* de fundo de areia que existe. Com novo desenvolvimento de dragagem, a onda atingiu 2,5 km de comprimento.

3. Sebastian Inlet (Flórida): meu pico local e campo de treino e provação original. Uma galera local forte e ondas curtas muito divertidas e brincalhonas que surgem no píer.

4. Soup Bowls (Bathsheba, Barbados): surfar e ficar largado na praia o dia todo, comendo fruta-pão e cana-de-açúcar com os rastafáris. Ondas impressionantemente divertidas num bom dia.

5. Cloudbreaks/Restaurants (Tavarua, Fiji): duas ondas distintas e uma ilha maravilhosa. Minha introdução no confronto com ondas grandes diante das câmeras aconteceu aqui. Uma onda (Cloudbreak) tem muita personalidade, enquanto a outra é perfeita.

6. Lance's Rights (Ilhas Mentawai, Indonésia): as direitas vazias (em 1994) que sempre sonhei surfar algum dia nas Ilhas Mentawai, Sumatra.

7. Sandpit (Santa Bárbara, Califórnia): apaixonei-me por ela em fotos, mas ainda preciso surfá-la num dia clássico.

8. G-Land (Java, Indonésia): provavelmente, peguei a melhor esquerda de minha vida lá. Tinha medo de pensar em ir lá quando garoto. Perfeição impecável.

9. North Point (Cowaramup, Austrália Ocidental): nunca surfei lá, mas sei que vou amar. Uma onda tubular grande, distinta e singular.

10. Three's (Big Islands, Havaí): nosso pequeno pico secreto.

Maiores influências

1. Minha família: fez de mim o que eu sou. Devo a ela todo meu amor e apreço.

2. Al Merrick: o melhor ser humano que conheço. Meu segundo pai e *shaper*.

3. Tom Curren, três vezes campeão mundial: cresci, querendo ser ele. Obrigado, Tom, pelo seu belíssimo surfe.

4. Tom Carroll, duas vezes campeão mundial: pela sua amizade e espírito amigável e competitivo. Ele me ensinou todos os segredos do negócio e eu não estaria onde estou se não fosse ele.

5. Trevor Handy: tetracampeão do Iron Man. Um amigo novo e velho. Ele está me ajudando a levar a vida que sempre sonhei e de ser a pessoa que tenho o potencial para ser.

6. Matt Kechele: ele me ensinou sobre o mundo do qual eu queria fazer parte e foi um irmão mais velho para mim e Sean. Obrigado pelos vídeos e pelas pranchas.

7. Bruce Raymond: ele me orientou durante tantos problemas pessoais e profissionais que não conseguiria agradecê-lo o suficiente. É o melhor chefe que eu poderia ter. (Presidente de Marketing da Quiksilver International e ex-surfista profissional de alto nível.)

8. Jeff Johnson e Peff Eick (e famílias): não passei um dia com eles que não tivesse amado ou comentado com meus amigos.

9. Mark Cunningham: um de meus seres humanos favoritos. Obrigado pelas aulas de *bodyboarding* e pela felicidade simples com a qual vive.

10. Nikola Tesla: abriu minha mente em relação às infinitas possibilidades da ciência, energia e invenção, e me deu a permissão de sonhar.

Viagens de surfe favoritas

1. Oahu, Havaí (todo inverno).

2. Cabo San Lucas, México (1986).

3. Ilhas Mentawai, Indonésia (1994).

4. Barbados (1985).

5. Gold Coast (1985).

6. Tavarua, Fiji (novembro de 1990).

7. Biarritz/Hossegor, França (agosto de 1989).

8. México (junho de 1990).

9. Tavarua, Fiji (maio/junho de 2002).

10. Sul da Califórnia, de Oceanside a Santa Bárbara (Verão de 1984).

Melhores momentos em competições

1. Semifinal, Pipe Masters, 1995, contra Rob Machado: todos os sentimentos de competição e de amizade mais puros vieram à tona para mim durante essa meia hora de minha vida, e conquistei meu terceiro título mundial naquele dia. Obrigado pela lembrança, Robbie Todd.

2. Pipe Masters, 1998: não poderia ter sonhado um cenário melhor para mim do que esse: Estados Unidos contra a Austrália, dois contra um, e tive de vir de trás para ganhar. Conquistei meu sexto título nesse dia.

3. Campeonato da Costa Leste, 1982: primeiro lugar na categoria Menehunes. Minha primeira grande vitória. Eu tinha dez anos. Não tinha idéia de que isso daria início ao resto de minha vida.

4. Título norte-americano, 1984, Makaha, Oahu, Havaí, primeiro lugar categoria Menehunes: meu primeiro de quatro títulos norte-americanos. Conheci a maioria de meus bons amigos surfistas nesse evento, e foi minha primeira experiência havaiana.

5. Rip Curl Pro, Hossegor, França, 1992: primeira vitória no circuito. Colocou-me na liderança da classificação pela primeira vez e me permitiu ficar entre os melhores.

6. Primeiro Annual Quiksilver Pro, G-Land, 1995, primeiro lugar: melhores ondas que já peguei em competições. Primeira competição de surfe aventura da Quiksilver. Peguei cinco tubos em minha primeira onda na final.

7. Hart's Birthday Bash, 1984, primeiro lugar: primeira vitória contra competidores mais velhos em campo aberto. Ganhei minha primeira passagem para o Havaí nessa competição e nunca mais olhei para trás.

8. Excalibur Cup, Sebastian Inlet, 1986, primeiro lugar categoria aberta para homens: tinha quatorze anos. Ganhei a competição profissional, tirei a espada da rocha e fiquei com a garota.

9. Sundek Pro, Melbourne Beach, Flórida, 1984: consegui entrar no evento principal em minha primeira competição profissional e venci a primeira bateria homem a homem da minha vida, contra um profissional australiano.

10. Pipe Master's, 1999, semifinal contra Occy: Occy tinha me colocado nas cordas para me vencer pela primeira vez depois que conquistei o título mundial naquele ano. Peguei uma onda nota dez na hora da buzina para impedir sua vitória sobre mim por mais alguns meses e ganhei o evento em seguida.

Perguntas mais freqüentes feitas para meu irmão Sean

1. Você também surfa?
2. Por que não surfa?
3. Você pega bem com um pranchão?
4. Evan Slater (editor da revista *Surfing*, sem relação alguma) é seu irmão mais velho ou mais novo?
5. Por que você não é um hexacampeão do mundo?
6. Você ensinou Kelly a surfar?
7. Você costumava ser melhor do que o Kelly?
8. Você não toca na banda?
9. Você pode pedir ao Kelly para assinar isso?
10. Onde está Kelly?

Pedidos de fãs

1. Pode assinar isso?
2. Posso tirar uma foto com você?
3. Posso ficar com uma de suas pranchas?

4. Você deixaria uma mensagem em minha secretária eletrônica?

5. Tem algo para me dar de graça?

6. Consegue ingressos para Jack Johnson (até meus amigos me pedem isso)?

7. Quer trocar de emprego comigo?

8. Como é a Pamela (Anderson)?

9. Você conversa com meu amigo ao telefone?

10. Posso ficar com suas meias ou cuecas?

Atividades fora do surfe

1. Golfe.

2. Tocar violão.

3. Ouvir música.

4. Seguir a política mundial.

5. Pescar.

6. Brincar com meu computador Mac.

7. Comprar e brincar com aparelhos diversos.

8. Ouvir programas de entrevistas no rádio.

9. Escrever.

10. Desenhar.

Campos de golfe favoritos

1. TPC Sawgrass, Stadium Course, Jacksonville, Flórida.

2. Cypress Point, Monterrey Peninsula, Califórnia.

3. Riviera, Pacific Palisades, Califórnia.

4. Hualalai, Kona, Havaí.

5. Links Course, Turtle Bay, Oahu, Havaí.

6. Bushwood Country Club, Boca Raton, Flórida.

7. Sherwood Country Club, Westlake, Califórnia.

8. Cocoa Beach Country Club, Cocoa Beach, Flórida.

9. Seignosse Golf Course, Hossegor, França.

10. Ko'Olau Golf Course, Kailua, Oahu, Havaí.

Coisas para fazer em Cocoa Beach

1. Pescar.

2. Ir a festas.

3. Jogar golfe.

4. Roubar a placa de rua da Slater Way.

5. Aprender a surfar.

6. Acampar nas ilhas no rio.

7. Acariciar um peixe-boi.

8. Ir ao Inner Room.

9. Assistir ao concurso de biquínis Coconuts no domingo.

10. Fazer *wakeboard*.

Elementos essenciais para viagens

1. Namorada/esposa.

2. Amigos/família.

3. Produtos de higiene.

4. Suplementos vitamínicos.

5. Cartão telefônico.

6. Computador.

7. Câmera fotográfica.

8. Livros/revistas.

9. Pílulas para dormir/melatonina.

10. Dramamina.

Piores lesões

1. Rompimento do lábrum no quadril esquerdo.
2. Rompimento dos ligamentos do tornozelo e joelho.
3. Rompimento do tendão de Aquiles.
4. Torcicolo.
5. Fratura de clavícula.
6. Concussão/amnésia.
7. Quatro pontos no joelho, 1982 (perdi a única semana de ondas no verão).
8. Dor crônica na base da coluna.
9. Nasci com dois olhos pretos.

Meios para melhorar o mundo

1. Ouvir todas as pessoas, mas tomar seu próprio partido.
2. Acalmar sua mente.
3. Descobrir como partir a água e criar combustível a partir das moléculas de hidrogênio eficientemente.
4. Entender a si próprio e o impacto que causa aos outros.
5. Plantar um pomar e fazer todas suas refeições com o que plantou.
6. Aceitar todas as coisas boas e ruins do mundo como se fizessem parte de nós; e nós deles.
7. Gerar energia a partir de fontes alternativas (termal, solar, hídrico etc.).
8. Surfar.
9. Fazer exercícios.
10. Morrer feliz.

Meus objetivos aos dezoito anos em nenhuma ordem em particular

1. Escrever um livro.

2. Fazer *skydive*.

3. Fazer uma partida de boliche perfeita.

4. Saltar de Bungee Jump.

5. Voar num avião.

6. Formar-me no segundo grau.

7. Conquistar um título mundial de surfe da ASP.

8. Viver até os 118 anos.

9. Ganhar um milhão de dólares.

10. Escalar uma montanha (metafórica, não realmente).

11. Surfar ondas de vinte pés.

Apêndice B
Resultados em competições

1980

Melbourne Kidney Center Benefit, Cocoa Beach, Flórida	1º Sub 8 anos

1981

17º Festival de Surfe Anual Canaveral Easter	1º Menehune
ESA Central Florida District, novembro	3º Menehune
Campeonato ESA, Cape Hatteras, Carolina do Norte	7º Menehune

1982

18º Festival de Surfe Anual de Páscoa Canaveral	1º Menehune
APS Miller Time Pro	1º Menehune
ESA Central Florida District, abril	1º Menehune
ESA Central Florida District, junho	1º Menehune
Roosevelt Surf Club	2º Meninos
Torneio Aberto de Surfe da Base da Força Aérea de Patrick	2º Menehune
3º Annual Smyrna Safari Open, New Smyrna, Flórida	3º Meninos
Campeonato ESA, Cape Hatteras, Carolina do Norte	1º Menehune

1983

ESA Central Florida District, fevereiro	1º Menehune
Festival de Surfe Turkey Trot	1º Meninos
ESA Central Florida District, abril	1º Menehune
APS Cocoa Beach Coors Open	1º Menehune
Festival de Surfe Satellite	1º Menehune
ESA Central Florida District, maio	1º Menehune
ESA Central Florida District, julho	1º Menehune
Playalinda Pro-Am Team Challenge	2º Menehune
Primeiro Campeonato Anual ESA Florida	1º Menehune
Campeonato ESA, Cape Hatteras, Carolina do Norte	1º Menehune
ESA Central Florida District, outubro	1º Menehune
Hart's Birthday Bash, Jacksonville, Flórida	1º Menehune 3º Superbateria
Campeonato NSSA Florida	1º Meninos

1984

ESA Central Florida District	1º Menehune
ESA Central Florida District	1º Menehune
20º Festival de Surfe de Páscoa Anual Lite Beer	1º Menehune
Festival de Surfe Wave Masters	1º Menehune
Ponce Inlet Surf Classic	1º Meninos 3º Superbateria
Sundek Classic, Melbourne Beach, Flórida	3º Open Am 17º Pro-Am
NSSA Florida Competição #3	1º Meninos

ESA Central Florida District #7	2° Menehune
2° Campeonato ESA Florida Anual	1° Menehune
Campeonato ESA, Cape Hatteras, Carolina do Norte	1° Menehune
Hart's Birthday Bash, Jacksonville, Flórida	1° Menehune 1° Superbateria
ESA Central Florida District #1	1° Meninos 1° Superbateria
ESA Central Florida District #2	1° Meninos 3° Superbateria
Campeonato Norte-americano Amador, Makaha, Havaí	1° Menehune

1985

Festival de Surfe Turkey Trot	1° Meninos
Copa do Caribe, Porto Rico	1° Juniores, 1° Superbateria
NSSA Ormond Beach Open	1° Juniores
21° Campeonato de Surfe Anual do Cabo Canaveral	1° Meninos
NSSA Jacksonville Open	1° Meninos
ESA Central Florida District	1° Meninos, 1° Superbateria
Sundek Classic	5° Aberto
ESA Southeast Surf-Off	1° Meninos
Campeonato Norte-americano Amador, Sebastian Inlet, Flórida	1° Meninos, 3° Superbateria
Campeonato Nacional da NSSA, Huntington, Califórnia	1° Meninos, 2° Superbateria
Campeonato ESA	1° Meninos

3° Anual Hart's Birtday Bash	1° Meninos, 1° Superbateria
ESA Central Florida District	1° Meninos, 2° Superbateria
ESA Central Florida District	1° Meninos, 2° Superbateria
ESA Central Florida District	1° Meninos 1° Superbateria

1986

ESA Central Florida District	1° Meninos
ESA Central Florida District	1° Meninos, 3° Superbateria
ESA Central Florida District	1° Meninos, 3° Superbateria
Campeonato Norte-americano Amador	1° Meninos
Campeonato ESA, Cape Hatteras, Carolina do Norte	1° Meninos
Campeonato Mundial Amador, Newquay, Inglaterra	3° Juniores
NSSA Nationals, Huntington Beach, Califórnia	1° Meninos
Easter Classic, Cabo Canaveral, Flórida	1° Pro-Am, 1° Meninos
Copa Excalibur, Sebastian Inlet, Flórida	1° Pro-Am
Copa do Caribe – Sebastian Inlet, Flórida, Bruce Walker	1° Homens e Juniores
Seletiva Seleção Norte-americana, Ventura, Califórnia	1° Aberto
Sundek Classic, Ventura, Califórnia	1° Aberto

1987

Campeonato ESA	1º Juniores
Copa do Pacífico, Austrália	1º Juniores, Aberto
PSAA Wild Rivers Waterpark	1º Pro
Campeonato Norte-americano Amador	1º Juniores
Seletiva para Seleção Norte-americana	10º Aberto

1988

Campeonato ESA, Cape Hatteras, Carolina do Norte	3º Juniores
ASP East Platt's Spring Surfari, New Smyrna Beach, Flórida	10º Pro
ASP East Gotcha Fall Surfari, New Smyrna Beach, Flórida	1º Pro
Campeonato Norte-americano Amador	Não se qualificou

1989

ASP Aloe Up Cup, New Smyrna Beach, Flórida	17º Pro
ESA Central Florida District	2º Juniores
Campeonato Norte-americano Amador	7º Juniores
PSAA Body Glove Surfbout, Trestles, Califórnia	Não se qualificou
ASP East Natural Art/Carib Pro, Barbados	2º Pro, 1º Open Am
ASP East Platt's Spring Surfari, New Smyrna Beach, Flórida	33º Pro
Seletiva para Seleção Norte-americana, Oceanside, Califórnia	1º Aberto

ASP East Gotcha Fall Surfari, New Smyrna Beach, Flórida	13º Pro

1990

ESA Central Florida District	1º Juniores
Campeonato Mundial Amador, Japão	5º Aberto

Tornei-me profissional, Julho 1990

ASP Life's a Beach Pro, Oceanside, Califórnia	17º
ASP Op Pro, Huntington Beach, Califórnia	57º
ASP Quiksilver Lacanau Pro, França	3º
ASP Rip Curl Pro, Landes, Hossegor, França	17º
Bud Tour, San Clemente, Califórnia	5º
Bud Tour, Body Glove Surfbout, Trestles, Califórnia	1º
Fletcher Cabo Classic	1º

1991

ASP Op Pro, Huntington Beach, Califórnia	5º
ASP Alder Surf Pro, Fistral Beach, Newquay, Inglaterra	9º
ASP Quiksilver Lacanau Pro, França	5º
ASP Rip Curl Pro, Landes, Hossegor, França	17º
ASP Arena Surfmasters, Biarritz, França	5º
ASP Marui Pro, Chiba, Japão	65º
ASP Miyazaki Pro, Miyazaki, Japão	33º
ASP XCEL Pro, Sunset Beach, Havaí	5º

ASP Wyland Hawaiian Pro, Haleiwa, Havaí	41º
ASP Marui Masters, Pipeline, Havaí	5º
ASP Hard Rock Café World Cup, Sunset Beach, Havaí	57º
Classificação Final na ASP	43º

1992

ASP WQS Coca-Cola/Rip Curl Classic, Bells Beach, Austrália	30º
ASP WCT Coca-Cola Bottlers Classic, North Narabeen, Austrália	2º
ASP WCT Gunston 500, Durban, África do Sul	17º
ASP WCT Yoplait Reunion Pro, Saint Leu, Ilhas Reunião	3º
ASP WCT Lacanau Pro, Lacanau, França	2º
ASP WCT Rip Curl Pro, Landes, Hossegor, França	1º
ASP WCT Quiksilver Surfmasters, Biarritz, França	5º
ASP WCT Marui Pro, Chiba, Japão	5º
ASP WCT Miyazaki Pro, Miyazaki, Japão	2º
ASP WCT Alternativa Surf International, Rio de Janeiro, Brasil	9º
ASP WCT Marui Masters, Pipeline, Havaí	1º
ASP WQS Margaret River Masters, Austrália Ocidental	3º
ASP WQS Newcastle City Pro, Newcastle, Austrália	2º
ASP WQS Manly Classic, Austrália	9º
ASP WQS Wyland Galleries Hawaiian Pro, Haleiwa, Havaí	17º

ASP Hard Rock Café World Cup,   17º
  Sunset Beach, Havaí

Classificação Final no Circuito Mundial ASP   1º

1993

ASP WCT Rip Curl Pro, Bells Beach, Austrália   5º

ASP WCT Coke Classic, North Narabeen, Austrália   33º

ASP WCT Gunston 500, Durban, África do Sul   9º

ASP WCT Lacanau Pro, Lacanau, França   5º

ASP WCT Rip Curl Pro, Landes, Hossegor, França   17º

ASP WCT Quiksilver Surfmasters, Biarritz, França   33º

ASP WCT Miyazaki Pro, Miyazaki, Japão   9º

ASP WCT Marui Pro, Chiba, Japão   1º

ASP WCT Alternativa Pro, Rio de Janeiro, Brasil   5º

ASP WCT Chiemsee Pipe Masters, Pipeline, Havaí   2º

ASP WQS Surfmasters, Margaret River,   33º
  Austrália Ocidental

ASP WQS Op Pro, Huntington Beach, Califórnia   25º

ASP WQS Billabong Country Feeling Classic,   2º
  Jeffreys Bay, África do Sul

ASP WQS Wyland Galleries Hawaiian Pro,   2º
  Haleiwa, Havaí

ASP WQS World Cup of Surfing,   49º
  Sunset Beach, Havaí

Classificação Final no Circuito Mundial ASP   7º

1994

ASP WCT Rip Curl Pro, Bells Beach, Austrália	1°
ASP WCT Marui Pro, Chiba, Japão	3°
ASP WCT Reunion Pro, St. Leu, Ilhas Reunião	9°
ASP WCT U.S. Open, Huntington Beach, Califórnia	2°
ASP WCT Gotcha Lacanau Pro, Lacanau, França	1°
ASP WCT Rip Curl Pro, Hossegor, França	2°
ASP WCT Quiksilver Surfmasters, Biarritz, França	17°
ASP Sud Oueste Trophee, França	1°
ASP WCT Alternativa Surf, Rio de Janeiro, Brasil	5°
ASP WCT Chiemsee Pipe Masters, Pipeline, Havaí	1°
ASP WCT Coke Classic, North Narabeen, Austrália	9°
ASP WQS Billabong, Santa Cruz, Califórnia	9°
ASP WQS Bud Surf Tour, Seaside Reef, Califórnia	1°
ASP WQS Billabong Kirra Pro, Kirra, Austrália	9°
ASP WQS Bud Surf Tour, Pismo Beach, Califórnia	13°
ASP WQS Bud Surf Tour, Huntington Beach, Califórnia	1°
ASP WQS Gunston 500, Durban, África do Sul	2°
ASP WQS Op Pro, Huntington Beach, Califórnia	2°
ASP WQS XCEL Pro, Sunset Beach, Havaí	2°
ASP WQS Wyland Galleries Pro, Haleiwa, Havaí	49°
ASP WQS Hapuna World Cup of Surfing, Sunset Beach, Havaí	9°
Classificação Final no Circuito Mundial ASP	1°

Classificação no Final World Qualifying Series   1º

1995

ASP WCT Rip Curl Pro, Bells Beach, Austrália   9º

ASP WCT Marui Pro, Chiba, Japão   3º

ASP WCT Quiksilver Pro, G-Land, Java, Indonésia   1º

ASP WCT Oxbow Reunion Pro, St. Leu, Ilhas Reunião   9º

ASP WCT U.S. Open, Huntington Beach, Califórnia   2º

ASP WCT Gotcha Lacanau Pro, Lacanau, França   9º

ASP WCT Rip Curl Pro, Hossegor, França   3º

ASP WCT Quiksilver Surfmasters, Biarritz, França   5º

ASP WCT Rio International Surf Pro,   5º
    Rio de Janeiro, Brasil

ASP WCT Chiemsee Pipe Masters, Pipeline, Havaí   1º

ASP WQS Mark Richards Newcastle City Pro,   13º
    Austrália

Seqüência de *backside* num tubo, Tavarua, Fiji.

© Jeff Hornbaker.

ASP WQS Gunston 500, Durban, África do Sul	2º
ASP WQS Billabong Country Feeling Classic	65º
ASP WQS Wyland Galleries Hawaiian Pro, Haleiwa, Havaí	5º
ASP WQS World Cup of Surfing, Sunset Beach, Havaí	49º
Tríplice Coroa Havaiana	1º
Quiksilver King of the Peak, Sebastian Inlet	1º
Classificação Final no Circuito Mundial ASP	1º

1996

ASP WCT Coke Surf Classic, Austrália	1º
ASP WCT Billabong Pro, Kirra, Austrália	9º
ASP WCT Rip Curl Pro, Bells Beach, Austrália	17º
ASP WCT Marui Pro, Chiba, Japão	9º

ASP WCT Quiksilver Pro, G-Land, Java, Indonésia	3º
ASP WCT Rip Curl Pro, St. Leu, Ilhas Reunião	1º
ASP WCT CSI Billabong Pro, Jeffreys Bay, África do Sul	1º
ASP WCT U.S. Open, Huntington Beach, Califórnia	1º
ASP WCT Gotcha Lacanau Pro, Lacanau, França	5º
ASP WCT Rip Curl Pro, Hossegor, França	1º
ASP WCT Quiksilver Surfmasters, Biarritz, França	1º
ASP WCT Coca-Cola, Figueira, Figueira da Foz, Portugal	33º
ASP Sud Ouest Trophee, França	1º
ASP WCT Chiemsee Pipe Masters, Pipeline, Havaí	1º
Da Hui Backdoor Shootout, Oahu, Havaí	1º
Classificação Final no Circuito Mundial ASP	1º

1997

ASP WCT Coke Surf Classic, North Narabeen, Austrália	1º
ASP WCT Billabong Pro, Gold Coast, Austrália	1º
ASP WCT Rip Curl Pro, Bells Beach, Austrália	9º
ASP Australian Grand Slam	1º
ASP WCT Tokushima Pro, Tokushima, Japão	1º
ASP WCT Marui Pro, Chiba, Japão	1º
ASP WCT Quiksilver Pro, G-Land, Java, Indonésia	9º
ASP WCT Kana Beach Lacanau Pro, Lacanau, França	2º
ASP WCT Rip Curl Pro, Hossegor, França	9º
ASP WCT Buondi Sintra Pro, Sintra, Portugal	17º
ASP WCT Expo '98 e Figueira '97, Figueira da Foz, Portugal	17º
ASP WCT Kaiser Summer Surf, Rio de Janeiro, Brasil	1º
ASP WCT Chiemsee Pipe Masters, Pipeline, Havaí	17º
ASP WQS G-Shock U.S. Open, Huntington Beach, Califórnia	2º
ASP WQS Hawaiian Pro, Haleiwa, Havaí	17º
ASP WQS Rip Curl World Cup of Surfing, Sunset Beach, Havaí	33º
ASP Typhoon Lagoon Surf Challenge, Orland, Flórida	1º
Classificação Final no Circuito Mundial ASP	1º

1998

ASP WCT Billabong Pro, Gold Coast, Austrália	1º
ASP WCT Rip Curl Pro, Bells Beach, Austrália	17º
ASP WCT Coke Surf Classic, Manly Beach, Austrália	5º

ASP WCT Tokushima Pro, Tokushima, Japão	5°
ASP WCT Marui Pro, Chiba, Japão	17°
ASP WCT Billabong/MSF Pro, Jeffreys Bay, África do Sul	5°
ASP WCT Op Pro, Huntington Beach, Califórnia	5°
ASP WCT Rip Curl Pro, Hossegor, França	3°
ASP WCT Kana Beach Lacanau Pro, Lacanau, França	9°
ASP WCT Rio Marathon Surf International, Rio de Janeiro, Brasil	3°
ASP WCT Mountain Dew Pipe Masters, Pipeline, Havaí	3°
ASP WQS Gunston 500, Durban, África do Sul	5°
ASP WQS G-Shock Hawaiian Pro, Haleiwa, Havaí	7°
ASP WQS Rip Curl World Cup, Sunset Beach, Havaí	3°
G-Shock Tríplice Coroa Havaiana	1°
Classificação Final no Circuito Mundial ASP	1°

1999

ASP WCT Billabong Pro, Gold Coast, Austrália	17°
ASP WCT Quiksilver Pro Fiji, Tavarua, Fiji	3°
ASP WCT Gotcha Pro, Huntington Beach, Califórnia	5°
ASP WCT Mountain Dew Pipe Masters, Pipeline, Havaí	1°
ASP WQS G-Shock Hawaiian Pro, Haleiwa, Havaí	25°
ASP WCT Rip Curl Cup, Sunset Beach, Havaí	33°
ASP Quiksilver Eddie Aikau Memorial, Waimea Bay, Havaí	9°

2000

ASP WCT Gotcha Pro Tahiti, Teahupoo, Taiti	1°
ASP WCT Quiksilver Pro Fiji, Tavarua, Fiji	17°
ASP WCT Billabong Pro, Trestles, Califórnia	33°
ASP WCT Mountain Dew Pipe Masters, Pipeline, Havaí	9°
Quiksilver Men Who Ride Mountains, Maverick's, Califórnia	2°

2001

ASP WCT Rip Curl Pro, Bells Beach, Austrália	17°
ASP WCT Rip Curl World Cup, Sunset Beach, Havaí	49°

Quiksilver King of the Peak, Sebastian Inlet, Flórida   1º
ASP WQS Quiksilver Pro, Gold Coast, Austrália   49º
ASP Quiksilver Eddie Aikau Memorial,   5º
    Waimea Bay, Havaí

2002

ASP Quiksilver Eddie Aikau Memorial, Waimea Bay, Havaí   1º
Pipeline Bodysurfing Classic, Pipeline, Havaí   7º
ASP Quiksilver Pro, Gold Coast, Austrália   9º
ASP Billabong Pro, Teahupoo, Taiti   17º
ASP Quiksilver Pro, Tavarua, Fiji   9º
ASP Billabong Pro, Jeffreys Bay, África do Sul   17º
ASP Billabong Boost Mobile, Trestles, Califórnia   3º
ASP Quiksilver Pro, Hossegor, França   3º
ASP Billabong Pro, Mundaka, Espanha   9º
ASP Rip Curl Cup, Sunset Beach, Havaí   17º
ASP XBOX Pipeline Masters, Pipeline, Havaí   3º
Classificação Final no Circuito Mundial ASP   9º

2003

ASP WCT Quiksilver Pro, Gold Coast, Austrália   9º
ASP WCT Rip Curl Pro, Bells Beach, Austrália   9º
ASP WCT Billabong Pro, Teahupoo, Taiti   1º
ASP WCT Quiksilver Pro, Tavarua, Fiji (não participou por estar com o dedo fraturado)
ASP WCT Niijima Quiksilver Pro, Niijima Island, Japão   5º
ASP WCT Billabong Pro, Jeffreys Bay, África do Sul   1º
ASP WCT Boost Mobile Pro, Trestles, Califórnia   5º
ASP WCT Quiksilver Pro, Hossegor, França   3º
ASP WCT Billabong Pro, Mundaka, Espanha   1º
ASP WCT Nova Schin Festival, Florianópolis e Imbituba, Brasil   1º
ASP WQS Vans Hawaiian Pro, Haleiwa, Havaí   7º
ASP WCT Rip Curl Cup, Sunset Beach, Havaí   17º
ASP WCT X-Box Pipeline Masters, Pipeline, Havaí   4º
Classificação Final no Circuito Mundial ASP WCT   2º

2004

ASP WCT Quiksilver Pro, Gold Coast, Austrália   5º
ASP WCT Rip Curl Pro, Bells Beach, Austrália   5º

ASP WCT Billabong Pro, Teahupoo, Taiti	3º
ASP WCT Quiksilver Pro, Tavarua, Fiji	17º
ASP WQS Snickers Australian Open, Sidney, Austrália	1º
ASP WQS Energy Australia Open, Newcastle, Austrália	1º
ASP WCT Billabong Pro, Jeffreys Bay, África do Sul	5º
ASP WCT Quiksilver Pro, Chiba, Japão	5º
ASP WCT Boost Mobile Pro, Trestles, Califórnia	2º
ASP WCT Quiksilver Pro, Hossegor, França	3º
ASP WCT Billabong Pro, Mundaka, Espanha	17º
ASP WCT Nova Schin Festival, Praia da Vila, Imbituba, Brasil	5º
ASP The Quiksilver in Memory of Eddie Aikau, Waimea Bay, Havaí	6º
ASP WCT Rip Curl Pipeline Masters, Pipeline, Havaí	7º
Classificação Final do Circuito Mundial ASP WCT	3º

2005

ASP WCT Quiksilver Pro, Gold Coast, Austrália	5º
ASP WCT Rip Curl Pro, Bells Beach, Austrália	17º
ASP WCT Billabong Pro, Teahupoo, Taiti	1º
ASP WCT Globe Fiji, Cloudbreak, Fiji	1º
ASP WCT Rip Curl The Search, Saint Leu, Ilhas Reunião	9º
ASP WCT Billabong Pro, Jeffreys Bay, África do Sul	1º
ASP WCT Quiksilver Pro, Chiba, Japão	2º
ASP WCT Boost Mobile Pro, Trestles, Califórnia	1º
ASP WCT Quiksilver Pro, Hossegor, França	5º
ASP WCT Nova Schin Festival, Praia da Vila, Imbituba, Brasil	9º
ASP WCT Rip Curl Pipeline Masters, Pipeline, Havaí	5º
Classificação Final do Circuito Mundial ASP WCT	1º

2006

ASP WCT Quiksilver Pro, Gold Coast, Austrália	1º
ASP WCT Rip Curl Pro, Bells Beach, Austrália	1º
ASP WCT Billabong Pro, Teahupoo, Taiti	3º
ASP WCT The Globe Fiji, Cloudbreak, Fiji (não participou)	
ASP WCT Rip Curl Pro The Search, Barra de La Cruz, México	5º
ASP WCT Billabong Pro, Jeffreys Bay, África do Sul	3º
ASP WCT Boost Mobile Pro, Trestles, Califórnia	2º
ASP WCT Quiksilver Pro, Hossegor, França	3º

ASP WCT Billabong Pro, Mundaka, Espanha	2º
ASP WCT Nova Schin Festival, Praia da Vila, Imbituba, Brasil (não participou do evento)	
ASP WCT Rip Curl Pro Pipeline Masters, Pipeline, Havaí	2º
Classificação Final no Circuito Mundial ASP WCT	1º

2007

ASP WCT Quiksilver Pro, Gold Coast, Austrália	3º
ASP WCT Rip Curl Pro, Bells Beach, Austrália	5º
ASP WCT Billabong Pro, Teahupoo, Taiti	9º
ASP WCT Rip Curl The Search, Arica, Chile	9º
ASP WCT Billabong Pro, Jeffreys Bay, África do Sul	2º
ASP WCT Boost Mobile Pro, Trestles, Califórnia	1º
ASP WCT Quiksilver Pro, Hossegor, França	17º
ASP WCT Billabong Pro, Mundaka, Espanha	3º
ASP WCT Hang Loose Santa Catarina Pro, Imbituba, Brasil	9º
ASP WCT Billabong Pipeline Masters, Pipeline, Havaí	9º
Classificação Final no Circuito Mundial ASP WCT	3º

2008

ASP WCT Quiksilver Pro, Gold Coast, Austrália	1º
ASP WCT Rip Curl Pro, Bells Beach, Austrália	1º
ASP WCT Billabong Pro, Teahupoo, Taiti	17º
ASP WCT Fiji Globe Pro, Tavarua, Fiji	1º
ASP WCT Billabong Pro, Jeffreys Bay, África do Sul	1º
ASP WCT Rip Curl The Search, Bali, Indonésia	17º
ASP WCT Boost Mobile Pro, Trestles, Califórnia	1º
ASP WCT Quiksilver Pro, Hossegor, França	2º
ASP WCT Billabong Pro, Mundaka, Espanha	9º
ASP WCT Hang Loose Santa Catarina Pro, Imbituba Brasil (não participou do evento)	
ASP WCT Billabong Pipeline Masters, Pipeline, Havaí	1º
Classificação Final no Circuito Mundial da ASP WCT	1º

2009

ASP WCT Quiksilver Pro, Gold Coast, Austrália	17º
ASP WCT Rip Curl Pro, Bells Beach, Austrália	17º
ASP WCT Billabong Pro, Teahupoo, Taiti	17º

ASP WCT Hang Loose Santa Catarina Pro, Imbituba, Brasil — 1º
ASP WCT Billabong Pro, Jeffreys Bays, África do Sul — 9º
ASP WCT Hurley Pro, Trestles, Califórnia — 3º
ASP WCT Quiksilver Pro, Hossegor, França — 5º
ASP WCT Billabong Pro, Mundaka, Espanha — 3º
ASP WCT Rip Curl Pro The Search, Peniche, Portugal — 17º
ASP WCT Billabong Pipeline Masters, Pipeline, Havaí — 2º

2010

ASP WCT Quiksilver Pro, Gold Coast, Austrália — 9º
ASP WCT Rip Curl Pro, Bells Beach, Austrália — 1º
ASP WCT Billabong Pro Santa Catarina, Imbituba, Brasil — 2º
ASP WCT Billabong Pro, Jeffreys Bays, África do Sul — 17º
ASP WCT Billabong Pro, Teahupoo, Taiti — 3º
ASP WCT Hurley Pro, Trestles, Califórnia — 1º
ASP WCT Quiksilver Pro, Hossegor, França — 2º
ASP WCT Rip Curl Pro, Peniche, Portugal — 1º
ASP WCT Rip Curl Pro The Search, Porto Rico — 1º
ASP WCT Billabong Pipe Masters, Pipeline, Havaí — 3º
Classificação Final no Circuito Mundial ASP — 1º

2011

ASP WCT Quiksilver Pro, Gold Coast, Austrália — 1º
ASP WCT Rip Curl Pro, Bells Beach, Austrália — 5º
ASP WCT Billabong Rio Pro, Rio de Janeiro, Brasil — 13º
ASP WCT Billabong Pro, Teahupoo, Taiti — 1º
ASP WCT Quiksilver Pro, Nova York — 2º
ASP WCT Hurley Pro, Trestles, Califórnia — 1º
ASP WCT Quiksilver Pro, Hossegor, França — 5º
ASP WCT Rip Curl Pro, Peniche, Portugal — 2º
ASP WCT Rip Curl Pro The Search, Califórnia — 5º
ASP WCT Billabong Pipe Masters, Pipeline, Havaí — 3º
Classificação Final no Circuito Mundial ASP — 1º

2012

ASP WCT Quiksilver Pro, Gold Coast, Austrália	5°
ASP WCT Rip Curl Pro, Bells Beach, Austrália	2°
ASP WCT Billabong Rio Pro, Rio de Janeiro, Brasil	(lesionado)
ASP WCT Volcom Fiji Pro, Tavarua/Namotu, Fiji	1°
ASP WCT Billabong Pro, Teahupoo, Taiti	13°
ASP WCT Hurley Pro, Trestles, Califórnia	1°
ASP WCT Quiksilver Pro, Hossegor, França	1°
ASP WCT Rip Curl Pro, Peniche, Portugal	13°
ASP WCT O'Neill Cold Water Classic, Santa Cruz, Califórnia	9°
ASP WCT Billabong Pipe Masters, Pipeline, Havaí	3°

2013

ASP WCT Quiksilver Pro, Gold Coast, Austrália	1°
ASP WCT Rip Curl Pro, Bells Beach, Austrália	13°
ASP WCT Billabong Rio Pro, Rio de Janeiro, Brasil	5°
ASP WCT Volcom Fiji Pro, Tavarua/Namotu, Fiji	1°
ASP WCT Oakley Pro, Bali, Indonésia	9°
ASP WCT Billabong Pro, Teahupoo, Taiti	2°
ASP WCT Hurley Pro, Trestles, Califórnia	13°
ASP WCT Quiksilver Pro, Hossegor, França	5°
ASP WCT Rip Curl Pro, Peniche, Portugal	25°
ASP WCT Billabong Pipe Masters, Pipeline, Havaí	1°

2014

ASP WCT Quiksilver Pro, Gold Coast, Austrália	5°
ASP WCT Drug Aware Margaret River Pro, Austrália Ocidental	3°
ASP WCT Rip Curl Pro, Bells Beach, Austrália	5°
ASP WCT Billabong Rio Pro, Rio de Janeiro, Brasil	3°
ASP WCT Fiji Pro, Tavarua/Namotu, Fiji	5°
ASP WCT J-Bay Open, Jeffreys Bay, África do Sul	13°
ASP WCT Billabong Pro, Teahupoo, Taiti	2°
ASP WCT Hurley Pro, Trestles, Califórnia	3°
ASP WCT Quiksilver Pro, Hossegor, França	5°
ASP WCT Moche Rip Curl Pro, Peniche, Portugal	13°
ASP WCT Billabong Pipe Masters, Pipeline, Havaí	13°

2015

WSL WCT Quiksilver Pro, Gold Coast, Austrália   13º
WSL WCT Rip Curl Pro, Bells Beach, Austrália   9º
WSL WCT Drug Aware Margaret River Pro, Austrália   5º
   Ocidental
WSL WCT Oi Rio Pro, Rio de Janeiro, Brasil   13º
WSL WCT Fiji Pro, Tavarua/Namotu, Fiji   9º
WSL WCT J-Bay Open, Jeffreys Bay, África do Sul   3º
WSL WCT Billabong Pro, Teahupoo, Taiti   5º
WSL WCT Hurley Pro, Trestles, Califórnia   9º
WSL WCT Quiksilver Pro, Hossegor, França   13º
WSL WCT Moche Rip Curl Pro, Peniche, Portugal   13º
WSL WCT Billabong Pipe Masters, Pipeline, Havaí   5º

2016

WSL WCT Quiksilver Pro, Gold Coast, Austrália   25º
WSL WCT Rip Curl Pro, Bells Beach, Austrália   13º
WSL WCT Drug Aware Margaret River Pro, Austrália   25º
   Ocidental
WSL WCT Fiji Pro, Tavarua/Namotu, Fiji   3º
WSL WCT J-Bay Open, Jeffreys Bay, África do Sul   5º
WSL WCT Billabong Pro, Teahupoo, Taiti   1º
WSL WCT Hurley Pro, Trestles, Califórnia   5º
WSL WCT Quiksilver Pro, Hossegor, França   25º
WSL WCT MEO Rip Curl Pro, Peniche, Portugal   13º
WSL WCT Billabong Pipe Masters, Pipeline, Havaí   3º

2017

WSL WCT Quiksilver Pro, Gold Coast, Austrália   5º
WSL WCT Drug Aware Margaret River Pro, Austrália   13º
   Ocidental
WSL WCT Rip Curl Pro, Bells Beach, Austrália   13º
WSL WCT Oi Rio Pro, Rio de Janeiro, Brasil (lesionado)
WSL WCT Outerknown Fiji Pro, Tavarua/Namotu, Fiji   13º
WSL WCT Corona Open J-Bay, Jeffreys Bay, África do Sul (lesionado)
WSL WCT Billabong Pro, Teahupoo, Taiti (lesionado)
WSL WCT Hurley Pro, Trestles, Califórnia (lesionado)
WSL WCT Quiksilver Pro, Hossegor, França (lesionado)

WSL WCT MEO Rip Curl Pro, Peniche, Portugal (lesionado)
WSL WCT Billabong Pipe Masters, Pipeline, Havaí   9º

2018

WSL WCT Quiksilver Pro, Gold Coast, Austrália (lesionado)
WSL WCT Rip Curl Pro, Bells Beach, Austrália (lesionado)
WSL WCT Oi Rio Pro, Rio de Janeiro, Brasil (lesionado)
WSL WCT Corona Bali Protected, Bali, Indonésia (lesionado)
WSL WCT Uluwatu CT/Margaret River Pro, Bali, Indonésia (lesionado)
WSL WCT Corona Open J-Bay, Jeffreys Bay, África   25º
    do Sul
WSL WCT Tahiti Pro, Teahupoo, Taiti (lesionado)
WSL WCT Surf Ranch Pro, Califórnia   3º
WSL WCT Quiksilver Pro, Hossegor, França (lesionado)
WSL WCT MEO Rip Curl Pro, Peniche, Portugal (lesionado)
WSL WCT Billabong Pipe Masters, Pipeline, Havaí   3º

2019

WSL WCT Quiksilver Pro, Gold Coast, Austrália   33º
WSL WCT Rip Curl Pro, Bells Beach, Austrália   5º
WSL WCT Corona Bali Protected, Bali, Indonésia   3º
WSL WCT Margaret River Pro, Austrália Ocidental   9º
WSL WCT Oi Rio Pro, Rio de Janeiro, Brasil   9º
WSL WCT Corona Open J-Bay, Jeffreys Bay, África   9º
    do Sul
WSL WCT Tahiti Pro, Teahupoo, Taiti   17º

Agradecimentos

Sem vencer, mas ainda sorrindo.

Primeiro, à minha mãe e ao meu pai, que me deixaram fazer minhas próprias coisas sem a pressão de ter de ser bem-sucedido, e por terem apoiado meus irmãos e eu em algo que provavelmente nunca sonharam que nos traria mais do que um pouco de felicidade.

A Sean, por ter me dado meu espírito guerreiro, por ter me ensinado a surfar, pescar, jogar futebol americano e sinuca, pegar uma bola de beisebol com minha cara, comer Oreos, a dar saltos como um sapo, a pular carniça, ou *crispy/fuji's*, a perder meu cabelo, a fantasiar-me para o Halloween, a bater em garotos que xingavam minha mãe de lésbica, a tomar conta de nós mesmos, e a não cometer erros bobos. Você é "cabeça".

A Stephen, por ser a rocha da família, por mostrar a Sean e eu como sermos genuínos, não-competitivos, e bondosos com as pessoas, por ensinar a acampar, surfar com pranchão, comer arraias, apagar brasas com nossos pés, pescar um atum de 80 quilos, a dirigir um trator, a ser bom com mamãe, a tomar conta de nós mesmos, a não transformar uma competição na coisa mais importante que existe. Aprendi muito com você. Cara, você é "o cara", bicho. *Blithna-Klithna.* Oh, e por ter ensinado Sean a velejar.

Às muitas famílias ao redor do mundo que me deram comida, abrigo e amor. Penso em vocês com freqüência, e não agüento esperar o momento de voltar em breve. A lista curta: Merrick, Hill, Johnson, Raymond, Hendy, Munro, Green, Hawkin, Machado, Kay, Ross, Fischer, Dorian, Morris, Malloy, Faria, Thorne, Filliben, King, Roy, Drollet, Hodge, Cox etc. Se esqueci alguém, você sabe quem é.

A Johnny, Rhett e Drew, por me manterem honesto, por serem sempre meus três melhores amigos e pelos apertos de mão. Acho que vocês me devem aluguel e roupas.

A Mark Codgen (Jovem MC), meu outro irmão, pela sua amizade, bondade e letras de *rap.* Você sempre me compreendeu. Paz a Dave.

A Peggy Rullo, minha outra mãe, na qual penso o tempo todo. Sinto saudade, Peggy.

A Bryan Taylor, por ter visto meu potencial numa idade muito jovem e por ter acreditado em mim. Não vimos as coisas sempre da mesma forma, mas obrigado por "saber o que é bom para mim". Você tem sido um bom amigo.

A Shane e Giselle, meus amigos sul-africanos, que me dão muita alegria para viver, e que sinto conhecer há várias vidas. Feliz aniversário, Gigi!

A Donnie Solomon e Todd Chesser, que causaram uma enorme impressão em nossas vidas e de quem sentimos saudades todos os dias. Vocês não vão!

A Al Merrick, por me orientar a vivenciar tudo comigo, e por ser um segundo pai. Amo muito você e Teddy. (As pranchas também não são ruins.)

A Bill Yerkes (da Sundek), Pat O'Neill (da roupas de borracha O'Neill) e Quiet Flight, pelo apoio em meus primeiros anos. Você teve uma fé tremenda em Sean e eu.

A Doc Couture, sinto falta de sua fiel dedicação ao surfe amador e a mim. Você é um bom homem.

A Bruce Walker, um grande "círculo feliz" para você e Stephanie.

A Dick Catri, aprendi a fazer *fades* e sempre abrir meus olhos dentro de um tubo. Obrigado, meu companheiro.

A Sunny Garcia, você sempre exigiu muito de mim e eu de você. Obrigado por não ter me batido e por ter me ensinado a dar *curls*.

A Randy Caldwell e Tom Walsh, por terem dirigido a ESA todos esses anos e por lidar com isso. Apreciamos muito.

A Quiksilver, pela parceria e pela amizade. Devo a cada pessoa na companhia um gigantesco obrigado pela sua ajuda e trabalho incrível. Parabéns!

A todos do Channel Islands Surfboards, que trabalham arduamente para organizar minha vida louca e por me manter surfando. Posso pagar um grande jantar para vocês, por favor?

A Bill McClausland e FCS, por permitirem que minha criatividade flua para algo tangível. Valeu, Bill!

A Kurt Wilson e companhia, que me mantêm ligado à minha prancha e que me mandam as últimas novidades de todo lugar do mundo. Obrigado, Sr. Cientista.

Aos Irmãos Salick, pela minha primeira prancha e aquele *airbrush* animal! Preciso de outro porque não consigo encontrar o primeiro. Apóiem a National Kidney Foundation (Fundação Nacional do Rim). Onde está meu adesivo de "equipe"?

À loja de presentes Ann-Lia, em Cocoa Beach e Tony Sasso, por vender minhas pranchas de isopor, em 1977. Não sei como consegui pegar onda com elas.

A Todd Holland, Sean O'Hare, Randy Sanders, Bryan Stamper, Troy Pepper e Sean, por terem sido meus primeiros companheiros de equipe. Agora, se eu pelo menos conseguisse passar pela arrebentação em Boardwalk!

A Chris Brown e família, pelas camas e pela madeira para fazer "tábuas de folhas-de-gelo" para a mesa. Vamos shapear outra prancha, Chris. Dave, obrigado por nos levar a surfar pelo mundo afora e por nos aquecer, na Inglaterra. Estou chegando para o jantar.

A Rob Machado e Shane Dorian, meus eternos parceiros de viagem e amigos, que me forçaram a ir mais fundo e me incentivaram a vencer quando era o momento.

A Trevor Hardy, por me dizer coisas que ninguém me disse antes, e por ter mais compreensão do que todos os outros somados. Você mudou minha vida. Amo você, meu amigo.

A Jason Borte, que trabalhou longas horas para criar esse livro e para me ajudar a realizar um dos objetivos de minha vida. Acho que ainda não entendi o presente que você me deu com seu esforço, e ainda não consigo expressar minha dívida de gratidão.

A Slam Management e Rebel Waltz.

A todos meus amigos fotógrafos, que decidiram tirar fotos de mim, e especialmente àqueles que me ajudaram com meu livro. Suas fotos me proporcionaram o que eu tenho na minha vida de muitas maneiras. Tenho a melhor pasta de recortes do mundo por sua causa.

A Shayne Allen, Stretch e Colbern, tenho as melhores lembranças de vocês (como quando Colin roubou a vaca, e ele e seus amigos tentaram transar com a vaca) e aguardo mais. *4-Bolt* para sempre, cortar grama é o máximo, e surfar por móveis.

A The Moonshine Conspiracy, por ajudar a trazer o espírito do surfe de volta às telas e por me incluir em seus projetos.

A Taylor Steele, por nos colocar todos juntos embaixo de um único teto (na casa de Pat e Betty) no começo. Acho que você ou Joe Curren me devem 1.500 dólares por aquele tempo, em Vegas, baby! Continue fazendo vídeos.

A todos os surfistas que me influenciaram quando era garoto, por plantarem as sementes e visões que usei para encontrar minhas habilidades. Eu não estaria onde estou se a Escola Velha não tivesse preparado o caminho. Vocês me mostraram como cavar e me levaram a voar.

A Tom Carroll e Matt Kechele, sou eternamente grato pela orientação e pranchas. *Grommie grind sammie*!

A Kliney, por me fazer rir, a Emmerson, por dirigir, C-Had, por ter passado a noite (o mês), Matty, Brock, Grinch, Vinnie, Pat O, Ross, Ronald, Jack, Mitz, Turbo, Mags, Akila, Benji, Conan, Jun, Bags (bolsas) (de papel ou de plástico?), Cerny, oh, não consigo lembrar de todos. Amo todos vocês. Vocês serão convidados para meu casamento algum dia.

A Moe Lerner, pelos jogos de carteado. Volte, seu paspalhão! Sentimos sua falta.

A PK e T-Bone Burnett, obrigado por me ajudar a acreditar em mim e em minha música. Oh, e pelas aulas de golfe. Oi, Bunker! Onde está meu equipamento de quatro canais, PK?

A Sandy e Tommy Armour, por me ensinar a jogar golfe, pelos relógios de grife, mulheres e roupas. Eu pego vocês algum dia.

Ao Dr. Keith Block, por ajudar, não só meu pai, mas minha família inteira a lidar com o câncer. Você nunca ficará sem pranchas de surfe. Visitem o site *www.blockmedical.com*. Diga que foi Kelly que indicou.

A meu irmão Matt Mates e família, sentimos muito sua falta. Onde está você? Bem-vindo à nossa família.

Ao Sr. Nuuhiwa e família, pelos anos de amizade e sábias palavras. Você é uma inspiração para mim e minha família.

À cidade de Cocoa Beach e Tony Sasso, por terem reconhecido minhas conquistas e por abençoar minha família com "nossa" rua. Adoramos.

A Al Hunt e à ASP, Matt Warshaw, Steve Hawk, família Slater e amigos, Evan Slater (sem qualquer relação), *Surfer*, *Surfing*, ESA, Scott o salva-vidas, Smitty, Ant Niggi e Renee Iwaszkiewicz, por sua edição e ajuda em pesquisa.

À minha adorada escola e professores, por fazerem seu trabalho e me deixarem fazer o meu. Contudo, ainda não aceitei parte da história que me ensinaram. Alguém realmente acredita naquela besteira de que Colombo é um herói? Digo, ele descobriu uma terra cheia de gente que foi escravizada e roubada, e eu deveria gastar meu tempo lendo sobre ele e ser testado? Vamos comprar livros novos. Eu pago.

A Lisa Ann, por me acompanhar numa jornada e por ter nos dado uma chance, por ter sempre enchido minha barriga com refeições deliciosas e por me desafiar a continuar saudável em todos os níveis. Obrigado, Leemer. Boa noite, garota encantadora.

A Bree, por ter sido meu primeiro amor (depois do surfe). Aprendi muito com o tempo que vivemos juntos, e desejo a você felicidade e realizações. Faça uma cara engraçada para mim!

A Jenny, por me ensinar a tomar conta de mim e de outra pessoa, e defender meu ponto de vista. Tenho orgulho de você e me sinto feliz pelo conhecimento que você adquiriu. Seja uma boa menina, tá?

A Pamela, você tem muitos dons que as pessoas não vêem, e que até você não percebe. Obrigado pelo seu senso de humor e pelo seu sorriso, as conversas sem fim, e por falar "uma nova linguagem" comigo. Por favor, lembre-se de respirar. "Você é a lágrima que permanecerá em minha alma para sempre." Olá, Brando e Dilly. Oh, não tomem todas as vitaminas de uma vez.

A Tamara e Taylor: primeiro, à Tamara, por ter me abençoado com a chance de ser pai. Não tenho feito o trabalho que sonhei fazer, mas sou grato pelo milagre de ter uma filha. Obrigado por ser uma mãe maravilhosa para ela, e por não julgar meu espaço e ausência severamente demais. Tenho muito o que recuperar! Obrigado, "Rocker". Taylor, penso em você todos os dias e sonho poder lhe mostrar o mundo que eu conheço em breve. Sinto falta de você e te amo.

A Ross Williams, por sempre me dar bons conselhos, abacates e uma cama para dormir. Agora, pratique mais o jogo de *Scrabble*, B-yatch.

Obrigado a Keoni Watson por ser o melhor ser humano que conheço e por conversar comigo (sobre ondas grandes).

Também gostaria de agradecer a... Andrew Murphy, Jay Moriarity, Jeff Hornbaker, Ken Bradshaw, Manuel Labor, Adriana, Jesse Faen, Taylor Knox, Sarge, Jesse Billauer, Brian Bleak, Andréa Dalessio, Woolly, John Freeman, DK, Jacque, Maritxu, Peyo, Belly, Greg Arnet, Marie Pascal, Dougie-Boy, Taylor Whisenand, Vinnie de la Pena, Ronnie Meistrell, Bill Mcmillen, Sulli, Os Champion, Os Woozley, Os Moriarity, George Downing e família, Glen Moncata, Perry Dane e família, Os Aikau, Os Keaulanas, Shane Beschen, Marvin e Mickey, Os Little, Chris Mauro, Kozo, Sonny Miller, Dave Homcy, Scott Soens, Martha Cabasa, Wire, Chris Jensen, John Roberts, Scott Greenstein, John Freitas, Sam Ainsley, Dozerdave, Mitch Varnes, Taylor Easley, Greville Mitchell, Conan, Jeni Hing e família, Kent Ewing, Tim Brown, Warren Kramer, Maurice Cole, Sean Collins, Peter Brouillet, Donna Gluyas, Will Lewis, Pottz, Gary Freeman, Sherman, Sherry Gannaway, Errol Amerasekera, Poto, Laird, Kalama e co., David Glasser, Jenny Vannes, Kalani Robb, Bobby Martinez, Os McKinney, James Blair, Pat O'Connell e família, Os Watson, Peter e Jaye Adderton, Boost Mobile, Hawaiian, Bernie Baker, Randy Rarick, todos na Activision e Treyarch, Regan Books, Justine Chiara (21), The Surfers (Alex, Mike, Evan e Gary), Sunset Sound, Sony Music, a equipe do The First Peak, David Speir, minhas afilhadas Kaila e Kalea, Greg Solomon, Pete Mel, Skinny e Jeff Clarke.

Eu poderia continuar sem parar, como Jack Jackson, e sei que esqueci muita gente, mas obrigado a todos vocês também.